HOST

ČERVENÁ LUCERNA

Graham Masterton

ČERVENÁ

Graham Masterton

LUCERNA

Brno 2016

Pro Dawn Harrisovou s láskou a nadějí

Coiméad fearg ar bhean a bhfuil foighne.
Střez se hněvu trpělivé ženy.
Irské přísloví

1

Ciaran otevřel vstupní dveře a oba muže udeřil do nosu silný zápach. Puch byl tak sladký a těžký, že ucouvli zpět na chodník. Ciaranův potenciální zákazník vytáhl z kapsy pršipláště zmuchlaný kapesník a přitiskl si ho přes nos a ústa.

„Šmarjápanno, tam je ale smrad," řekl tlumeným hlasem a píchl prstem směrem do ztemnělé haly.

Ciaran hlesl: „To je krutý, co? Ježišmarjá, to je zlý."

„Nepronajmu si místo, co takhle smrdí, to ti povídám. Zákazníci se mi tu pozvracej', dřív než se najedí."

Ciaran se podíval na zašlý červeno-zelený nápis nad obchodem. „Já vám povím, co to asi je," řekl a odkašlal si. Snažil se znít rozhodně. „Poslední nájemníci tady prodávali maďarské speciality. Koukněte na ten nápis. Maďarské lahůdky. Řekl bych, že něco nechali v mrazáku, když se odsud stěhovali, a Bord Gáis asi před měsícem vypnuli proud. Budou to zkažené klobásy nebo něco takového, vsaďte se."

„Mně je jedno, co to je, chlapče," odpověděl muž. „Nepůjdu se tam ani kouknout, dokud se toho smradu nezbavíte."

Ciaran řekl: „Dobře, pane Rooney, jasný. Úplně vám rozumím. Postaráme se o to, žádný problém. Ale co si myslíte o téhle lokalitě?"

Jeho klient se rozhlédl. Byl to malý, asi pětapadesátiletý muž s širokým hrudníkem, hustými kudrnatými šedinami, hluboko zasazenýma očima a stříbrným strništěm na bradě. Šedý pršiplášť měl přepásaný, takže v něm vypadal jako sud od piva.

„Lokalita je přesně to, co jsem hledal. Budu dělat kebaby, kari, ryby s hranolkama a tak." Na chvíli se odmlčel a zadíval se na ulici vedoucí strmě dolů k centru města. Potom se otočil. „Ježíši, můžeš ty zatracený dveře zavřít?"

„Dobře," odvětil Ciaran, ale když se natahoval po klice, spadl mu svazek klíčů na rohožku. Ciaran byl dvaadvacetiletý mladík, hubený a nemotorný, s krátkými zrzavými vlasy, nosem jako skoba a naběhlým červeným vřídkem na bradě. Byl vždycky neohrabaný a teď i pořádně nervózní vzhledem k tomu, že v Lisneyho realitní kanceláři pracoval teprve druhý týden a tohle byl třetí klient, kterého vzal na obhlídku sám. Vůbec mu nepomohlo, že chodba u tohoto obchodu tak strašně páchne. Sevřel se mu žaludek a v ústech ucítil kyselou pachuť.

„Poslyšte, pane Rooney, přísahám, že to tady pro vás dáme do zítra dohromady. Je to skvělá nabídka. Měl byste obchod a kuchyň, sklad ve sklepě a vzadu sociální zařízení, to všechno jen za dvanáct tisíc eur ročně. Vím, že nějaké obchody k pronájmu jsou i v centru města, ale za tuhle cenu jich moc nebude."

Ciaranův šéf, pan Blathnaid, mu řekl, že majitelé tohoto domu museli kvůli krizi snížit nájem už o dva tisíce eur, a pokud brzy nenajdou nájemníka, budou nuceni cenu ještě snížit. Na Lower Shandon Street přežívalo malých obchůdků stále dost. Nalevo odsud bylo řeznictví Denise Nolana s klobásami a vepřovým masem ve výloze, napravo Hennessyho trafika a naproti ní africká restaurace Orosin. Ale o kousek výš už byly výlohy obchodů zatažené a ty podniky, které ještě udržovaly provoz, měly co dělat, aby nezavřely.

„A co to místo na Ballyhooly Road?" odfrkl si pan Rooney. „To je pořád k mání?"

„Budu k vám upřímný, pane Rooney, nic lepšího než tady nesluženete. A jestli vám jde o kebaby a kari, tady máte tu nejvhodnější etnickou klientelu."

„No jo, to se taky o Shandon Street říká. Jako pinta Guinnessu — dole černý, uprostřed černý a nahoře bílý."

Ciaran neodpověděl, Lisney mu dal přísné pokyny o politické korektnosti. Bezpečnostní zámek byl navíc zaseknutý a Ciaran měl potíže s klíčem. Stále s ním bojoval, když zaslechl zvláštní kvílení. Zvuk byl vysoký jako ženský nebo dětský hlas. Že by kočka? Ale ať už to bylo cokoli, přicházelo to z budovy.

„No tak, pospěš si s tím," ozval se pan Rooney s pohledem upřeným na hodinky. „Nemám moc času. Ve dvanáct musím být v Ballincolligu."

Ciaran přitiskl ucho ke dveřím a napjatě poslouchal. „Můžete být chvíli zticha?" zašeptal a zvedl ruku.

„Cos to říkal?" opáčil Rooney popuzeně.

„Omlouvám se. Můžete být chvíli zticha, *prosím*? Mám pocit, že někoho slyším."

„No tak, chlapče. Čeká mě hodně práce a už tak mám zpoždění."

„Ne, ne, poslouchejte! Už to slyším zas! Zní to jako pláč!"

Pan Rooney nesouhlasně mlaskl, obrátil oči v sloup a vrátil se ke vstupním dveřím. V tu chvíli ulicí zarachotilo staré špinavé dodávkové auto naložené trámy a starými pračkami. Z dlouhého výfuku se valil dým a z oken cigaretový kouř.

„Já nic neslyším," řekl pan Rooney. „Máš moc bujnou fantazii, chlapče."

Jak se dodávka lopotila do kopce k Church Street, rámus z děravého výfuku odezníval a odněkud z budovy se znovu ozval zoufalý výkřik plný bolesti. Byl tak táhlý, že zněl téměř jako operní zpěv, a tentokrát jej zaslechli oba.

„Neříkal jsi, že tady nikdo nebydlí?" ozval se pan Rooney popuzeně, téměř jako by Ciarana obviňoval z porušení smlouvy.

„Neměl by tu nikdo být. Horní dvě patra jsou pronajata dvěma různým nájemníkům, ale nikdo tam teď není, tedy pokud vím."

„Ty toho asi moc nevíš, co? Zřejmě se budeme muset podívat, co se tam děje."

„Asi bych měl nejdřív zavolat do kanceláře," zdráhal se Ciaran.

„Jo? A co s tím asi tak udělají? To už by bylo lepší zavolat policajty."

Ciaran na chvíli zaváhal, poté otočil klíčem v zámku a otevřel vstupní dveře. Zápach se tentokrát zdál ještě horší. Byl tak silný, že Ciaranovi připadalo, jako by vytvářel oranžový opar. Bylo to ale jen světlo, které do haly pronikalo vitrážovým oknem nad schody.

Puch byl tak hutný, že se Ciaran téměř zalkl. Naplnil mu nos, hrdlo i plíce. Vzpomněl si, jak jednou u tety Kathleen na chatě v Clash pošla pod podlahou krysa. Tohle bylo stokrát silnější.

V úzké chodbě s reliéfními tapetami přetřenými hořčicově žlutou barvou bylo na podlaze ošlapané zelené linoleum. Dveře po levé straně vedly do obchodu. Chvíli vzdorovaly, ale Ciaran se do nich tvrdě opřel ramenem, až se s chvěním otevřely. V obchodě panovala tma kvůli kovovým bezpečnostním žaluziím na oknech. Kolmo k sobě stály dvě prosklené výkladní skříně se zaprášenými skly, obě prázdné. Uprostřed místnosti ležela převržená dřevěná židle a z protější zdi se odchlipoval roztržený plakát budapešťského hradu. Kromě něj tu však nic nepřipomínalo, že zde býval obchod s maďarskými delikatesami. Ciaran si uvědomil, že s těmi klobásami se pletl. Zápach uvnitř nebyl zdaleka tak silný jako v chodbě.

„Z tohohle by bylo parádní občerstvení, kdyby se ti podařilo zbavit se toho smradu," řekl pan Rooney a rozhlížel se kolem sebe. Chtěl ještě něco dodat, ale ozval se další slabý, vysoký výkřik, skoro zaječení. Znělo to, jako by přicházel z místnosti nad nimi, a Ciaranovi se zdálo, že odtamtud slyší i pohyb, něčí podrážky dupající po podlaze.

Ani jeden z nich nic neřekl, ale pan Rooney se vrátil do chodby a dýchavičně vyrazil nahoru po schodech. Přitahoval se k vratkému zábradlí, aby se mu lépe šlo. Ciaran ho následoval a připadal si jako dítě. Vždyť je přece zástupce realitní kanceláře, tak by měl rozhodovat on.

Vyšli do prvního patra. Obličeje měli ve světle z vitrážového okna skvrnité, jako by oba trpěli nějakou nevyléčitelnou kožní chorobou. Vlevo od nich byly dveře natřené odlupující se hnědou barvou a před nimi ještě jedny dveře, napůl otevřené. Ciaran zahlédl rezavé umyvadlo a starodávnou plechovou vanu s velkým kapajícím kohoutkem.

„Je tam někdo?" zavolal pan Rooney. „Říkám: Je tam někdo?" Sípavě se nadechl, ale než mohl zakřičet potřetí, přepadl ho záchvat kašle a musel se udeřit do hrudníku, aby ho zklidnil. „Ježíši. Člověk by neřek', že jsem přestal kouřit."

„Myslím, že se to ozývalo odtamtud, ten pláč," opáčil Ciaran a kývl na dveře vlevo.

„No tak jdi, hochu," zachraptěl pan Rooney a potlačil další zakašlání. „Nemáme na to celý den."

Ciaran vzal za plastovou kliku a opatrně dveře otevřel. Závěsy byly zatažené, takže neviděl, jestli v pokoji někdo je. I kdyby z této místnosti nešel výkřik, zápach určitě ano. Ciaranovi se zvedl žaludek, a než dveře otevřel ještě víc, na chvíli zaváhal. Bál se, že bude muset běžet do koupelny a vyzvracet se.

„Haló?" zavolal opatrně. „Je tady někdo?"

Zaslechl, jak uvnitř bzučí mouchy. A potom uslyšel zafňukání a další sten, tentokrát hlubší a klesavý, jakoby vystrašený. Ciaran se nadechl, aby se uklidnil, ale hned toho litoval, protože do sebe nasál ten příšerný zápach. Natáhl se k vypínači a stiskl ho, ale nic se nestalo. Jak sám řekl panu Rooneymu, elektrárny musely vypnout proud.

„No tak, prokrista," zavrčel Rooney. Protáhl se kolem Ciarana a přešel k oknu. Roztáhl těžké tmavě zelené závěsy a do místnosti se vedralo jasné denní světlo. Kolem létal nebo lezl po oknech alespoň tucet masařek.

To, co uviděli, je přimrazilo na místě. Ciaran měl pocit, jako kdyby mu všechna krev z těla natekla do nohou. Stáli v garsoniéře s tmavě červenou pohovkou podél zdi. Jediný další kus nábytku bylo špinavé béžové křeslo, týkový konferenční stolek ve tvaru malířské palety a laciná dýhová skříň. V rohu místnosti vedle okna byl malý trojúhelníkový dřez a police s mikrovlnnou troubou a olivově zelenou varnou konvicí z plastu.

Na zdi nad pohovkou visel zašlý obrázek svatého Patrika s bílými vousy, laskavým úsměvem a masou hadů kolem nohou, kteří se plazili do moře. Na gauči ležel nahý černoch a vedle něj na zemi klečela mladá černoška s vyvalenýma očima, oblečená jenom ve fialové saténové podprsence. Byla tak vyzáblá, že její ruce a nohy vypadaly jako černé pohrabáče, a břicho měla celé vrásčité.

Znovu zakvílela a zakryla si rukou obličej. *„Ba a cutar da ni!"* vyjekla hlasem tak vysokým a tenkým, že to znělo jako zapískání. *„Ba a cutar da ni!"*

Pohled na mužovo tělo a zápach z něj Ciaranem a panem Rooneym tak otřásly, že asi čtvrt minuty ani jeden z nich nenacházel slova. Jediné, na co se pan Rooney zmohl, když se mu vrátila řeč, bylo: „Šmarjápanno. Do prdele, ten teda vypadá!"

16

Muž měl obě ruce odříznuté v zápěstích a pokrývka pod nimi se černala zaschlou krví. Pahýly se hemžily červy, kteří se kroutili a škubali sebou ve snaze dostat se k rozkládající se tkáni. Daleko hůř ale vypadal mužův obličej — nebo to, co z něj zbývalo. Dolní čelist s upravenou černou bradkou byla netknutá, ale nad ní se rozkládal jen obrovský nachový květ s okvětními lístky masa. Celý květ se tetelil červy a slétaly se na něj masařky, pilně kladoucí další vajíčka.

Ještě víc červů a much se muži hemžilo mezi nohama. Byla jich celá hejna, takže to vypadalo, jako by na sobě měl obrovskou hýbající se plenu.

„Zavolej policajty, chlapče," ozval se znovu pan Rooney zastřeným hlasem, ale Ciaran už na mobilu vyťukával číslo sto dvanáct.

Pan Rooney vztáhl k dívce obě ruce. „Pojď sem, holka, my ti nic neuděláme. Co tady proboha děláš s tím mrtvým chlapem?"

„Vy ne zabít," zakňourala dívka. „Prosím, vy ne zabít."

„My tě nezabijeme. Proč bychom měli?"

„Prosím, vy ne zabít."

„Samozřejmě že tě nezabijeme. Pojď sem, musíš odsud pryč."

„Lower Shandon Street," hlásil Ciaran do telefonu. „Nad obchodem je cedule s nápisem Maďarské lahůdky. Je tady tělo, černoch bez hlavy. A nějaká dívka, je naživu, ale řekl bych, že potřebuje pomoc. Taky černoška. Přesně tak. Ne, myslím, že není zraněná. Ano. Ciaran O'Malley. Ano."

Otočil se k panu Rooneymu a ohlásil: „Policajti jsou na cestě. Prý nemáme na nic sahat a hýbat s tělem."

„No jasně, to jsem rozhodně chtěl," odfrkl si pan Rooney. „Zvednu ho a můžeme si v tomhle podělaným pokoji zatancovat."

„Asi odsud budu muset ven," hlesl Ciaran. Dal si ruku před obličej, aby se mu pohled nevracel na tělo ležící na pohovce.

„Už ten zápach nevydržím. Ani ty červy." Jen co to vyslovil, zvedl se mu žaludek a v krku ucítil zvratky. Do očí se mu vedraly slzy.

Pan Rooney si rozepnul kabát a vysoukal se z něj. Podal ho dívce a řekl: „Tady máš, malá. Oblíkni si to. Aspoň tu nebudeš nahatá."

Dívka se znaveně opřela o křeslo a podařilo se jí vstát. Byla tak vyhublá, že její pánev připomínala lopatku pluhu. Než jí pan Rooney přehodil kabát přes kostnatá ramena, všiml si Ciaran na dívčiných zádech mnoha hrbolatých úhlopříčných jizev. Jako by ji někdo bil nebo pálil. Nebo obojí.

Odešli z pokoje a nemotorně scházeli do přízemí. Jakmile sestoupili do haly, dívka se zastavila. *„Ba za ta komo, yana ta? Yarinyar?"*

„Nemám tucha, o čem to mluvíš, holka," opáčil pan Rooney. Ačkoli byla dívka bosa, vyvedl ji ven na ulici. Podíval se přes její rameno na Ciarana. „Zavři ty dveře, chlapče, než se mi ze žaludku vrátí snídaně."

Začalo pršet, ne silně, ale dost na to, aby se silnice leskla a podél obrubníků tekly dešťové potůčky. Dívka se kolem sebe rozhlížela, jako by čekala, že se každou chvíli někdo objeví a napadne ji. Ve dveřích sázkové kanceláře přes ulici stál černoch ve špinavé červené mikině s kapucí a kouřil. Ciaran si všiml, že ženu jeho přítomnost zneklidnila, protože se k muži otočila zády a zvedla límec Rooneyho kabátu, aby jí nebylo vidět do tváře.

„Policajti tady budou co nevidět," řekl pan Rooney. Položil dívce ruku na rameno ve snaze ji uklidnit, ale ucukla.

„Jak se jmenuješ, holka?" zeptal se jí. „Jak ti říkají? Rozumíš trochu anglicky, ne?"

Děvče přikývlo. „Ano. Rozumí. Ta žena se nevrátit?"

„Jaká žena?"

Dívka ukázala nahoru k pokoji, kde leželo tělo. „Ta žena zabít Mawakiya."

Ciaran se podíval na pana Rooneyho. Ten zvedl husté šedé obočí.

„Toho tvého chlapíka dostala ženská?" zeptal se.

„S *bindiga*. Pistole. Ano. Dvakrát do hlavy."

„Tak to mě nepřekvapuje, vzhledem k tomu, jak na tom je. Jeho obličej vypadá jak pizza."

„Zastřelili ho?" zeptal se Ciaran. „Je neskutečné, že to nikdo neslyšel."

„Tak to mě ani trochu nepřekvapuje," poznamenal pan Rooney. „V tomhle městě v dnešní době nikdo nic neslyší — teda aspoň ti, kteří vědí, co je pro ně nejlepší."

„Znáš tu ženu?" vyzvídal Ciaran.

Dívka zavrtěla hlavou. „Neznám. Ale ona mi říct, nehýbat se. Nehýbat! Jestli vylezeš ven, budu na tebe čekat. Udělám ti to, co Mawakiyovi."

„Tak proto jsi tam zůstala?"

Dívka přikývla. O chvilku později se jí roztřásla brada a začala vzlykat. „Já tak bála se. Bála se. Ona mi říct, jestli vylezeš ven, zabiju tě jako Mawakiyu. To ti slibuju."

„Ježíši," hlesl pan Rooney. „Takže proto jsi tam zůstala. Kdy se to stalo? Jak dlouho jsi tam byla?"

Dívka zvedla tři dlouhé prsty se stříbrnými prsteny. Polámané nehty se jí leskly fialovým lakem.

„Tři dny? Ježíši. A celou tu dobu ten chlap smrděl víc a víc a tys neměla nic k jídlu ani k pití."

„Já mít vodu. Já mít sušenky."

„No stejně, když tam leží chlapík s ustřelenou hlavou, tak ti to na chuti k jídlu zrovna nepřidá. Chtěl jsem si dneska dát uzené se zelím U Bílého koně v Ballincolligu, ale řekl bych, že teď nějakou dobu nic jíst nebudu."

„A jak se jmenuješ?" vyptával se Ciaran. „Odkud jsi? Jak dlouho jsi tady v Corku?"

Dívka na něj hleděla přes zvednutý límec kabátu pana Rooneyho. Řasy měla slepené žlutým hnisem a její levé oko bylo nateklé. Neodpověděla, ale dál na něj zírala, jako by mu nevěřila. Jako by už nemohla věřit jemu ani žádnému muži — už nikdy.

„Ty mi ani neřekneš, jak se jmenuješ?" vyčetl jí Ciaran. „A kolik je ti let? To mi můžeš říct, ne? Nebo to nevíš?"

Zvedla obě ruce s nataženými prsty a potom jen pravou ruku se dvěma prsty pokrčenými.

Ciaran se na ni užasle podíval a ona gesto zopakovala. Obě ruce, deset prstů, potom jedna ruka, tři prsty.

„Matko boží," vzdychl pan Rooney. „Je jí jenom třináct."

V tu chvíli se nad kopci na jihozápadě zablesklo a dívka si přitiskla dlaň k ústům, jako by právě strašlivě zalhala.

2

Katie vstoupila do výslechové místnosti. Bylo tam šero, ale ne takové, aby musela rozsvítit. Na jedné z židlí značky Parker Knoll, které stály v hloučku napravo, seděla žena ve středních letech v červeném tvídovém kostýmku. Měla obarvené zrzavé vlasy, ohnivě rudé tváře a kolem rtů tenkou tmavou linku.

Když Katie vešla, začala se žena zvedat ze židle, ale Katie jí gestem naznačila, že má zůstat sedět.

„Mary ó Floinnová, komisařko," zašeptala žena dramaticky. „To jsem byla já, s kým jste mluvila po telefonu."

Katie přikývla. Víc ji zajímala dívka, která stála u vysokého okna a dívala se ven. Okno bylo pokropené drobnými kapkami deště a břidlicové střechy domů za ním se mokře leskly. Venku nějaký muž v khaki větrovce přehozené přes hlavu skládal s cigaretou v zubech cihly. Katie si nebyla jistá, jestli se dívka dívá na něho, nebo jen někam do dáli.

Ze záznamů, které dostala od Irského centra pro pomoc imigrantům, věděla, že dívce je osm let, ale nevypadala na víc než na pět. Hnědé vlasy měla neupravené a rozcuchané a Katie v jejich pramenech zahlédla tmavé strupy. Holčička byla velmi hubená. Její vyzáblost jen podporovaly dlouhé šedé bavlněné šaty, které měla na sobě. Byly čisté a vyžehlené, vepředu nabírané, ale alespoň o dvě čísla větší.

Katie přešla k oknu a postavila se vedle ní. Dívka se na ni ani nepodívala, dál zírala z okna. Měla vysoké čelo, ostře řezané lícní kosti a obrovské hnědé oči. Připomínala Katie jednu vílu z pohádkových knih, které jí matka čítávala, až na to, že holčička měla na levé tváři a kolem úst žlutavé modřiny a fialové zhmožděniny kolem krku, které vypadaly jako otlaky od prstů.

„Corino?" ozvala se Katie tiše.

Dívka se na ni podívala, ale hned se otočila zpátky.

„Corino, já jsem Katie. Dali ti něco k jídlu?"

„K obědu měla rybí prsty," vložila se do toho Mary ó Floinnová. „Snědla ale jenom jeden. Měla jsem pocit, že nikdy nedostala víc než jeden a bála se, co by se stalo, kdyby si jich dala víc."

Katie se na Corinu dlouho dívala. Nemohla si vzpomenout, kdy naposledy cítila takovou bolest. Musela se odvrátit, protože ucítila *tocht*, knedlík v krku, a v očích slzy.

Po chvíli ale polkla, usmála se a řekla: „Corino, co kdybychom si spolu sedly tamhle a popovídaly si?"

Přešla k ošoupané vínové sedačce na druhé straně místnosti a posadila se. Corina zaváhala, ale poté poslušně přišla a usedla vedle ní, s hlavou svěšenou a pohledem upřeným na koberec.

„Nedala by sis čokoládu?" zeptala se jí Katie.

Corina zavrtěla hlavou.

„Jsi si jistá? Už jsi obědvala, takže ji teď můžeš."

Mary ó Floinnová znovu dramaticky zašeptala: „S čokoládou je trochu problém, komisařko."

„Co tím myslíte, trochu problém?"

„Vzala si čtvereček čokolády z lednice, jenom malý kousíček, ale Mânios ji uhodil, až spadla a praštila se do hlavy o betonový schod. Pak ji skoro uškrtil. Takže, jak určitě chápete, je trochu ostražitá, když přijde na čokoládu."

„Aha," řekla Katie. Usmála se na Corinu, ale uvnitř pocítila vztek, jaký dosud snad nezažila. Už se viděla, jak se vykrade z místnosti, najde Mâniose Dumitresca v nějakém baru, kde dnes odpoledne sedí, asi ve Zbytečném čase, vytáhne svou osmatřicítku a bez váhání ho střelí mezi oči.

Rozepnula přezku na tašce a vyndala tyčinku Milky Way, kterou si koupila v trafice cestou do práce. „Rozdělíme se, ano? Půlku ty a půlku já."

Corina se na ni dívala svýma oduševnělýma hnědýma očima. Potom konečně přikývla.

Seděly vedle sebe a žvýkaly čokoládovou tyčinku. Katie se zeptala: „Víš, kdy ses narodila?"

Dívka znovu zavrtěla hlavou.

„Víš, kde teď jsi?"

Děvče přikývlo.

„A to je kde, Corino?"

Holčička zavřela oči a ochraptělým hlasem zarecitovala: „Saint Martha's Avenue číslo 37, Gurranabraher, Cork. Telefon 021 4979951."

„Dumitrescovi se aspoň postarali o to, že ji neztratí," poznamenala Katie. Chvíli počkala, než děvče sní svůj díl tyčinky a otře si ústa do šatů. Potom se zeptala: „Jak se jmenuje tvoje matka, beruško?"

„Marcela."

„Marcela je ta žena, u které žiješ. Myslím tvoje vlastní matka."

Corina se zamračila, jako by nerozuměla otázce. Katie se podívala na Mary ó Floinnovou, která pokrčila rameny a velmi tiše zašeptala: „Ona věří tomu, že Marcela je její pravá matka, komisařko. Nezapomeňte, že jí byly jenom tři, když ji Dumitrescovi adoptovali. Kontaktovali jsme sociální úřad v Bukurešti, ale doufali jsme, že vyzvete rumunskou policii, aby našla její opravdovou rodinu."

„Aha, jistě, to uděláme," řekla Katie. „Mají stejně jako my zvláštní oddělení, které se věnuje boji proti obchodování s lidmi. Také bych si s Corinou ráda domluvila nějaké sezení, až budete mít pocit, že je na to připravená. Nemůžeme to ale odkládat dlouho. Jak píšete v téhle zprávě, Dumitrescovi mají doklady o adopci a už podali stížnost, aby ji dostali zpátky."

„Soud ale nedovolí, aby se k nim vrátila, že ne? Jen se na ni podívejte."

Katie pokrčila rameny. „To já nevím, Mary. Pokud proti nim nesezeneme nějaké opravdu silné důkazy, tak toho moc nenaděláme. Ostatně... Vy jste odborníci na práva přistěhovalců. Jestli se Corina Dumitrescovým znovu dostane do rukou, mohli by zvednout kotvy a vyrazit do Anglie nebo zpátky do Rumunska. Nebo kamkoli jinam. A my už ji neuvidíme."

„Jen to ne," zhrozila se Mary ó Floinnová. „Společnost pro prevenci týrání dětí ji prozatím ubytovala u jedněch skvělých pěstounů v Douglasu, u pana a paní Brennanových. Až tu skončíme, odvezu ji tam. Za dva tři dny by měla být schopná s vámi mluvit, možná dřív. Potřebuje se jen zbavit strachu, že bude bita, když vám řekne, co jí Dumitrescovi dělali. Já vám zatím dám jméno té sousedky, která nás poprvé zavolala. Nevím, jestli bude schopná svědčit u soudu, ale mohla by vám dát nějaká vodítka k dalším svědkům."

Katie vzala Corinu za ruku a stiskla ji. Usmála se. „Zase se uvidíme, Corino, ano? Jedni moc milí lidé se o tebe postarají. Budeš spát ve své vlastní posteli, nebudeš už muset vařit, uklízet ani měnit dětem plínky. Marcelu ani Mâniose nenecháme, aby tě bili. Teď jsi v bezpečí."

Nevěděla jistě, jestli Corina rozuměla všemu, co slyšela, ale pak se na ni dívenka podívala a široce se usmála. Katie se cítila ještě hůř, když si všimla, že má všechny zuby zkažené až k dásním.

Zatímco si Corina oblékala tmavě červenou nepromokavou bundu, vyměnila si Katie na chodbě několik tichých slov s Mary ó Floinnovou.

„Bod pro vás, Mary, prokázala jste velkou odvahu," řekla uznale. „Většina lidí se neodváží Dumitrescovým zkřížit cestu. Mâniose Dumitresca jsme měli před soudem za poslední čtyři roky třikrát pro obvinění z napadení a vydírání, a pokaždé když svědkům vyhrožoval bitím nebo pořezáním, všichni se najednou rozhodli ztratit paměť."

Mary ó Floinnová se usmála. „Nemyslete si, že my v Centru pro pomoc imigrantům nemáme strach. Dumitrescovi už nám několikrát volali a bylo to hodně nepříjemné. Ne že by vyhrožovali otevřeně. Jsou krutí, ale ne hloupí. A tohle pro nás samozřejmě není běžný případ. Většinou se snažíme romské rodiny udržet pohromadě, ne je rozdělovat. Ale máte pravdu — všechno asi záleží na tom, co se vám podaří z malé Coriny dostat a jaké seženete svědecké výpovědi."

Odmlčela se a dodala: „Mimochodem, komisařko, nečekala jsem, že sem přijdete osobně. Hodně si toho vážím."

Katie se na ni pousmála. „Myslela jsem, že pošlu strážmistryni ó Nuallánovou — už jste se potkaly, že? Chtěla jsem ale Corinu vidět. Jsem na takové jako Dumitrescovi alergická, ale rozhodla jsem se připomenout si proč a jak moc. Mânios je vtělený ďábel, jinak to říct nejde, a ta jeho matka, to je čarodějnice!"

Ohlédla se do výslechové místnosti a uviděla Corinu, jak sedí sama na pohovce s hlavou skloněnou a hraje si s vlastními prsty. Detektiv O'Donovan Katie ohlásil, že když minulý pátek Corinu odvezli z domu Dumitrescových, policisté zjistili, že dívka nemá žádné náhradní svršky, jen špinavé tričko a šortky, do kterých byla zrovna oblečená. Neměla ani žádné boty kromě obnošených gumových trepek, jež jí byly o dvě čísla menší, a žádné hračky. Knížky ani nepotřebovala, protože ji nikdy neposlali do školy a neuměla číst ani psát. Rumunsky dokonce nedokázala ani napočítat do desíti.

Katie sešla po prudkých betonových schodech z Ferry Lane na nábřeží Pope's Quay, odkud byl výhled na řeku Lee, na jejímž břehu nechala zaparkovanou svou modrou fiestu. Slunce svítilo a lesk vlhkých chodníků a vozovky byl téměř oslepující. Usedla na místo řidiče, sklopila stínítko a podívala se na svůj odraz v zrcadle. V posledních týdnech bylo počasí nezvykle chladné, a Katie popraskaly rty. Zdálo se jí, že vypadá unaveně, a krátké vlasy v barvě mědi měla rozcuchané. Někdy přemýšlela nad tím, co na ní John vlastně vidí. Vždycky jí říkal, že v sobě má něco skřítkovského — „malá, zelené oči, nemožně hezká". „Nemyslel jsi hezky nemožná?" odpovídala mu pokaždé.

Přetřela si rty balzámem a uhladila si účes. Rozhodla se, že do salonu Advantage už příště na stříhání nepůjde, ačkoli to asi není chyba kadeřnice, že jí vlasy tak trčí. Ta nebožačka se ji snažila ostříhat rovně, ale Katie neustále telefonovala. A když telefonuje, je vždycky rozrušená nebo naštvaná a nevydrží na místě.

Není divu, že jí zesnulá matka říkala „skřítek neposeda".

3

Najednou její telefon začal hrát refrén písně „The Wild Rover" od skupiny Dubliners: *A už ne, ne, nikdy — ne, nikdy, nikdy víc...*

Vytáhla mobil z kapsy bundy a přijala hovor. „Ano, Liame? Co se děje? Mluvil jste s Gerretym?"

Byl to inspektor Liam Fennessy. Měl se ráno sejít s Michaelem Gerretym a jeho právníkem, aby probrali třicet devět obvinění vznesených proti Gerretymu za to, že provozuje nejvýdělečnější sexuální služby ve městě, webové stránky s názvem *Fantastické dívky z Corku*. Byl to spletitý případ a vlekl se už celé měsíce.

„Gerrety se neukázal," ohlásil inspektor Fennessy. „Žádné velké překvapení, řekl bych. Jeho právník přišel s chatrnou výmluvou. Prý je na tom jeho matka špatně. Ale proto vám nevolám. V bytě nad obchodem v Lower Shandon Street našli mrtvého chlapa. Horgan už tam je a ó Nuallánová je na cestě. Horgan říkal, že tam ten chlap leží aspoň tři dny, ale mohl by to být klidně i týden. Má obě ruce amputované v zápěstích a zdá se, že ho z bezprostřední blízkosti střelili do obličeje brokovnicí."

„Ježíši."

„Přesně to jsem řekl taky. Černoch, podle všeho. Máme jeho jméno, protože tam s ním byla nějaká mladá žena. Ale to jméno mi nic neříká. Ta dívka tvrdí, že byla u toho, když ho zastřelili, ale byla vyděšená a bála se odtamtud odejít. Ta vražedkyně jí zjevně pohrozila, že ustřelí hlavu i jí, když odejde."

„Ještě jednou… Říkal jste, že vraždila žena?"

„Přesně. Ta holka to řekla dvěma mužům, co ji našli. Prý to rozhodně byla žena."

„A ona ji zná?"

„Oni si myslí, že ne. Nebyli si jistí."

„A řekla jim, jak ta žena vypadala? Poznala by ji, kdyby ji znovu viděla?"

„To nevíme. Prozradila jim jenom tohle a zmlkla. Nedostali z ní pak ani slovo."

„Lower Shandon Street kolik?"

„Myslím, že nebudete mít potíže to najít, komisařko. Máme tam tři auta, bílou dodávku a další jsou na cestě. Taky by tam měli každou chvíli dorazit z technického. Horgan říká, že už teď je na místě pořádný dav."

„Dobře, Liame, jedu rovnou tam. A co vy?"

„Musím ještě projít všechny výpovědi z toho ringaskiddského drogového případu. Zítra ráno je soud. Právník Michaela Gerretyho říkal, že možná bude mít čas zítra odpoledne, ale pochybuju, že se s ním stihnu sejít. Budu to muset posunout na pátek, jestli to půjde."

„Nedělejte si starosti, zajdu tam já. Je nejvyšší čas, abych si s panem Gerretym popovídala v ne zrovna přátelském duchu."

„Parchant jeden. Vím úplně přesně, proč Dermota tolik štve."

„Kroťte se, Liame. Nechte mi jeho složku na stole a Shelagh mi domluví schůzku."

„Dobře, komisařko. Přijedu za vámi později."

Katie nastartovala auto, vycouvala z parkovacího stání před starou budovou Cork Button Company a po nábřeží zamířila do Lower Shandon Street. Ještě před chvílí litovala, že doma něco nesnědla, než odjela do práce. Vždy když si nedala snídani, začala se kolem jedenácté hodiny hlásit únava a podráždění, zvlášť v týdnu před menstruací. Po tom, co slyšela od inspektora Fennessyho, ale byla ráda, že snídani vynechala. Jen málo věcí je nepříjemnějších než vlažná káva a napůl strávené müsli, které se nosem derou ven.

Inspektor Fennessy měl pravdu — v Lower Shandon Street už stála tři policejní auta, žlutý sanitní vůz, bílá dodávka Mercedes Vario z technického oddělení, reportéři z RTÉ, dvě policejní motorky a alespoň sedmdesát či osmdesát přihlížejících. Mnoho z nich bylo černochů a Asiatů. Postávali na chodníku naproti maďarskému lahůdkářství, jako kdyby očekávali, že se dostaví nějaká celebrita.

Policista na motocyklu Katie mávnutím pustil dál a ukázal na místo, kde bylo možné zaparkovat se dvěma koly na chodníku, před O'Donnelyho účetní kanceláří. Před lahůdkářstvím stál Horgan a mluvil s Danem Keanem z *Examineru* a reportérkou v bundě s lemováním ze stříbrné kožešiny, kterou Katie neznala. Horgan okamžitě přispěchal ke komisařčinu autu a otevřel jí dveře. Katie si všimla, že mu na krku visí modrá chirurgická rouška.

„Pane jo, vy jste si teda pospíšila, komisařko. Doufám, že jste nepřekročila povolenou rychlost."

Katie poznámku přešla. Byla na příšerný smysl pro humor detektiva Horgana zvyklá. Měl modré oči, sympatický obličej a kvůli načesaným blonďatým vlasům vypadal jako člen nějaké druhořadé chlapecké kapely. Měl sice v oblibě infantilní vtípky, ale stával se z něj velmi bystrý a vytrvalý detektiv, kterého téměř nebylo možné odbýt rozčílenými výmluvami nebo narychlo vymyšleným alibi.

„Tak co se tu děje?" zeptala se ho Katie, když spolu kráčeli k obchodu.

Detektiv Horgan ukázal prstem na Ciarana O'Malleyho a jeho klienta, pana Rooneyho, kteří postávali pod markýzou u vedlejšího domu a vypadali, že chtějí co nejdříve zmizet. „Ten mladík dělá pro Lisneyho a ukazoval tomu staršímu chlapíkovi obchod, který je k pronájmu jako bistro. Prý otevřeli vstupní dveře a ten puch je skoro omráčil."

„A tělo je kde?"

„Nahoře, v prvním patře." Horgan ukázal na okno nad cedulí s nápisem Maďarské lahůdky. Katie vzhlédla a uviděla modrá světýlka laserů, která se proháněla po stropě, a potom také na okamžik jednoho z policejních techniků v bílém obleku z tyveku.

„Musím vám říct, komisařko, že to tam bzučí jako sbor v kostele svaté Marie. Uděláte dobře, když si pod nos namažete mentolovou mast."

„Inspektor Fennessy se zmínil, že tam byla nějaká dívka."

„Ano, to je pravda. Našli ji, jak sedí na podlaze u těla, prakticky nahatá. Teď je v sanitce. Mluvil jsem s jedním zdravotníkem a zdá se, že není zraněná, je ale strašlivě podvyživená. Poslední tři dny se živila vodou z kohoutku a malinovými sušenkami. Za chvilku ji odvezou do fakultní nemocnice na prohlídku."

„Dobře, ale nejdřív se na ni podívám," řekla Katie. „Už jste vyslechli ty dva muže?"

„Jo, vyslechl jsem je oba. Teda ne že by mi toho moc řekli. Když našli tělo, říkala ta holka něco v jazyce, kterému nerozuměli. Ten starší chlap tvrdí, že to znělo africky."

„Africky? Jak africky?"

„Tím si nebyl moc jistý. Ale znělo to prý jako řeč, kterou mluví černoši."

„Detektive, takhle z hlavy nevím, kolika jazyky se v Africe mluví, každopádně jich mají víc než jeden. Jenom v Corku se mluví více než dvaceti jazyky, proboha. Nebo to tak aspoň zní."

Detektiv Horgan dodal: „Rozuměl ale jméno oběti nebo si aspoň myslí, že je to jeho jméno. Ta holka ho prý dvakrát nebo třikrát zopakovala. Ma-wa-kí-ja."

„Ma-wa-kí-ja? Je si tím jistý?"

Horgan přikývl a pozvedl ruku s mobilním telefonem. „Nechal jsem ho to zopakovat a nahrál jsem si to. Ten mladík souhlasil, že tak nějak to znělo."

„Dobře," odvětila Katie. „Klidně jim řekněte, že už můžou jít. Oba vypadají, že toho mají za jeden den dost. Zkusil jste si s tou dívkou promluvit sám?"

„Zkusil, ale nechtěla mi říct ani slovo. Ti dva chlapíci říkali, že poslední, co z ní dostali, byl její věk. Zeptali se, kolik jí je, a ona jim ukázala třináct prstů. Teda — jako že jim pomocí prstů ukázala třináct. Deset a pak tři."

Tohle byla jedna z těch chvil, kdy si Katie nebyla jistá, jestli si detektiv Horgan dělá legraci, nebo ne, ale nechala to být. Obešla sanitku a zaklepala na zadní dveře. Po chvíli se otevřely a objevila se mladá zdravotnice v jasně zeleno-žluté uniformě. Měla bledý obličej a vlasy ostříhané tak nakrátko, že vypadala, jako by podstoupila chemoterapii.

„Komisařka Maguirová," představila se Katie a zvedla služební průkaz. „Jestli je to možné, ráda bych si popovídala s vaší pacientkou, než ji odvezete do nemocnice. Předpokládám, že ji vezete tam."

„Ano, přesně tak," opáčila zdravotnice.

„V jakém je stavu? Myslím obecně."

„Měřili jsme jí pulz a krevní tlak a zjišťovali jsme, jestli neutrpěla nějaké zjevné zranění. Je dehydrovaná a má aspoň dvanáct kilo podváhu. Kromě toho se zdá, že má dvě zlomená žebra, spoustu podlitin a mnoho starších jizev."

Katie vylezla do sanitního vozu a posadila se vedle dívky ležící na pojízdné posteli. Dívka na ni zírala a v rukou svírala světle modrou deku, kterou přes ni přehodili, jako by se bála ji pustit. Vlasy měla špinavé a zacuchané a kolem rtů jí hnisaly opary. Zjevně se dost dlouhou dobu nemyla, protože byla cítit potem a močí.

„Ahoj, zlatíčko," usmála se na ni Katie. „Jak se cítíš?"

Dívka neřekla ani slovo, ale přitáhla si deku až pod bradu.

„Tahle hodná paní tě odveze do nemocnice," vysvětlovala jí Katie. „Sestřičky tě tam vykoupou, umyjí ti vlasy a dají ti něco k jídlu a k pití. Věř mi, hned se budeš cítit stokrát líp."

„Vůbec nemluví," ozvala se zdravotnice. „Nechce mi prozradit ani své jméno."

„Víte, to není neobvyklé," odvětila Katie. „Pochybuju, že jí někdo říkal něco jiného než lži a výhružky od té doby, co ji odvezli z domova, ať už je to kdekoli. A určitě ji vždycky zbili, když neudělala, co po ní chtěli. Proč by si měla myslet, že se k ní budeme chovat jinak?"

Chvilku přemýšlela, jestli se má dívky zeptat na „Ma-wa--kí-ju", nakonec se to ale rozhodla nedělat. Bylo zjevné, že je děvče hluboce traumatizované. Katie ze zkušenosti věděla, že svědkové jsou v takovém stavu téměř vždy nespolehliví. I kdyby dívku přiměla k tomu, aby s ní mluvila, musela by promrhat hodiny cenné policejní práce zjišťováním, co z toho se skutečně stalo a co byla jenom dívčina noční můra.

„Přijedu se za tebou podívat, až se trochu zabydlíš v nemocnici," řekla s úsměvem. Dívka na ni dál jenom zírala a přitáhla si deku tak vysoko, že jí byly vidět pouze oči.

Když ale Katie seskočila ze sanitky na chodník, dívka přece jen promluvila. Hlas měla tak zastřený, že ji Katie téměř neslyšela. Venku byl ruch, občas se ozvalo zakvílení policejní sirény a ze všech stran sem doléhaly útržky rozhovorů.

„Zopakuj mi to, zlatíčko, prosím tě," požádala ji Katie.

Dívka trochu popustila deku, dvakrát nebo třikrát se nadechla a zašeptala: *„Rama Mala'ika!"*

„Promiň, holčičko, nerozumím ti. Co to znamená? Tak se jmenuješ? *Rama Ma-la-jí-ka?"*

Čekala na odpověď, ale děvče už nepromluvilo. Katie se podívala na zdravotnici a pokrčila rameny.

„Můžeme ji odvézt?" zeptala se ošetřovatelka.

„Ano, samozřejmě. Mockrát děkuju."

Začínalo pršet, a tak Katie rychle přeběhla k lahůdkářství a vešla dovnitř. Čekal na ni detektiv Horgan a dorazila už i strážmistryně ó Nuallánová. Oba stáli v obchodě a bavili se s technikem, kterého Katie zahlédla v okně horního pokoje.

Kyna ó Nuallánová se stala členkou Katiina týmu až před měsícem. Přijela z Dublinu, aby nahradila strážmistra Jimmyho O'Rourka, který byl zastřelen ve službě. Byla to štíhlá, vysoká mladá žena s ostrými rysy, výraznou bradou, úhledným blonďatým drdolem a téměř bezbarvýma očima. Detektiv O'Donovan prohlásil, že by se mu líbila, ale že z ní má vždycky pocit, jako by řekl něco nevhodného, ještě než otevře pusu.

To byl také jeden z mnoha důvodů, proč si ji Katie vybrala, tedy kromě toho, že je Kyna žena. Strážmistryně měla svůj způsob vyslýchání svědků — pokyvovala hlavou, nepřerušovala je, ale jedno obočí měla neustále zdvižené, jako by jim nevěřila ani slovo. Tak je často přiměla k tomu, aby se jí snažili ještě víc přesvědčit, že mluví pravdu. A to byl vzácný dar. Horgan už ji překřtil na strážmistryni Polygrafovou.

„Přijela jsem tak rychle, jak to jen bylo možné, komisařko," oznámila strážmistryně Katie. „S radním Parrym už to mám skoro vyřízené. Kompletní zprávu budete mít v pátek, jakmile si promluvím s bratry Creminovými. Pořád zjišťuju, kam šla platba pro ty developery z Dannybrook, ale já na to přijdu."

Katie se otočila k technikovi. Bylo mu kolem čtyřiceti, měl šedé vlasy a Katie vždycky připadal otrávený — působil na ni jako člověk, který každý večer přijde domů a chce se u talíře špaget dívat na televizi, ale v duchu vidí místo těstovin jen lesknoucí se střeva a místo vůně jídla cítí jen mentolovou mastičku Vicks VapoRub.

„Tak se podíváme na toho nešťastného chlapíka. Jak dlouho si myslíte, že je po smrti?"

Technik jí dal zdravotnickou roušku a další podával strážmistryni ó Nuallánové. Pozvedl kelímek s mastičkou Vicks, ale Katie zavrtěla hlavou. Vyndala z tašky parfém Miracle od Lancôme, postříkala jím vnitřní stranu roušky a zavázala si ji kolem krku. Většina techniků a soudních lékařů používala Vicks, ale přípravek kromě maskování pachu rozkladu také rozšiřoval nosní průchody a Katie se pak zdálo, že se jí zápach v plicích drží déle. Nechtěla večer ležet v posteli a pořád kolem sebe cítit pach smrti.

„Soudě podle *Calliphora vomitoria* bych řekl tak tři a půl dne," odvětil technik. „Nebylo moc teplo, ale je to dost dlouho na to, aby moucha nakladla vajíčka, vyklubaly se larvy a první várka dorostla do dospělosti. Koneckonců měly spoustu jídla. Maso a výkaly, jejich oblíbené menu."

Kráčeli po schodišti. Technik šel jako první a Katie ho následovala.

„Kontaktoval jsem Lisneyho kancelář," ozval se detektiv Horgan, když vystoupali do prvního patra. „Celá tahle nemo-

vitost je prázdná asi měsíc. V přízemí bylo maďarské lahůd-
kářství a Clancy teď shání majitele, aby zjistil, jestli se vrátili
do Maďarska. Oba byty nahoře si pronajala nějaká společnost
Merrow Holdings z Limericku."

„Máte tušení, kdo za tím stojí?" zeptala se Katie. Parfém
na roušce byl tak silný, že dvakrát kýchla. Začalo jí téct z nosu,
ale věděla, že teď už by nebylo dobré roušku sundávat, a tak
jenom popotáhla.

„Za společností Merrow Holdings? Zatím ne. Ale v Lisneyho
kanceláři říkali, že mi dají vědět, než dnes zavřou."

Technik je dovedl do garsoniéry. Wolframové žárovky ství-
tily tak jasně, že celá místnost vypadala, jako by ji připravi-
li na vysílání ranní televizní show. Mladý asistent technika byl
na zemi na kolenou a s baterkou s modrým filtrem pátral po
skvrnách od krve nebo po vláknech, které mohly utkvět v pod-
lahových lištách. Když vešli do pokoje, dřepl si na bobek. Na
čele měl tak výrazně začervenalé akné, že to na Katie vždycky
dělalo dojem, jako by dostal ránu plynovou pistolí. Ale ve srov-
nání s obličejem muže na pohovce byl ten jeho jen lehounce
tečkovaný.

Katie se postavila vedle gauče a dlouho se na tělo dívala.
Muž měl velmi tmavou kůži popelavého odstínu. Katie ho od-
hadovala na Somálce nebo Nigerijce, protože právě tyto národ-
nosti tvořily velkou část corské černošské populace. Viděla,
že byl z bezprostřední blízkosti dvakrát střelen do obličeje
brokovnicí — možná dvouhlavňovou brokovnicí —, jednou
do pravé tváře a podruhé do levého oka. Nad bradou, které
vévodila precizně zastřižená bradka, nebylo nic než vydutý
labyrint lebky. Technici z místnosti odstranili dospělé masař-
ky, ale v obličeji oběti se stále plazilo několik červů jako prů-
zkumníci jeskyní.

Muž byl velmi hubený, ale břicho měl nafouklé plyny z rozkládajících se střev. Na kostnatém pravém rameni měl vytetovanou černou vdovu na pavučině a na ochablém penisu něco jako hlavu chřestýše, kterému dokonce z tlamy po straně vylézal rozeklaný jazyk. Had se muži vlnil kudrnatým ochlupením, až se mu nakonec stočil kolem pasu a chřestící špičkou ocasu končil na hrudní kosti.

Na každém koleni se muži skvěla jedna hnědá hvězda.

Katie se předklonila a podrobněji pozorovala jeho obličej. „Má hodně růžové rty," poznamenala. Technik popošel k tělu, aby se podíval zblízka.

„To ano. Řekl bych, že to má vytetované. Je to teď mezi mladými Nigerijci taková móda. Myslí si, že tak budou atraktivnější pro dívky."

„Cože? S jasně růžovými rty?"

„Přesně tak. Jeden můj kamarád dělá v Tattoo Zoo na South Main Street. Tuhle mi o nich povídal, o těch Nigerijcích. Taky si rádi nechávají potetovat penisy. Jako tenhle chlapík."

„A co jeho ruce?" zeptala se Katie a podívala se na pahýly obou horních končetin. Kosti vyčuhující z levé paže byly nepřesně přeříznuty v pravém úhlu, zatímco na levé ruce byly odděleny čistým šikmým řezem.

„Jeho ruce? No, obě chybí," hlesl technik. „Pár policajtů je hledalo po celém domě od sklepa až po střechu, ale není po nich ani stopy. Váš muž si je musel odnést jako trofej."

„Podle svědků to byla žena."

Technik se podíval na obrovskou díru v mužově hlavě. „Žena? Prokrista! Ta teda musela mít vztek. Ale povím vám, co je zajímavé. Ať už to udělal kdokoli, toho chlapíka zastřelili, když ležel. Přímo tady, *in situ*."

„Vypálila tady obě rány?"

Technik přikývl. „Obě. Skrz hlavu přímo do polštářů."

„Ale použila brokovnici… A i kdyby byla ta zbraň upilovaná…"

„Přesně tak, komisařko. Musela by stát na gauči nad ním, mířit zbraní přímo do obličeje. Zvlášť když to byla žena, pravděpodobně ne tak vysoká jako muž."

„Nějaké otisky bot?"

„To je na tom to zajímavé — nic jsme nenašli. Žádné prohlubně v pokrývkách, žádné šmouhy od bot, nic."

Katie pomalu zvedla obě ruce, jako by v kostele zvedala krucifix. „Možná stála přímo tady, držela zbraň vertikálně s hlavní dolů a pažbou ve vzduchu. Pak by mohla stisknout spoušť palcem."

„Je to možné. Tyhle brokovnice ale mají poměrně velký zpětný ráz. Průměrná dvanáctka má zpětný ráz až dvacet sedm joulů — nebo i víc, to záleží na typu střeliva. To je, jako by vás praštil boxer střední váhy."

Katie se rozhlédla po pokoji. „Aha," řekla. „Nějaké další forenzní důkazy, které bych měla vidět?"

„Tamhle je přes tisíc kapek krve, komisařko, dále útržky tkáně, úlomky kostí a mozková tkáň. Je tu taky moč a exkrementy a nějaké vlasy, pravděpodobně od té dívky, která se tu schovávala. Až zvedneme tělo, budeme vědět víc, ale zatím jsme prozkoumali všechny odkryté části pohovky a deky a našli jsme na nich početné skvrny od semene."

„Početné? Jak početné?"

„Je jich moc na to, abych vám řekl nějaký odhad, ale tipuju, že jich budou stovky."

„Člověk nemusí být génius, aby mu došlo, co se tu dělo," zavrtěla hlavou Katie. Přešla k oknu a podívala se dolů na ulici, kde se mezitím shromáždil dav. „Bože, copak lidi nemají nic lepšího na práci? Copak nevědí, že za chvíli začíná večerníček?"

Otočila se. „A co dveře?" zeptala se technika.

„Koukněte na to, ten zámek není nic moc, je to nejlevnější typ od značky Hickey's, ale nebyl otevřený násilím a je v něm pořád klíč."

„Dobře, to by snad mohlo pomoct," váhavě odvětila Katie. „Ale nemá cenu sestavovat nějaký scénář jenom na základě toho, co tu máme. Nemůžeme z toho poznat, jestli pachatel vešel do místnosti a překvapil oběť i dívku, jestli je sem pachatel oba přivedl odjinud, nebo jestli tu ta dívka a pachatel byli první a oběť je tu přistihla.

Podle těch dvou mužů, co ji našli, ta dívka oběť znala, nebo alespoň věděla, jak se jmenuje, ale nevíme, jestli znala i pachatele. To nás teď zajímá nejvíc. Čím dřív identifikujeme oběť, tím dřív budeme mít představu, proč byl ten muž zabit a kdo to mohl udělat."

Strážmistryně ó Nuallánová si něco zapisovala do notýsku. „Zajdu do Tattoo Zoo a vyžádám si seznam klientů afrického původu, kteří si nechali v poslední době zvýraznit rty, a zeptám se, jestli měl některý z nich také potetované genitálie. Tím začnu."

„Kdybyste v tomhle salonu neuspěla, vím o pár dalších," ozval se detektiv Horgan. „Body and Soul na Rahilly Street a Magic's na Robert Street. Jo a taky je tu Dark Arts na Maylor Street... Vím, že tam chodí hodně Nigerijců."

„Ve slově Nigerijec se sice píše ‚ni', Horgane, ale vyslovuje se to tvrdě, ‚ny'."

„Promiňte, komisařko," povytáhl Horgan obočí s předstíraným údivem. „Nerad bych byl obviněn z neúmyslného rasismu. Ani úmyslného, ať už to znamená cokoli."

„Zmlkněte, Horgane. A začněte klepat na dveře — na obou stranách ulice. Chceme vědět, jestli místní viděli někoho do téhle budovy vcházet nebo z ní vycházet a jestli neslyšeli něco neobvyklého — cokoliv, nemuselo to nutně znít jako dva výstřely. A taky jestli někdo neslyšel hádku, křik nebo jekot."

„Ano, komisařko."

Technik se za rouškou syčivě nadechl. „Budeme tady minimálně ještě tak tři hodiny, pravděpodobně déle. Dám vám vědět, až oběť odvezeme do laborky."

„Děkuju," řekla Katie. „Měla bych kontaktovat státního patologa. Ach jo, jestli to bude Reidy, tak bude z tohohle případu pořádně otrávený. Hrozně ho štve, když je příčina smrti takhle jasná."

4

Když znovu vyšla na ulici, už na ni čekal Dan Keane z *Examineru* a reportérka ve stříbrné bundě s šedým kožešinovým lemem. Danovi jako obvykle visela z koutku úst cigareta, která kmitala, když mluvil, a obličej měl ještě zarudlejší než běžně.

„Jak se vede, Dane?" pozdravila ho. „Slyšela jsem, že půjdete do důchodu."

„To si nemůžu dovolit, komisařko. Ne vzhledem k tomu, co dneska stojí cigarety."

„Vždycky s tím můžete přestat."

„No jasně, to bych taky mohl rovnou přestat dýchat."

„Nepředstavíte mě?"

„Jistě, promiňte. Tohle je naše krásná Branna, komisařko. Právě nastoupila do *Echa*, ale řekl bych, že nemá ani zpola tušení, k čemu se to vlastně upsala. Komisařko Maguirová, seznamte se s Brannou MacSuibhneovou. Branno, holčičko, tohle je respektovaná a hrůzostrašná komisařka Maguirová."

Branna jí podávala ruku, ale Katie si zrovna rozvazovala roušku, takže ji nepřijala. „Dejte si pozor," řekla jí a kývla na Dana, „a berte všechno, co tenhle pán říká, s velkou rezervou."

Branna MacSuibhneová byla výrazně mladší, než na první pohled vypadala. Možná to bylo natupírovanými blond vlasy, které měla sčesané po obou stranách hlavy jako buvolí rohy, nebo hustou černou řasenkou, jíž si zvýraznila oči. V baculaté tváři srdcovitého tvaru byla velice hezká, i když její brada působila nevýrazně. Katie usoudila, že jí nemůže být víc než devatenáct.

„Už víme, kdo šel zaklepat na nebeskou bránu?" optal se Dan a kývl hlavou směrem k oknu v patře. Branna vytáhla z kapsy bundy zbrusu nový zápisník a postavila se blízko kolegy, v ruce připravenou čerstvě ořezanou tužku.

Přidala se k nim i Fionnuala Sweenyová se zrzavými loknami a ve své tradiční zelené větrovce. Její neoholený kameraman jí postával za zády a neustále pokašlával. Fionnuala pozvedla mikrofon s nápisem RTÉ a sladce se usmála.

Katie si najednou uvědomila, jak moc má rozcuchané vlasy, a dvakrát třikrát si přes ně přejela rukou, aby je trochu upravila. Fionnuala na ni mrkla a stále se usmívala, jako by ji chtěla ujistit, že vypadá skvěle a že si s tím nemá dělat starosti.

Komisařka si odkašlala a začala: „Oběť — oběť je muž afrického původu nespecifikovaného stáří, kterého smrtelně zranily dvě rány brokovnicí. Musíme ale počkat na soudního lékaře, aby určil přesnou příčinu smrti."

„Sakra, ustřelili mu přece hlavu," zahuhlal Dan a vyfoukl koutkem úst kouř. „To by pro většinu lidí mohla být přesná příčina smrti, nemyslíte?"

„Co my víme, mohl být třeba mrtvý, než ho střelili," odtušila Katie klidně. „Takže, jak říkám, čekáme na soudního lékaře."

„S tělem byla v místnosti zamčená dívka," ozvala se Fionnuala. „Víte, kdo to byl? Je podezřelá?"

„V bytě jsme kromě oběti nalezli ženu afrického původu. Nebyla tam zamčená, ale vypadá to, že v pokoji byla od té doby, co muž zemřel."

„A jak dlouho to bylo?"

„Nevíme to jistě, ale minimálně sedmdesát dva hodin, možná déle."

„Když tam nebyla zamčená, proč se nepokusila dostat ven? Tělo už se muselo rozkládat!"

„Opět — to nevíme jistě."

„Když říkáte afrického původu, jakou národnost máte na mysli?" zeptal se Dan. „Nigerijka? Senegalka? Somálka?"

„To jsme zatím neurčili. Je hluboce traumatizovaná, jak si jistě dokážete představit, a zatím jsme ji neměli příležitost vyslechnout. Jakmile se na to bude cítit, pustíme se do toho."

„Byla svědkem vraždy?" zeptala se Branna.

Katie si pomyslela: *To je dobrá otázka, holka.* „To nemůžeme s jistotou říci, dokud si s ní nepromluvíme," řekla nakonec.

Odmlčela se a poté se podívala přímo na Fionnualina kameramana. „Jestli jste v minulých třech nebo čtyřech dnech na Lower Shandon Street zaslechli nebo viděli něco neobvyklého, prosím neváhejte a kontaktujte nás. Stačí vytočit 021 452 2000. Vaši totožnost uchováme v tajnosti. Není podstatné, zda si myslíte, že je vaše informace důležitá nebo ne. Je překvapující, jak malé střípky informací nám pomáhají dostat se k zatčení pachatele."

„Tahle Afričanka," nedala se odbýt Branna. „Byla to prostitutka?"

Ježíši, ty si tedy nebereš servítky, pomyslela si Katie. Otočila se zpátky na Brannu a řekla: „Zatím nevíme, kdo je ani odkud přišla, takže netušíme, jestli je sexuální pracovnice, nebo ne."

„Ale byla skoro nahá, když ji našli."

„Branno, při téhle práci narážíme na spoustu lidí, kteří mají stažené kalhoty. Neznamená to však, že jsou to všechno sexuální pracovníci."

„Ale bude to jedna z linií vyšetřování?"

Katie se na ni odtažitě pousmála. „Jakmile získáme nějaké další informace, určitě vám je předáme."

„V Corku je to ale velký problém, že? Mravnostní přečiny a prostituce. Vždyť se mu přezdívá Centrum sexuálního průmyslu."

„To bude pro tuto chvíli vše, Branno," ukončila rozhovor Katie. „Až pro vás budeme mít něco konkrétnějšího, uspořádáme tiskovku v Anglesea Street."

„Jen v centru města v tuhle chvíli, kdy spolu mluvíme, funguje alespoň deset veřejných domů a působí tam určitě nějakých sto prostitutek. Tím chci říct — co s nimi uděláte?"

Katie přistoupila k Branně, vzala ji za loket a odvedla ji stranou.

„Branno, jestli se mnou chcete mluvit o mravnostních deliktech, můžete si domluvit schůzku a přijít za mnou do Anglesea Street, abychom si popovídaly. Teď zrovna se ale zabývám vraždou a nehodlám tady postávat na ulici a spekulovat, kdo co mohl udělat nebo jestli je napojen na sexuální průmysl."

„Ale—" začala Branna, Katie však zvedla prst, aby ji umlčela.

„Jak dlouho jste v *Echu*?"

„Týden. Teda celý minulý týden plus včera a dneska."

„Přeju vám hodně štěstí, ale nezapomeňte, že tohle je Cork, ne Limerick ani Dublin, a vy nejste Donald Macintyre. Nejdřív si vytvořte kontakty, vybudujte důvěru. Potom můžete začít svou křížovou výpravu."

Branně zahořely tváře. „Omlouvám se, komisařko. Nechtěla jsem překročit meze."

„To je v pořádku. A nemějte obavy. Mravnostní delikty v tomhle městě mi dělají stejnou starost jako vám. Ale není snadné tomu učinit přítrž z mnoha různých důvodů. Když přijdete, popovídáme si a já vám řeknu proč."

Fionnuala Sweenyová přistoupila ke Katie a ozvala se: „Promiňte, komisařko. Mohli bychom udělat pár krátkých záběrů?"

„Jak byste je chtěli? Mám se usmívat, nebo se tvářit vážně?" zeptala se Katie.

„Normální výraz, prosím."

Katie na chviličku zavřela oči a pomyslela si: *Můj normální výraz, co to u všech svatých je? Mučednice? Žena bez iluzí? Vyčerpaná?*

Vrátila se do kanceláře na Anglesea Street v ruce s kelímkem latté a koblihou s cukrovou polevou, v podpaží měla zastrčeny zelené desky z konopného papíru s poznámkami o případu. Ani si nestačila sednout, když jí zazvonil mobil. *A už ne, ne, nikdy — ne, nikdy, nikdy víc...*

„Johne?" ohlásila se a rukou si na stole udělala místo. „Moment, Johne." A za chvilku pokračovala: „Jak to šlo v Erin-Chemu?"

Ve dveřích se objevil detektiv O'Donovan, ale Katie na něj mávla na znamení, že potřebuje pár minut, než si s ním promluví.

John zněl zkroušeně. „Jak si myslíš, že to šlo?"

„Já nevím. Oni tě nechtěli? Myslela jsem, že to půjde perfektně."

„Přesně tohle slovo použili."

„Co? Perfektní?"

„No tak, Katie, vždyť víš, že jsem génius. Udělali daleko víc, než že by mi jen dali práci. Chtějí, abych založil a provozoval úplně novou pobočku internetového obchodu."

„To si děláš srandu!"

„Ne, jsi první, kdo to ví! Nechali mi volnou ruku, abych si najal vlastní tým web designerů, datových analytiků, produktových manažerů a tak dál. Můj oficiální titul bude ředitel mezinárodního online obchodu."

„Johne, mám za tebe ohromnou radost. Tedy mám radost i za sebe, to taky. Nebudu předstírat opak."

„No tak, miláčku, kdyby nebylo tebe..."

„Nezáleží na tom, co jsem udělala já. Nenajali by si tě, kdyby si nemysleli, že jsi přesně ten, koho hledají. Vždyť máš všechno, Johne, to víš. Máš zkušenosti. Máš talent. Máš ty svoje čokoládově hnědé oči."

„Pozor, abych moc nezpychnul."

„Musíme to oslavit," dodala Katie. „Ale bojím se, že večer to nepůjde. Nevím, jestli jsi o tom slyšel, ale na Lower Shandon Street se dneska stala vražda, takže asi budu dělat do noci. Teda vlastně ne, dneska ráno bylo nalezeno tělo oběti, ale bylo tam už tak tři nebo čtyři dny. Ano. Neptej se. Ne. Fuj. Cítím to ještě teď."

„V kolik budeš doma?" zeptal se John.

„To nevím jistě, nečekej na mě. Miluju tě. A gratuluju. A mimochodem — kolik ti budou platit?"

„Osmdesát jako základ, ale s úžasnými bonusy, a když půjde online prodej dobře, tak můj plat nebude mít horní hranici."

„Miluju tě, Johne. Udělal jsi mi obrovskou radost."

„Taky tě miluju, komisařko."

Katie položila telefon. Byla tak šťastná, že se nemohla přestat usmívat, i když do kanceláře znovu vešel detektiv O'Donovan. Pobaveně se na ni podíval, ale nic neřekl. Katie vždycky dávala všem na srozuměnou, že její soukromí je její věc. Všichni v Anglesea Street samozřejmě věděli o Johnu Meagherovi a jeho vztah s komisařkou byl tématem každodenních drbů v jídelně, ale nikdo by se Katie neodvážil přímo zeptat, jak jim to spolu jde.

John Meagher se narodil a vyrostl v Corku, ale emigroval do Ameriky a ještě před třemi lety vedl v San Franciscu úspěšnou internetovou firmu zabývající se prodejem léků. Poté mu nečekaně zemřel otec a Johna zavolali zpátky do Knocknadeenly na severu od Corku, aby se postaral o svou stárnoucí matku a rodinný statek. Všichni Meagherovi to od něj očekávali, protože byl nejstarší z dětí, a on nebyl schopen odmítnout.

Série vražd přivedla Katie do Knocknadeenly, kde se s Johnem poprvé setkala. V dešti, v bahně a ve velmi stresové situaci. Když pak Katiin manžel Paul zemřel, začala si s Johnem románek, který postupně sílil a byl čím dál vášnivější.

„Jsi můj řecký bůh," napsala mu jednou — protože přesně toho jí připomínal, se svými černými kudrnatými vlasy, rovným nosem a svaly, které vymodelovaly dlouhé měsíce orání, hrabání a přehazování balíků sena.

Ať už ale John pracoval sebeusilovněji, žil na statku z ruky do úst a bojoval v předem prohrané bitvě, dokonce dřív než přišla krize. Pak irská ekonomika zkolabovala a John byl nucen statek se ztrátou prodat. Měl v úmyslu se vrátit do Spojených států a přidat se k přátelům, kteří zakládali nový online obchod s léky. Požádal Katie, aby vystoupila z Garda Síochána a odjela s ním. Dokonce pro ni sehnal místo u Pinkertonovy detektivní agentury.

Otec Katie radil, aby jela. *Žiješ jenom jednou, holka. Ne že skončíš jako utrápená stará panna, které dělají společnost kočky.* Pro Katie ale bylo nemyslitelné odejít ze své vedoucí pozice, o kterou tak těžce usilovala. Víc než to — přísahala, že zasvětí život ochraně corkských občanů, a najednou chtěla odejít? Obrátit se k nim zády jen proto, že se zamilovala?

Zavolala Aidanu Tierneymu, vedoucímu výkonnému manažerovi z ErinChemu, farmaceutické společnosti z Ringaskiddy, a sešla se s ním v restauraci Isaac's na oběd. Před pouhými několika měsíci Katie pomohla Aidanově dceři Sinéad u soudu, když byla dívka spolu s několika dalšími dospívajícími zatčena za organizované krádeže v Penneys. Oblečení v Penneys bylo tak levné, že ho stejně prakticky rozdávali. Aidan si pohrával s myšlenkou, že by v ErinChemu zřídil kancelář pro online prodej, a Katie navrhla, že John by pro ně mohl být ten pravý.

John tedy mohl zůstat v Irsku s prací, ve které byl opravdu dobrý, a se slušným příjmem a Katie mohla zůstat v Anglesea Street. Měla z toho takovou radost, že by si místo vlažného latté z Costa Coffee nejradši dala nějaký drink.

„Komisařko?" ozval se konečně detektiv O'Donovan.

„Promiňte, Patricku, co se děje?"

„Usmíváte se, komisařko."

„Ano, detektive, usmívám se. Je to zločin?"

„Ne, komisařko. Jen jsem vám chtěl říct, že jsem vyslechl zaměstnance v Nolanově řeznictví a v té africké restauraci naproti. Jeden z těch kluků z masny říkal, že v pátek ráno dával do výlohy klobásy, když kolem prošel černoch v jasně fialovém obleku. Kluk se na něj podíval a ten černoch zase na něj. Prý měl vousy. Teda ten černoch, ne ten kluk."

„Náš mrtvý měl vousy, ale ne fialový oblek. Vlastně na sobě neměl vůbec nic. Pamatuje si ten kluk, kolik bylo hodin?"

„Prý bylo kolem poledne. Ale o pár minut později, těsně předtím než otevřeli, viděl, jak ulicí prošla i nějaká černoška."

„To není na Lower Shandon Street nic zvláštního. Když tam budete stát dost dlouho, projde kolem vás půlka Afriky."

„On si jí všiml kvůli tomu, co měla na sobě," doplnil detektiv O'Donovan. „Afričanky většinou nosí všelijak omotané látky a na hlavě šátek. A ne že bych byl rasista nebo něco takového, ale většina z nich má zadek velký jako celý Cork a chodí pomalu a rozvážně, jako kdyby jim to tu patřilo. Tuhle jsem se kolem jedné snažil projít v Penneys a bylo to jako procpat se skrz turniket v Páirc Uí Chaoimh."

„Patricku," pokárala ho Katie.

„Jasně, to jsem neměl říkat, ale víte, co myslím. Je to jako jejich národní charakteristika." Zvedl obě ruce, jako by poměřoval něco alespoň metr a půl širokého.

„Ale tahle dívka..."

„Tahle dívka byla hubená a celá v černém. Černé džíny, černá bunda a černá šála kolem hlavy. Říkal, že měla hodně tmavou pleť, ale byla moc hezká. Prý mu připomínala Rihannu."

„Dobře, chápu. A všiml si, kam měli oba namířeno?"

„Když kolem prošla ta dívka, vyběhl na ulici, aby se na ni ještě jednou podíval, ale byla pryč. Takže buď šla neskutečně rychle, vzhledem k tomu, že je to tam dost do kopce, nebo zmizela v jednom z těch obchodů."

„A co ten muž ve fialovém obleku?"

„Po něm se taky slehla zem."

Katie se posadila. Bledé slunce, které se na chvíli objevilo, zase zakryly mraky a v kanceláři bylo tak šero, že měla chuť O'Donovanovi říct, aby rozsvítil. Na okno zabubnovalo několik kapek deště.

„A viděl ten kluk z řeznictví, jestli ta dívka něco nesla? Nějakou tašku nebo pytel? Nebo třeba golfový bag, něco takového?"

„Jestli jo, tak se o tom nezmínil. Přemýšlíte, jak tu zbraň dostala na místo činu, pokud tedy vraždila ona?"

„No samozřejmě. A vás to mělo taky napadnout."

„Vrátím se tam a zeptám se. Stejně tam ještě musím zajít, protože jeden z těch chlápků z africké restaurace viděl muže ve fialovém obleku a myslí si, že kuchař ví, kdo to je. Ale kuchař ještě nepřišel na směnu a ten chlapík neví, kde bydlí."

„Dobře, Patricku, udělejte to, prosím. A viděl je ještě někdo? Tu dívku a toho muže ve fialovém obleku?"

„Jestli jo, nikdo nic neřekl. Ale Horgan se vyptává v různých afrických komunitách, jestli někdo neví, kdo by to mohl být.

Není zas tolik Afričanů, kteří se procházejí ve fialových oblecích, ne? Jestli nebudeme mít štěstí, obejdeme obchody s pánskou módou a krejčí."

„Já si promluvím s Maeve Twomeyovou," řekla Katie. Maeve Twomeyová byla jejich styčný důstojník pro národnostní menšiny a byla v úzkém kontaktu s různými skupinami imigrantů, které se usadily v Corku, zvlášť s Poláky, Litevci a Afričany. „Může se zeptat Emeky Ikebuasiho, to je velké zvíře v nigerijské komunitě. A toho Somálce, jak on se to jmenuje... Geedi něco. Když s ním mluvíte, škube sebou, jako by zrovna přivolával déšť."

„Přivolávat déšť, tak to je dobré. Jak má člověk v Corku poznat, jestli to zabralo, nebo ne?"

Jako kdyby mu počasí chtělo dát za pravdu, bubnování kapek na okno ještě zesílilo a vrány sedící na autě zaparkovaném přes ulici vzlétly, jako kdyby s deštěm ztratily trpělivost.

Když O'Donovan odešel, Katie z kelímku s kávou sundala víčko a otevřela papírovou složku na stole. Byl v ní seznam všech obvinění, které posbírali proti Michaelu Gerretymu ohledně jeho erotických stránek *Fantastické dívky z Corku* a jeho finančního napojení na alespoň sedm veřejných domů, takzvaných masážních salonů a fitness klubů, včetně nechvalně známého klubu Nightingale na Grafton Street.

Gerrety trval na tom, že nedělal nic nezákonného ani nemorálního. Poskytl dívkám na svých stránkách prostor pro inzerci a tím zajistil, že se jejich povolání dostalo na denní světlo a jsou ve větším bezpečí, než kdyby musely spoléhat na letáčky v trafikách nebo reklamy v místním tisku či se procházely po ulicích.

Podpůrné skupiny pro ženy a imigranty v Corku zahájily společnou kampaň nazvanou *Zhasněme červené lucerny,* jejímž cílem bylo vymýtit místní prostituci a obchod s bílým masem. Na to odpověděl Gerrety akcí *Rozsviťme lucernu zeleně*, která měla za cíl dekriminalizovat sexuální služby.

V rámci iniciativy *Rozsviťme lucernu zeleně* vznikly plakáty s krásnými usmívajícími se ženami, které říkaly: „Jsem ve své práci šťastná — jsem sexuální pracovnice." Kdyby Katie nevěděla, jak moc je pro Gerretyho prostituce výnosná, uvěřila by mu, že to myslí upřímně.

Dočetla složku a narovnala se na židli. Věděla, že propagaci veřejných domů a prostituce zakazuje zákon o veřejném pořádku z roku 1994. Ale když dívka na Gerretyho stránkách otevřeně nenabízí sex, je její inzerát opravdu porušením zákona?

A co když na takový inzerát odpoví nějaký muž a má s tou dívkou sex? Znamená to, že Gerrety žije z nemorálních výdělků, když dívce účtuje dvě stě eur měsíčně za zveřejnění inzerátu? Nebo může právem protestovat, že nemá nic společného s tím, co se dva lidé rozhodli dělat po seznámení na jeho sociální síti? To by potom šlo stíhat i jakoukoli seznamku za to, že má nemorální příjmy. Nebo dokonce i *Examiner*, kde je inzertní kolonka pro opuštěná srdce.

Byl to vrchní policejní inspektor O'Driscoll, kdo trval na tom, aby byl Michael Gerrety obviněn. O'Driscoll byl hluboce věřící člověk a Gerretyho vášnivě nenáviděl — dokonce považoval jeho pohrdání zákony ohledně vedení veřejných domů za osobní urážku. Podle Katiina názoru však Gerretyho obvinili předčasně, dříve než shromáždili dostatek důkazů, které by u soudu obstály. Dermot O'Driscoll se ostatně zpětně k jejímu názoru přiklonil. S jeho souhlasem začala Katie operaci Šutr, která měla přinést jasné důkazy o tom, že Gerrety porušuje zákon.

Přešla s kelímkem kávy k oknu a dlouho se dívala ven. Jen o jednu ulici dále se tyčila zelená věž budovy Elysian Tower. Byla to sedmnáctipatrová stavba a nejvyšší budova v celém Irsku. Postavili ji v době boomu keltského tygra, než došlo v roce 2008 k finančnímu krachu, a ještě teď byla téměř polovina tamních bytů a kanceláří pořád prázdná. Lidé z Corku jí začali přezdívat Zbytečná věž podle hospůdky stojící v její blízkosti s názvem Zbytečný čas. Ve věži byl ale jeden byt, o kterém Katie bezpečně věděla, že v něm někdo žije, úplně nahoře, s výhledem na celé město. Tam bydlel Michael Gerrety.

Nemohla se ubránit myšlenkám na malou Corinu, která se tolik bála trestu, že si nechtěla vzít jediný čtvereček čokolády, nebo na tu dívku, kterou našli u bezhlavého a bezrukého těla v Lower Shandon Street. Dívku, která měla takový strach, že se neodvážila z místnosti odejít.

Venku už pořádně lilo, jako by se bůh snažil smýt z města všechny jeho hříchy. Radost z toho, že John sehnal práci v ErinChemu, už odezněla a Katie cítila prázdno. Skoro si přála, aby se bývala vzdala Corku a přestěhovala se s Johnem do San Franciska.

V San Francisku by aspoň nepršelo tak silně, jako by nikdy nemělo přestat.

5

Zakiyyah probudilo, jak někdo píská a poklepává prstem do rytmu na desku stolu.

Zvedla hlavu z postele a rozhlédla se kolem sebe. Nemohla zaostřit pohled a v uších jí zvonilo, jako kdyby upadla a uhodila se do hlavy. Ležela ve velké zšeřelé místnosti se zkoseným stropem, vikýřovým oknem a s mapami od vlhka na stěnách. Zelený koberec byl špinavý a u okrajů se páral. Skrze zaprášená okna viděla mokré břidlicové střechy, takže podle jejího odhadu museli být tak ve třetím nebo čtvrtém patře.

Z ulice pod oknem zaslechla hluk dopravy a klapot kroků na chodníku. Někdo vyvolával: „Echo! Echo!" Muž, který si pískal a bubnoval, seděl u stolu vedle dveří, sehnutý nad novinami. Četl je se soustředěním někoho, kdo studuje návod k použití. Tu a tam si přestal pískat a klepat prsty o stůl, odfrkl si a otočil stránku. Byl to obézní Afričan světlejší pleti a s pleší, oblečený ve žluté květované košili, která se mu na ramenou napínala.

Zakiyyah nic neřekla, ale pozorovala ho. Neměla tušení, kde se to ocitla ani jak se tam dostala, ale připadala si sama sobě vzdálená, jako by tam vlastně vůbec nebyla, jen se jí o tom zdálo. Pach vlhkého koberce ale nebyl sen, ani bolest hlavy, ani podivná ztuhlost ramen a loktů, jako by Zakiyyah spala ve stejné poloze dlouhou dobu.

Měla pocit, že poznává melodii, kterou si muž píská a vyklepává — byla to skladba „Sex Tape" od Timayi. Hrávali ji v Z-Clubu na ostrově Victoria v Lagosu, kde pracovala. To se ale zdálo být hrozně dávno a daleko a její rodná vesnice u města Shaki jí připadala ještě vzdálenější. Když Zakiyyah odjížděla, pohlížel na ni její otec s úsměvem, ve kterém chyběly tři přední zuby. Matka ale plakala a opakovaně se dotýkala dceřina obličeje konečky prstů, jako kdyby ji už nikdy v životě neměla vidět. Její mladší sestra, Assibi, stála kousek stranou a v úžasu na ně zírala. Proč nás Zakiyyah opouští a odchází s těmi muži? Byl to šedý, vlhký den a Zakiyyah si ještě teď vybavovala štiplavý pach výfukových plynů z land roveru těch mužů.

Levá paže ji bolela a dívka si ji pomalu promnula. Neměla na sobě nic kromě tyrkysové saténové tuniky po kolena, na které bylo rozstříknuto několik tmavých kapek. Zvedla ruku a sáhla si do vlasů, spletených do obvyklých copánků ozdobených skleněnými korálky. Pořád měla kolem zápěstí náramek z růžových korálků, který jí dala matka v den, kdy dívka opouštěla vesnici. Je v něm prý její *orisha*, její strážný duch Ochumare.

Muž u stolu otočil poslední stránku novin a soustředěně ji přečetl. Potom noviny úhledně složil a podíval se na ni. „Tak už jsi konečně vzhůru," poznamenal.

Neměl skoro žádný krk a jeho obličej byl jakoby zmáčknutý, takže mu téměř nebylo vidět oči, nos měl rozpláclý a rty vyboulené. Připomínal Zakiyyah jednoho z dřevěných bůžků, které vyřezával její strýc.

Vstal a dokolébal se k ní. „Víš, jak dlouho jsi spala?" Mluvil se zvláštním zpěvavým přízvukem, jaký Zakiyyah nikdy předtím neslyšela. Napůl corkským, napůl nigerijským.

Zakiyyah zavrtěla hlavou.

„Skoro dvacet sedm hodin. To ale není překvapivé, vzhledem k tomu, jakou dávku ti Mistr Dessie dal. Máš hlad? Žízeň? Vsadím se, že se ti chce čurat."

Zakiyyah k němu zvedla pohled, ale neodpověděla. Nevěděla, co říct. Neměla tušení, kdo je ten muž ani co tady dělá ona sama nebo proč by měla spát tak dlouho.

Muž vylovil z kapsy košile mobilní telefon a s funěním na něm vyťukal číslo. Když čekal na spojení, mrkl na Zakiyyah a zvedl palec. „Budeš dobrá, holka. Jsi vážně pěkná, to ti teda povím. A ty prsíčka! Bude na tebe fronta až za roh."

Zakiyyah se dotkla rtů a řekla: „Napít. Můžu dostat něco k pití?"

„No jasně že můžeš. Co by sis dala? Mám kolu. Nebo vodu. Nebo je tam lahev Murphy's, kdybys chtěla něco silnějšího."

„Vodu," odpověděla Zakiyyah. Nevěděla, co jsou ty ostatní nápoje.

„Momentík," řekl jí ten muž. „Mistr Dessie? Jo. Tady Bula. Jo. Jak to jde? No, ta holka se teď probudila. Super, jestli můžu soudit. Ne, v pohodě. Ne, úplně v pohodě. Jo. Dobře. Uvidíme se teda za pět minut."

Ukončil hovor a přešel na druhou stranu místnosti, kde otevřel dveře vedoucí do malé kuchyňky. Zakiyyah zahlédla dřez s elektrickou ploténkou na odkapávací ploše a okno s polámanými žaluziemi.

Muž napustil do červeného porcelánového hrnku vodu a přinesl jí ho. Stál nad ní, zatímco žíznivě pila, a pak řekl: „Ještě?"

Zavrtěla hlavou. Nevěděla, co chce. Jenom si přála, aby neměla takovou závrať a pocit nereálna.

„Hele," řekl ten muž, „Mistr Dessie tu bude každou chvíli. Je to dobrej člověk, když teda děláš, co ti řekne. Rozumíš mi? Bude s tebou zacházet dobře a dá ti všechno, co chceš, dokud budeš tvrdě pracovat a nebudeš dělat potíže."

„Já vždycky pracuju tvrdě," řekla Zakiyyah. „Šéf se mnou nikdy neměl potíže."

„V tom případě si s Mistrem Dessiem budeš rozumět."

Zakiyyah se rozhlédla po místnosti. „Kde to jsme?" zeptala se. „Říkali mi, že budu pracovat v baru, tancovat jako v Z-Clubu."

„Něco takového. Myslím, že budeš muset vyřešit ještě jednu dvě finanční záležitosti. Mistr Dessie ti o tom poví víc."

„Ale jsme v Irsku?"

„Ano, holka. Tohle je Irsko."

Zakiyyah znovu zavrtěla hlavou, ale pořád se jí točila. „Nepamatuju si, že bych sem jela. Přiletěla jsem letadlem?"

„Ne, přijela jsi lodí. Ale nedělej si s tím hlavu. Teď jsi tady, holka. Tady začíná tvůj novej život."

„Pořád mi to ale nemyslí."

„Jak jsem řekl, nedělej si s tím hlavu. Mistr Dessie ti nebude platit za myšlení."

„A co moje oblečení? Kde mám kufr?"

„Mistr Dessie ti dá něco na sebe."

„Ale já jsem v kufru neměla jenom oblečení. Přivezla jsem si fotky svojí rodiny. A mám tam i jiné věci. Make-up. Věci, které mi dali kamarádi v Lagosu."

Muž se vrátil ke stolu, zvedl červeno-bílou krabičku cigaret Carrolls a jednu si zapálil. Vyfoukl kouř širokými nozdrami a vypadalo to, jako by jeden z dřevěných bůžků, které její strýc vyřezával, ožil.

„Na to všechno se budeš muset zeptat Mistra Dessieho. Já na tebe mám zatím jenom dohlédnout."

„Ale já se chci obléct."

Muže to pobavilo. „Myslím, že s tím si nebudeš muset dělat starosti, miláčku. Ne při své práci."

Zakiyyah se postavila. Hlava se jí pomalu začínala pročišťovat. Slíbili jí práci v nočním klubu v Irsku, měla dělat hostesku a tanečnici jako v Z-Clubu. Její manažer, Benjamin Bankhole, si promluvil s jedním Irem, který klub navštívil. Zavolal ji do kanceláře a zeptal se jí, jestli by si nechtěla vydělat desetkrát víc peněz, než má v Lagosu.

Ir stál kousek od manažerova stolu. Byl tlustý, plešatěl a měl na sobě triko s palmami, opicemi a se skvrnami od potu. Zazubil se na ni a řekl: „Kdo ví, holka? Jen počkej, až tě uvidí můj kamarád Michael Gerrety. Mohla bys být dokonce slavná."

Pořád si nebyla jistá, co se potom stalo. Vybavovala si, že si balila kufr. Ale potom ten Ir přišel do domu v ulici Oluwole, aby ji vyzvedl. Řekl jí, že potřebuje očkování proti vzteklině, než jí úřady povolí vstup do Irska. Naštěstí měl tu vakcínu s sebou.

Vybavila si, jak sedí na kraji své rozvrzané postele a vyhrnuje si rukáv, ale tím to končilo.

„Potřebuju na záchod," řekla tomu plešatému Afričanovi.

„Tamhle — tamhle tudy," ukázal prstem na dveře naproti kuchyňce.

Zakiyyah vešla na stísněnou toaletu bez oken a zavřela dveře, ale nebyl na nich žádný zámek. Dřevěné sedátko bylo uvolněné a v rezervoáru to bublalo. Takovéhle Irsko nečekala. Představovala si tmavý, plyšem obložený klub s blikajícími světly a elegantně oblečené zákazníky. Snila o tom, jak tančí mezi stoly a usmívá se na muže, kteří jí zastrkávají bankovky za podvazky, stejně jako to dělali v Z-clubu.

Zpočátku se jí dařilo močit jen s velkými přestávkami, ale pak se zdálo, že to nikdy neskončí. Pořád ještě nebyla hotova, když ten muž bez zaklepání otevřel dveře a řekl: „Jak dlouho ti to bude trvat, holka? Je tady Mistr Dessie!"

Byl tam toaletní papír, ale žádné umyvadélko, kde by si mohla opláchnout ruce. Vyšla ze záchodu a vyrazila ke kuchyňce. Byla uprostřed místnosti, když se zprudka ozval huhňavý hlas: „Kam si sakra myslíš, že jdeš? Pojď sem, holka!"

Zastavila se a otočila se za hlasem. Uprostřed pokoje stál zavalitý muž s rukama v kapsách dvouřadého obleku a s nohama široce rozkročenýma. Měl černé vlnité vlasy — nahoře byly krátké, ale vzadu se mu kroutily přes límec —, vykulené oči a nos, který tvarem připomínal podivnou rozpůlenou hroudu. Rudé rty vypadaly jako z gumy. Široká červená kravata s klikyháky nemohla zakrýt velké břicho, které mu viselo přes pásek u kalhot.

Zakiyyah zaváhala, ale muž v šedém obleku na ni mávl rukou, aby přišla, jednou, dvakrát a pak znovu, tentokrát už popuzeně. Opatrně k němu přistoupila. Byla si bolestně vědoma toho, že má na sobě jen tenkou tyrkysovou halenku, a zkřížila si ruce na prsou, aby jí nebyly vidět bradavky.

„Tohle je Mistr Dessie," houkl plešatý Afričan, jako by to nebylo jasné. „Pozdrav Mistra Dessieho, Zakiyyah."

„Tak se jmenuješ? Zakiyyah?" zeptal se Mistr Dessie. Strčil si palec do pravé nosní dírky a zacloumal s ním, jako by měl uvnitř něco zaschlého a pokoušel se to vyndat. „Co to znamená? Znamená to něco? Třeba jméno tohohle trouby, Bula-Bulan Yaro, znamená tlusťoch."

„Zakiyyah znamená čistá," ozval se plešatec a vyfoukl kouř. „Jakože nikým nedotčená, nikdy."

„Ha!" zvolal Mistr Dessie. „To se mi líbí! Obvykle holkám jména měníme, ale tohle se mi fakt líbí! Je to — jak se to říká — ironie."

Plešatý muž se usmál a pokýval hlavou, ačkoli zjevně neměl nejmenší tušení, co slovo ironie znamená.

Mistr Dessie přešel k posteli, posadil se a poklepal vedle sebe, aby si Zakiyyah také sedla. Zakiyyah ho poslechla, velmi obezřetně, ale snažila se od něho držet tak daleko, jak to jen šlo.

„Máte můj kufr?" zeptala se ho.

Zamrkal na ni vyvalenýma očima jako žába. „Tvůj kufr? Proč bych měl mít tvůj kufr?"

„Mám v něm oblečení, boty a fotky svojí rodiny."

Mistr Dessie pomalu zavrtěl hlavou. „Netuším, co se s ním stalo, holka. To není moje starost. Ale neboj se, pořídím ti oblečení, které budeš nosit."

„Ale v kufru mám všechno."

„Ne, ne, ne, díváš se na to špatně. Ať už jsi měla v kufru cokoli, tak to *bývalo* všechno. Ale to bylo předtím, než jsi souhlasila, že přijedeš sem. Věc se má tak, že nám dost dlužíš a budeš muset najít způsob, jak nám splácet."

Zakiyyah se na něj zamračila a ruce zkřížené na prsou přitáhla ještě více k tělu. „Nerozumím vám. Jak to, že mám dluh?"

Mistr Dessie se plácl do stehna v těsných kalhotách a otočil se na Bula-Bulana Yara. „Slyšel jsi to, Bulo? ‚Jak to, že mám dluh?' Taková naivita!"

„Úžasné," řekl Bula se svým zvláštním nigerijsko-irským přízvukem, ačkoli bylo jasné, že neví, co slovo naivita znamená.

Mistr Dessie se obrátil zpět na Zakiyyah a řekl: „A kolik si myslíš, že nás stálo tě sem dostat? Lodní lístek? A další náklady? A nezapomeň na to, že jsi sem přijela dobrovolně. Mí přátelé mě ujistili, že tě nikdo neodvezl násilím. Ale těžko můžeš čekat, že jsme tě sem přivezli zadarmo."

Zakiyyah cítila, jak se jí zmocňuje úzkost. „Nevím, kolik to stálo," zamumlala. „Ti muži mi řekli, že v Irsku vydělám hodně peněz, daleko víc než v Lagosu."

„A taky že jo, miláčku, to ti můžu říct stoprocentně," odvětil Mistr Dessie a poplácal ji po stehně. „Ale pro začátek nás budeš muset odškodnit. Jakkoli o sobě smýšlíme jako o charitativní organizaci, jsme přece jen podnik a nemůžeme si dovolit rozdávat lodní lístky všude kolem."

Bula pobaveně zamručel. Tohle už musel slyšet mnohokrát.

Zakiyyah cítila, že se začíná třást, i když v místnosti bylo teplo a vydýcháno. Sáhla si na čelo a ucítila, že se potí. Zdálo se jí, že téměř nemůže dýchat. Vzduch byl prosycen kouřem z Bulových cigaret.

„Kolik vám za ten lístek dlužím?" zeptala se Mistra Dessieho. „Jestli vám něco dlužím, tak to splatím."

„Dva tisíce sedm set padesát eur se vším všudy," vypálil ze sebe Mistr Dessie a ani nemrkl. „Ale že jsi to ty, řekněme dva a půl tisíce."

„Kolik je to v dolarech?" zajímala se Zakiyyah.

Bula něco vyťukal na svém telefonu. „Tři tisíce tři sta šedesát čtyři dolarů, plus minus," zahlaholil.

„Budu vám platit každý týden, až mi v klubu zaplatí," řekla.

„V jakém klubu?" zeptal se Mistr Dessie.

Zakiyyah cítila, že jí začíná být ještě větší zima, a roztřásla se. „V tom klubu, kde budu tancovat."

„V žádném klubu tancovat nebudeš, drahoušku, dokud nám nesplatíš, co dlužíš."

„Jak to myslíte? Jak vám mám něco splatit, když nebudu moct tancovat?"

„Jednoduše. Budeš pracovat pro nás. Máme klub, kam se muži chodí nechat bavit hezkými mladými dívkami, jako jsi ty. Když tam budeš dělat dva tři měsíce, měla bys splatit dluh a můžeš se pak vydat, kam tě srdce potáhne. Ale do té doby ne."

Zakiyyah se třásla. „Nerozumím vám. Nevím, co tím myslíte. Prosím. Potřebuju svůj kufr. Potřebuju svoje oblečení. Není mi moc dobře. Je mi zle."

„Není těžké to pochopit, drahoušku," řekl klidně Mistr Dessie. „Muži mají nutkání vyhledávat dámskou společnost, a tak přijdou do našeho klubu. Tam si vyberou dívku, která jim bude tu společnost dělat. A to je všechno. Pak záleží na tom, kolik je ten muž ochotný zaplatit — buď mu to holka udělá rukou nebo pusou, nebo s ním bude mít styk zepředu nebo zezadu a všichni budou spokojení."

Zakiyyah nemohla uvěřit tomu, co právě slyšela. „Vy chcete, abych byla *bagar*? Štětka?"

„Štětka? Tak jim v Irsku neříkáme. Říkáme jim hostesky nebo sexuální pracovnice. V Irsku je to velice vážená práce, věř mi. Není to jako být jeptiška, to ti můžu zaručit, ale není to o moc nestydatější než prodávat kosmetiku v obchoďáku. A jak říkám, nemusíš to dělat déle než dva tři měsíce."

„Myslím, že potřebuju doktora," hlesla Zakiyyah. Žaludek se jí sevřel a nečekaně se začala dávit, ačkoli jí z úst nevyšlo nic kromě nakyslých slin.

„Potřebuješ jen něco k jídlu," uklidňoval ji Mistr Dessie. „Bula ti může poslat pro pizzu. Ale pozor na byznys. Nikdy nezbohatneš, když si nebudeš hlídat každý halíř."

„Je mi zle," zašeptala Zakiyyah. „Nemůžu pro vás pracovat. Nemůžu být *bagar*. Prosím, je mi hrozně špatně."

„Je mi líto, že to tak musím říct, ale nemáš na výběr," odtušil Mistr Dessie. „Když pro mě nebudeš pracovat, ohlásím tě na úřadě a zatknou tě jako nelegální imigrantku. Zavřou tě v Dochas Centre. To je vězení pro ženy, které se neumějí chovat, a věř mi, tam by se ti nelíbilo."

„Můžu se vrátit do Lagosu? Prosím."

„Zpátky do Lagosu? A jak? Z čeho to zaplatíš? Navíc máme tvůj pas, pro případ, že by ses rozhodla zmizet ze země, aniž bys nám splatila, co dlužíš."

Zakiyyah se znovu udělalo špatně. Cítila, že se jí žaludek obrátil naruby jako rukáv bundy.

Mistr Dessie vstal. „Vím, co potřebuješ, holka," řekl klidně. „Chytila jsi vzteklinu, proto je ti takhle špatně. Byla to Charlieho chyba. Nedal ti dost vakcíny. Tady."

Sáhl si do kapsy a vytáhl ploché kožené pouzdro. Položil ho na stůl, otevřel ho a vyňal injekční stříkačku a malou skleněnou lahvičku. Zakiyyah se na něj jednou nebo dvakrát podívala, ale příliš se třásla na to, aby ji zajímalo, co dělá. Bula postával vedle s rukama založenýma a klidně se usmíval.

Mistr Dessie si vedle ní znovu sedl a zvedl jí levou ruku. Ucítila ostré bodnutí jako od komára a pak Mistr Dessie řekl: „Tak. Jsi skvělá. Než se naděješ, budeš se cítit o moc líp."

Otočil se na Bulu a pronesl: „Tuhle můžeš vzít na Washington Street. Myslím, že u Mairead jsou na ni připraveni. Každopádně Michael se na ni bude chtít později mrknout."

Zakiyyah se pomalu přestávala třást, ale svaly na stehnech jí pořád tu a tam zacukaly. Cítila, jak se jejím tělem rozlévá teplo a klid. Připadala si malátná.

„Potřebuju svůj kufr," zamumlala.

Mistr Dessie si jí nevšímal. Vstal a vrátil injekční stříkačku do pouzdra, které si zasunul do vnitřní kapsy. Potom se obrátil na Bulu: „Jakmile ji vyložíš u Mairead, zajeď do Carroll's Quay kouknout, co má ta zatracená Lindsey za lubem."

„A o co tam jde?"

„Neznám podrobnosti, ale s jedním zákazníkem se strhla nějaká mela a zavolal policajty. To je poslední věc, co potřebujem', aby po nás šli chlupatý. Jako bysme těm šmejdům už tak neplatili dost. Pojedou všichni s těma svýma modrýma majákama na dovču na Kanáry za naše prachy!"

„Potřebuju svůj kufr," zopakovala Zakiyyah. „Je v něm všechno moje oblečení — všechno!"

Mistr Dessie se na ni otočil a houkl: „Můžeš už, do prdele, držet hubu? Vím, že jsi z Afriky, ale nemusíš mě furt otravovat jako posranej papoušek."

„Já ale potřebuju svoje oblečení! Nebudu pro vás pracovat jako *bagar!"*

Mistr Dessie chvilku mlčel a díval se na Bulu, jako by chtěl říct: *Co já budu s touhle holkou dělat? To je taková osina v zadku!*

Potom přešel zpátky k posteli, popadl Zakiyyah za zátylek a donutil ji vstát. Vykřikla bolestí, ale chytil ji ještě pevněji a třásl jí hlavou, až jí korálky v zapletených copáncích chřestily. Beze slova jí vyhrnul tyrkysovou košilku a pravou ruku jí vecpal mezi nohy. Snažila se přitlačit stehna zase k sobě, ale škubl jí krkem ještě výš, až cítila, jak se jí napínají šlachy.

Do obličeje jí vanul dech páchnoucí po cibuli. Vstrčil do ní dva prsty a palec jí silně přitiskl na klitoris. Tlak stupňoval dalších deset vteřin a celou dobu na ni zíral svýma vyvalenýma očima a hlasitě odfrkoval.

Zakiyyah nemohla dělat nic jiného než se na něj dívat s ústy otevřenými bolestí. Bula jim nevěnoval žádnou pozornost a znovu si něco ťukal na mobilním telefonu, jako kdyby byl zvyklý, že se Mistr Dessie k dívkám takhle chová, a bylo mu to jedno.

Po chvíli ji Mistr Dessie najednou pustil a vytáhl z ní prsty. Beze slova odešel do kuchyňky, kde si tekutým mýdlem umyl ruce. Vyšel zpět a z prstů mu odkapávala voda. Zakiyyah se nemohla ani pohnout, s hlavou skloněnou si jednou rukou masírovala zátylek. Rozkrok ji bolel, ale nechtěla na sebe sahat tady, ne před ním.

Mistr Dessie přešel ke dveřím. Otevřel je, ale pak se zastavil a zavolal: „Hej!"

Zakiyyah neodpověděla. Nechtěla plakat, ale nemohla si pomoct. Slzy se jí koulely po tvářích a skapávaly z brady.

„Hej, slyšíš mě, holka?" naléhal Mistr Dessie. „Kurva, ber to jako lekci! Nikdy se mě nesnaž nasrat, holčičko, protože se ti pak stane tohle nebo něco horšího."

Zakiyyah dál mlčela. Otočila se a došourala se k posteli. S bolestí si lehla na proleželé pružiny a stočila se do klubíčka jako dítě.

6

Bylo už téměř půl jedenácté večer, když detektiv O'Donovan znovu zaklepal na dveře Katiiny kanceláře. Působil unaveně. Na ramenou khaki kabátu se mu stále leskly kapky deště a kravatu měl nakřivo. Katie si zrovna srovnávala dokumenty a chystala se vyrazit domů.

„Co je nového?" zeptala se. „Vypadáte ztrhaně."

Ztěžka se posadil do křesla na druhé straně Katiina stolu, vytáhl z kapsy zmuchlaný papírový kapesník a hlasitě se vysmrkal. „Doufám, že na mě nejde nějaká ta letní chřipka. Vyslechl jsem včera toho chlapíka, který přeprodává motory na Victoria Cross, a ten kýchal, jako by mě chtěl odfouknout ven ze dveří."

„Měl jste štěstí s tím Maka-wiyou?"

„Mawa-kiyou, komisařko. A je to jeho přezdívka, ne opravdové jméno. Ten kuchař v africké restauraci ho dobře zná — tedy aspoň od vidění. Chodí se tam třikrát týdně najíst a vaří tam kvůli němu speciální nigerijská jídla, co má rád, paprikovou polévku s chilli a tučné jehněčí s dršťkami."

„Patricku, prosím! Můj žaludek se ještě nevzpamatoval z pachu toho bezhlavého černocha. Nepotřebuju vědět, jaké nechutnosti ten člověk jedl."

„Promiňte, komisařko," omluvil se detektiv O'Donovan. Vytáhl z kapsy kabátu poznámkový blok, naslinil si palec a zápisník otevřel. „Podle toho, co mi říkal kuchař, je to pěkný neotesanec, ten Mawakiya. Namočil si ty svoje černé prsty skoro do všeho, co vás napadne. Drogy — zvlášť ty večírkové, jako je ketamin, mefedron a extáze. Kradl mosaznou elektroinstalaci. Kradl mobily. Ale nejvíc si vydělával jako pasák. Měl kontakty v Sieře Leone a Nigérii a vozil sem dívky. Podle toho kuchaře měl kolem sebe dvě až tři sexy mladé holky, kdykoli se k nim přišel najíst, a nikdy to nebyly ty samé. Všechny byly hodně mladé. Prý některým z nich nebylo víc než čtrnáct patnáct."

„Ale známe jen jeho přezdívku."

„Přesně tak, Mawakiya. Podle kuchaře to znamená ‚zpěvák'. Ten chlapík prý neustále zpívá. Teda teď už samozřejmě se zpíváním přestal, a to nadobro."

„A o jakém jazyce to mluvíme? A prosím vás, neříkejte zase ‚afričtina'."

„Podle toho kuchaře je to hauština. Sám jí mluví. Ale haustinou se mluví v celé západní Africe, ne jen v jediné zemi."

Katie si poklepala tužkou na zuby a zamračila se. „Nerozumím tomu, proč o něm nevíme. Černoch ve fialovém obleku, který se podílí na prodeji drog, v menším krade a pase nezletilé dívky z Afriky. Člověk by čekal, že si ho všimneme, jakmile poprvé vyleze na ulici."

„Možná jsme ho znali," namítl detektiv O'Donovan. „Víme alespoň o třech černých pasácích, ne? Vzhledem k tomu, že nemáme jeho hlavu, to mohl být klidně jeden z nich — jak bychom to poznali? Třeba nechodil ve fialovém obleku pořád. Já sám mám žluté sako a sotva kdy si ho vezmu na sebe."

„Díky bohu za ty malé radosti."

„No, moje přítelkyně ho taky nemá moc v oblibě. Pokaždé když si ho obleču, říká mi Pekelný kanárek."

„Aspoň teď víme jistě, jak se jmenuje, i když je to jenom jeho přezdívka. To znamená, že můžu dát zítra do médií dotaz, jestli někomu něco neříká jméno Mawakiya, jestli někdo neviděl černocha ve fialovém obleku nebo člověka odpovídajícího danému popisu v té restauraci nebo někde jinde poblíž Lower Shandon Street. Taky se můžeme zeptat, jestli někdo neviděl tu mladou černošku v černém — tu, kterou zahlédl ten kluk z řeznictví. Jak vypadala jako Rihanna. Jestli je jí opravdu podobná, někdo si jí musel všimnout," řekla Katie.

Zapsala si nějakou poznámku a obrátila se na O'Donovana. „Zítra půjdu do nemocnice a zkusím si znovu promluvit s tou dívkou, kterou jsme našli u té mrtvoly. Vy, Horgan a Dooley hledejte ty tři černé pasáky, i kdyby jen proto, abychom je mohli vyřadit. Jednomu se říká Johnny-G, že? Druhý má přezdívku Pavouk. A pak ten Terence něco."

„Terence Chokwu. Ten druhý je Ambibola Okonkwo. Ale neptejte se mě, jak si proboha ta jména pamatuju."

„Jestli se vám je nepodaří najít nebo najdete jen některé z nich, můžete se poptat po veřejných domech a masážních salonech. To vlastně můžete udělat tak jako tak."

„Víte, kolik nočních klubů jsme do včerejška zaznamenali?" zeptal se vyplašeně detektiv O'Donovan. „Jenom v centru jich je sedmdesát šest. To nám bude trvat věky," pokračoval, znovu vytáhl z kapsy papírový kapesník a otřel si nos. „Navíc si myslím, že nám toho moc neřeknou. Pusu tam obvykle otvírají jenom z jednoho důvodu, ale není to donášení."

„Ale no tak, Patricku," naléhala Katie. „Já vím, jak umíte být přesvědčivý, obzvláště mezi dámami."

„A co pitva?" zajímal se O'Donovan.

„Patolog přijede zítra odpoledne. Bohužel to není doktor Reidy, i když možná je to dobře." Mrkla se do bloku položeného na stole a oznámila: „Doktor O'Brien. Ještě jsem se s ním nepotkala. Prý nerad létá, takže přijede vlakem. Může začít tím, že udělá testy DNA, vzhledem k tomu, že oběť nemá prsty — a žádné prsty znamená žádné otisky. Kluci z technického na místě činu žádné nenašli, že ne? Jenom té dívky. Já mezitím nařídím Kyně, aby si promluvila s někým z úřadu pro imigraci a udělování občanství a z britského imigračního úřadu. A samozřejmě i s lidmi z nigerijské ambasády."

Detektiv O'Donovan si otřel obličej. „Dobře. Pokud to je všechno, padám domů."

„Jen běžte. Uvidíme se ráno."

Než O'Donovan vyšel z kanceláře, zastavil se a řekl: „Víte, co mě napadlo?"

„Co?" zeptala se Katie nepřítomně. Už listovala složkou s hlášením o krádeži farmářského náčiní ve čtvrtích Coolyduff a Templehill. O'Donovan neodpověděl hned, a tak k němu zvedla oči.

„Co?" zopakovala.

„No, řekl bych, že nám ta vražedkyně udělala docela laskavost, když zbavila město takového lumpa. Nemyslíte?"

Už nepršelo, když Katie parkovala na příjezdové cestě ke svému bungalovu v Cobhu. Mraky se roztrhaly a měsíc se jako rozbitý talíř zrcadlil v kilometrové vodní ploše, která Cobh oddělovala od Monkstownu na protějším břehu. Vál lehký teplý vánek a ona měla pocit, jako by jí někdo foukal do obličeje.

Před dveřmi se na chvíli zastavila s klíčem v ruce. Vánek jí připomněl, jak jí malý Seamus dýchal na tvář, a ucítila strašlivé a nečekané bodnutí bolesti. Věděla, že nemá smysl truchlit. I kdyby proplakala zbytek života, stejně by jí ho to nevrátilo zpátky. Jen doufala, že ji její chlapeček vidí, ať už je kdekoli — třeba v nějakém nebi pro děti —, a ví, jak zoufale jí chybí.

Pořád tam ještě stála, když se dveře otevřely a objevil se v nich John doprovázený oblakem štiplavého kouře, jako kdyby se na zápraží zhmotnil nějaký démon.

„Katie! Zdálo se mi, že jsem slyšel auto."

„Svatá matko boží, co se to děje?" vyhrkla Katie a zamávala rukou, aby odehnala kouř. „Nezapálil jsi to tady, že ne?"

„Ne, všechno je v pořádku. Jenom jsem nechtěně vyvařil hrnec brambor, to je všechno. Otevřel jsem v kuchyni všechna okna. Pojď dovnitř."

Barney, její zrzavý irský setr, přiběhl z obývacího pokoje, aby se s ní přivítal. „Neskákej, Barney," varovala ho. „Na to jsem moc unavená."

„Dlouhý den?" zeptal se John. Políbil ji a pomohl jí svléct nepromokavou bundu.

„No, radši bych mluvila o tvém dni než o svém."

„Tak se pojď posadit a já ti naliju pití. Koupil jsem na oslavu šampaňské."

„Pro začátek bych si dala vodku, jestli ti to nebude vadit. Proboha, kolik brambor jsi tu spálil?"

„Myslím, že se mi většinu podařilo zachránit. Prostě jsem na ně zapomněl. Znáš mě — dovedu myslet jenom na jednu věc a tou jsi většinou ty."

„Ale no tak, ty srandisto," usmála se, objala ho kolem pasu a zvedla k němu hlavu, aby ji mohl políbit. Tak moc si ho zamilovala. Byl vysoký a měl krátké tmavé kudrnaté vlasy — zašel před pohovorem k holiči a nechal se ostříhat. Oči měl hnědé, ale v určitém světle měly odstín achátu až granátu. Připadal jí krásný jako antický bůh a vždycky ji na něm fascinovalo, že sám sebe nebere příliš vážně a nikdy není arogantní. Zároveň sama dobře poznala, jak dokáže být odhodlaný. Zbýval jen malý kousek a byl by ji přesvědčil, aby odešla od Garda Síochána a odletěla s ním do San Franciska.

Políbila ho znovu a znovu. Ve vyžehlené bílé košili vypadal tak přitažlivě, a navíc z něj pořád cítila vodu po holení

Nino Cerruti, kterou si vzal na pohovor. Ale ucítila i spálené brambory.

„Hele, nemáš hlad?" zeptal se jí, když ho nepřestávala líbat.

„Jsem zamilovaná. A mám strašnou radost z toho, že jsi dostal práci."

„No to já taky. Jestli všechno dopadne dobře, není důvod, proč by se mi nemělo dařit padesátkrát líp než ve Státech. Ten výkonný ředitel má o tobě dost vysoké mínění... Aidan Tierney, že? Vychvaloval tě až do nebes."

„Jednou jsem pro něj udělala takovou laskavost," řekla Katie a vzápětí si přála, aby bývala zůstala zticha. Ještě jednou Johna políbila a přešla ke stolku s pitím. Nalila si dvojitou dávku Smirnoff Black Label. Napila se, zakašlala a chvilku se nemohla nadechnout.

John se ve dveřích zastavil. „Jsi v pořádku? Doufám, že se mi tu neutopíš ještě před slavnostní večeří!"

Katie zavrtěla hlavou, zvedla sklenku na znamení toho, že se nic nestalo, a snažila se popadnout dech.

A pak — „Jakou laskavost?" zeptal se.

„Nic velkého. Jeho dcera se dostala do potíží a já se přimluvila na správném místě, to je všechno."

„Do jakých potíží?"

„Chytili ji, jak krade v obchodě, nic vážného. Myslím, že ji k tomu ponoukal její přítel. To byl pěkný ptáček."

„Takže ti Aidan Tierney něco dlužil?"

„Dalo by se to tak říct. Netvař se tak zachmuřeně!"

„Netvářím se zachmuřeně, jen jsem si to chtěl vyjasnit. Aidan Tierney souhlasil s tím pohovorem, protože ti dlužil laskavost. Nebylo to proto, že byste se jen tak znali a tys nadhodila, že bych na tu práci mohl být ten nejlepší, že?"

„Ale ty na tu práci jsi nejlepší, vždyť to víš. Ať už mi Aidan dlužil cokoli, nezaměstnal by tě, kdyby si nemyslel, že ti to půjde skvěle!"

„Měl bych se jít podívat na ten koláč. Nerad bych ho taky zpopelnil," řekl John.

Šel do kuchyně a Katie se vydala za ním. Všechna okna byla otevřená a většina štiplavého kouře se už vyvětrala. Všimla si, že jedna z jejích nejlepších ocelových pánví stojí na okenním parapetu naplněná studenou vodou a pokrytá tmavě hnědými skvrnami.

„Johne," řekla Katie, „stovky lidí v tomhle městě mi dluží nějakou laskavost, počínaje radními a konče zloději v obchodech. Dobrý detektiv by měl vědět, kdy přimhouřit oči a kdy je důležitější, aby ti byl někdo zavázaný, než ho za nějakou maličkost zašít."

„Jasně, chápu," odtušil John. Otevřel dvířka trouby a nahlédl dovnitř na zvlněný koláč na prostřední mřížce. Náplň odkapávala dolů na pečicí papír. Podíval se na hodinky a poznamenal: „Devadesát minut... Myslím, že už to bude hotové. Sedneme si a najíme se?"

„To jsi uvařil sám?"

„Proč to říkáš tak překvapeně? Ví se o mně, že uvařím víc než jenom fazole z plechovky s toastem. Pořád říkáš, jak ti chybí slaninovo-pórkový koláč, který dělali v Henchy's, tak jsem ti ho připravil."

„Nevím, co na to říct."

Až teď si všimla, že John v kuchyni prostřel příbory a ubrousky, připravil dvě skleničky na šampaňské a červenou svíčku ve zdobeném svícnu.

„Tos nemusel," řekla váhavě. „Mám hroznou radost, že tu zůstáváš, i tak."

John si navlékl na ruce chňapky a vyndal koláč z trouby. „Tak se na to podívej, kulinářské mistrovské dílo! Jenom ohřeju zelí. Kam dáváš sirky?"

Katie odešla do obývacího pokoje a z tašky vytáhla zapalovač. Když zapalovala svíčku, John se na ni otočil. „Jenom teoreticky — kdybys mi nemohla zařídit práci tady, odletěla bys se mnou do San Franciska?"

Zavrtěla hlavou. „Johne, miláčku, já ti tu práci zařídila. Tedy spíš ty sis ji zařídil. Kdyby tě v ErinChemu nechtěli, nezaměstnali by tě. A nejde o žádné místo jen tak naoko."

„Jo, máš pravdu. Měl bych se přestat tvářit, jako že nejsem vděčný. Já ti jsem vděčný. Miluju tě, Katie, to víš. A na tom to stojí."

Vyndal dva talíře, které se ohřívaly v troubě, a na každý ukrojil velký kus koláče. Potom slil vodu ze zelí a brambor, které se mu podařilo zachránit, a pečlivě je naskládal na talíře. Katie se posadila a John vyndal z lednice lahev šampaňského značky Lanson. Otevřel lahev a nalil nápoj do skleniček. Tu svou zvedl k přípitku.

„Tak na nás, Katie. Miluju tě. A děkuju ti, žes zařídila, abychom mohli zůstat spolu. Myslím to vážně."

Katie zazvonila svou sklenkou o jeho a trochu upila.

„A teď už se do toho pusť, miláčku," usmál se na ni John. „Jakmile ochutnáš tohle, už nikdy si na koláče z Henchy's nevzpomeneš."

Katie zvedla vidličku. Koláč silně voněl šunkou, pórkem a celerem, ale pronikavost vůně jí připomněla strašlivý zápach hnijícího bezhlavého těla z Lower Shandon Street a pach dívky, která tam s tělem celou dobu byla. Když si Katie vložila kousek koláče do úst a začala žvýkat, ucítila, jak je sladký a hrudkovitý, a zase se jí do hlavy draly myšlenky na červy.

71

Pokusila se jídlo spolknout, ale nepodařilo se jí to. Zvedla růžový ubrousek, nenápadně do něj sousto vyplivla a ubrousek přeložila. John si toho nevšiml. Usmál se na ni a zeptal se: „Dobré? Chutná ti to? Omlouvám se, jestli je z těch brambor cítit spálenina."

Ukrojil si další velké sousto koláče a dal si ho do úst, ale Katie položila vidličku vedle talíře.

„Promiň, Johne, já to nemůžu jíst."

„Co? Tobě to nechutná? Vážně? Myslel jsem, že tak špatný kuchař zase nejsem."

„Omlouvám se," zopakovala, ale potom odstrčila židli a vyběhla z kuchyně na záchod. Sotva se jí podařilo zvednout prkénko, vyzvracela to málo, co za celý den snědla — koblihu s polevou a latté. Klekla si a zůstala tak, zatímco se jí prázdný žaludek obracel a ona dávila, až ji rozbolela žebra.

Po chvíli se ozvalo lehké zaklepání na dveře.

„Katie? Jsi v pořádku, miláčku?"

Utrhla kousek toaletního papíru a otřela si rty. „Jsem v pohodě, Johne. Nic proti tvému koláči, přísahám bohu. Jenom jsem měla stresující den, to je všechno."

„Stejně už jsem ho vyhodil."

„Co?"

„Ten koláč."

„Ale Johne," povzdychla si Katie. Přidržela se rukou umyvadélka a postavila se na nohy. V zrcadle s údivem zjistila, že má jen lehce zarudlé tváře a řasy slepené slzami. Vypadala skoro jako panenka s hezkým, ale překvapeným výrazem. Otevřela dveře. „Nevyhodil jsi ho, že ne?"

Přikývl. „Jo. Napadlo mě, že bych ho mohl dát Barneymu, ale nechtěl jsem, aby mu bylo taky špatně."

Katie ho objala a pevně ho k sobě přitiskla. Přemýšlela, jestli se jí nějaký večer podaří doma nic nezkazit.

Tu noc se nemilovali, ačkoli před usnutím leželi velice blízko u sebe a John ji hladil po rameni a po hlavě. Katie byla příliš unavená a rozrušená tím, co ten den viděla, a znovu přemýšlela, jestli udělala správnou věc, když zůstala u policie. Uvažovala, jestli se jí žaludek nesnaží sdělit něco, co si hlava stále nepřipouští — že už má téměř dost vší té krutosti a neštěstí, lidí roztrhaných na kousky, spálených na popel či plovoucích v řece Lee.

Když nakonec usnula, zdálo se jí, že stojí na vlakovém nástupišti ve stanici Cork-Kent a čeká na doktora O'Briena, který má přijet z Dublinu. To ráno působilo šedě a bezbarvě, ačkoli nebyla zima. V naprosté tichosti vjel na nádraží vlak a zastavil. Zůstal tam se všemi dveřmi zavřenými, ale nástupiště najednou ožilo stovkami lidí, většinou mužů v pršipláštích a neklidně vypadajících žen s šálami kolem hlav.

Jeden z těch mužů zvedl svinutý deštník a zavolal: „Katie! Katie Maguirová!" Ale jakmile ho zaslechla, uviděla malou Corinu, kterou za sebou táhl Mânios Dumitrescu. Corina se pořád otáčela a zírala na Katie velkýma očima plnýma zoufalství, ale když se Katie pokusila probojovat davem za ní, do cesty jí vstoupil doktor O'Brien. Postavil se tak, aby kolem něj nemohla projít.

„No tak, Katie!" napomenul ji. „Pěkně jedno po druhém!" Věděla, že se široce usmívá, ačkoli jeho obličej neviděla jasně.

Pokusila se ho znovu odstrčit, ale zjistila, že strká do ramena Johnovi a že vlastně vůbec není na vlakovém nádraží. Zdálo se jí, že slyší dětský nářek a že právě ten ji určitě probudil.

„Seamusi?" zavolala a posadila se. Napjatě poslouchala, jestli uslyší pláč znovu.

Čekala a čekala, ale samozřejmě neslyšela nic, jen zvuky aut, která tu a tam projela za okny, a smutné houkání lodi vyplouvající z přístavu.

John se posadil. „Co se stalo?" zeptal se.

„Nic," zašeptala a lehla si. Měsíc ji z oblohy sledoval, chladný a cynický, skrze závěsy. „Vůbec nic."

7

Šedý špinavý range rover zastavil přímo u domu Niamh Daileyové, právě když kuchyňskými nůžkami zastřihovala živý plot z ptačího zobu.

Narovnala se a zaclonila si oči rukou. Tenhle range rover vídala několikrát týdně od té doby, co se do vedlejšího domu číslo třicet sedm přistěhovali před sedmi měsíci ti Rumuni. Ale nikdy neparkoval přímo před její vstupní branou.

Niamh čekala, až řidič vystoupí, aby ho mohla požádat, ať o několik metrů couvne před svůj dům. Její syn Brendan měl za půl hodiny přijet domů na oběd a neměl by kde zaparkovat, když Shaughnessyovi z čísla třicet tři zabírají polovinu ulice tou svou starou sanitkou a starou toyotou, která tam jenom sedí na cihlách místo kol. Uplynula ale téměř půlminuta, než se dveře auta otevřely a vystoupil ten hubený Rumun.

Od chvíle, co ho Niamh poprvé uviděla, měla dojem, že kdyby krysa mohla dorůst do velikosti člověka a chodit po zadních, vypadala by přesně jako Mânios Dumitrescu. Měl černé vlasy sčesané dozadu a prokvetlé šedinami, lesklé malé oči a dlouhý špičatý nos. Pod křivě zastřiženým knírem mu do různých směrů vyčuhovaly přední zuby a bradu měl tak nevýraznou, že vypadala, jako by se mu propadla přímo do krku, ještě než dostala možnost se ukázat.

Měl na sobě lesklou hnědou nylonovou košili, úzké černé džíny a zbrusu nové tenisky Nike. Vypadalo to, že po cestě k Niamhinu plotu nadskakuje. Aniž ho pozvala dál, otevřel západku na brance a vešel na dvorek. Přišel až k ní a celou dobu na ni zíral. Najednou ji ukazováčkem píchl do hrudníku — jednou, dvakrát, třikrát. Nebyl vysoký, neměl ani sto sedmdesát centimetrů, ale Niamh sama byla malá. Škubal jím potlačovaný vztek.

„Co si myslíte, že děláte?" zeptala se ho a pevně v ruce sevřela kuchyňské nůžky. „Okamžitě odsud vypadněte, než zavolám Dermota odvedle!"

„Zavolej si, koho chceš, ty vlezlá čarodějnice," zasyčel na ni Mânios Dumitrescu. „Tys řekla policii o mé matce? Bylas to ty? Vím, žes to byla ty. Kdo jiný?!"

„Vaše matka se k té holčičce chovala strašně," bránila se Niamh, ačkoli jí dalo velkou práci udržet si klidný hlas. „Bila ji, nutila ji dělat všechnu práci doma a nechávala ji vzhůru dlouho po půlnoci, protože ta dívka nemá svoji postel. A slyšela jsem, jak na ni křičíte i vy, na chuděrku!"

„Do toho ti nic není!" vyhrkl Mânios Dumitrescu. „Co se děje v našem domě, je věc mojí matky! Ne tvoje, ty vlezlá čarodějnice!"

„Vypadněte odsud," nedala se Niamh. „Zažaluju vás za neoprávněný vstup na cizí pozemek a za to, že jste do mě píchl."

„Aha, tak to ty nemáš ráda," vysmíval se jí muž a znovu do ní šťouchl. Odstoupila od něj, ale dvorek byl tak malý a příkrý, že se mohla pouze natlačit do keřů. „Tohle nic není, to ti povím! Řekni ještě něco špatného o mé matce a postarám se o to, že už neřekneš nikomu nic! *Nu înţelegi?* Rozumíš? *Am tăiat limba şi să-l mănânci la micul dejun!* Vyříznu ti jazyk a nechám tě ho sníst k snídani!"

Niamh nic neřekla, jen se na něho dívala. Snažila se působit vzdorovitě, ale měla velký strach a trochu se počurala.

Mânios Dumitrescu ještě chvíli zůstal stát na jejím dvorku a díval se na ni. Potom plivl na zem a odešel. Branku za sebou nechal otevřenou. Vešel do domu číslo třicet sedm a svůj range rover nechal zaparkovaný tam, kde z něho vystoupil.

Niamh vešla do svého domu a zastavila se v kuchyni. Třásla se, jako by jí byla zima. Dřív se bála, když se její manžel Frank vracel v pátek večer z hospody U Létající lahve, ale to vždycky skončilo jenom křikem, fackami a taháním za vlasy. U Mâniose Dumitresca byla přesvědčena, že ji skutečně zohaví, nebo dokonce zabije. Jestli jsou v rodině Dumitrescových schopni zneužívat bezbrannou malou holčičku, je jasné, že v sobě žádnou lidskost nemají.

Přešla ke komodě a zvedla telefon. Číslo, které hledala, našla ve svém osahaném adresáři a opatrně jej vytočila. Na druhé straně se ozvalo dlouhé vyzvánění, než hovor někdo přijal, ale Niamh trpělivě počkala. Nakonec se ozval ženský hlas: „Ano?"

„Je to strážmistryně ó Nuallánová?"

„Ano, je. Kdo volá?"

„Tady Niamh Daileyová z Martha's Avenue třicet pět v Grawnu. Já jsem vám tehdy volala kvůli té malé Rumunce od sousedů."

„Ach ano, jistě. Jak se máte, Niamh? Slyšení před soudem bude buď zítra, nebo v pátek, záleží na jejich rozpisech. Až budeme potřebovat vaše svědectví, dám vám včas vědět a pošlu pro vás auto."

„Víte, jde o to, abych byla upřímná... Myslím, že to byl omyl."

Niamh v duchu viděla, jak se strážmistryně ó Nuallánová na druhé straně drátu mračí.

„Omyl? Co byl omyl?"

„Všechno to, co jsem říkala. Teď si nejsem úplně jistá, že jsem to viděla, víte? A všechny ty věci, které jsem slyšela — ani těmi si nejsem vůbec jistá."

„Co mi tím chcete říct, Niamh?"

„Nemůžu svědčit, to vám říkám. Jak bych mohla na bibli svatou přísahat věci, kterými si vůbec nejsem jistá?"

„Čím přesně si nejste jistá? Pořád můžeme postavit případ i na tom, že jste jen slyšela, že Corinu zneužívají nebo že jste ji viděla dělat domácí práce a měnit dětem plenky, když měla být ve škole. Její fyzický a psychický stav mluví sám za sebe."

„Nejsem si vůbec ničím z toho jistá," řekla Niamh tiše. „Je mi to líto." Měla pocit, že by měla hovor ukončit. Bylo jí jasné, jak zklamaná a frustrovaná musí strážmistryně ó Nuallánová být. Přesto věděla, že ji nic nepřesvědčí, aby si to rozmyslela a proti Dumitrescovým skutečně svědčila.

„Přišli za vámi, viďte?" ozvala se strážmistryně ó Nuallánová. „Který z nich to byl? Matka? Nebo Mânios? Nebo jeden z jeho bratrů? Niamh, víte, že vyhrožování svědkovi je samo o sobě trestný čin?"

„Já neříkám, že mi vyhrožovali. Jenom si jasně nevzpomínám, co se u sousedů stalo, to je všechno."

„Přijedu za vámi. Můžeme si o tom promluvit. Jste teď doma?"

„Ne, ne, za minutku jdu ven," lhala pohotově Niamh. Nechtěla si ani představovat, co by Mânios Dumitrescu udělal, kdyby se na prahu jejího domu objevila policistka pouhých dvacet minut poté, co jí vyhrožoval vyříznutím jazyka. Mohli by ho zatknout, ale bylo by to pouze jeho slovo proti jejímu a pravděpodobně by ho pustili ven na kauci. I kdyby ho drželi ve vazbě, venku by pořád byla jeho matka a dva bratři, kterých se mohla bát. A také spousta dalších zarostlých Rumunů, kteří bez ohledu na denní či noční hodinu vcházeli do čísla třicet sedm.

„Jestli chcete, sejdu se s vámi v kavárně Dunne's ve tři hodiny," řekla strážmistryni ó Nuallánové. „Ale nerozmyslím si to, přísahám bohu."

8

John přišel do obývacího pokoje zabalený do svého modrého froté županu. Mžoural a vlasy mu na týlu trčely jako papouškovi peří. Katie už na sobě měla lněný kostýmek pískové barvy a halenku měděného odstínu, která se jí hodila k vlasům. Na telefonu sledovala vlakový jízdní řád, aby zjistila, v kolik hodin má přijet doktor O'Brien, a přitom se zakusovala do máslové sušenky.

„To je všechno, co budeš snídat?" zeptal se jí.

„Dám si něco pořádného, až dorazím do práce. Už tak jedu pozdě."

„Včera večer jsi nic nejedla."

Položila mobil a usmála se na Johna. „Ano, já vím a omlouvám se ti za to. Vsadím se, že ten koláč byl aspoň desetkrát lepší než cokoli, co jsem jedla v Henchy's. Bylo to kvůli práci. Někdy přes den vidím věci, ze kterých se mi obrací žaludek, a nemůžu je dostat z hlavy."

John si ji přitáhl k sobě, políbil ji a prsty jí prohrábl vlasy.

„Hele, neznič mi účes!" ohradila se, ačkoli ho líbala stejně vášnivě jako on ji. „Byla potřeba skoro půlka laku na vlasy, aby to takhle drželo."

„Přijdeš dneska večer zase pozdě?" zeptal se.

„To kdybych věděla," povzdychla si a zvedla kabelku. Barney běhal kolem ní, švihal ji do nohou ocasem a málem o něj zakopla. „Záleží na tom, jestli to s tím bezhlavým chlapem dostane hlavu a patu, jestli mi rozumíš."

„Ty jsi komička, ani o tom nevíš," usmál se John. „Miluju tě, Katie Maguirová."

„A co budeš dělat ty? V ErinChemu začínáš až od pondělka, že?"

„Budu dělat na svojí obchodní strategii. Zkontaktuju taky kamaráda Buzze Perelmana z Oaklandu. Co neví o online marketingu Buzz, na to ještě nikdo nepřišel. Potom se asi stavím za mámou. Teda *mohl bych* se stavit za mámou."

Katie ho držela za obě ruce a nechtěla z něho spustit oči. Ale potom se otočila a rozhlédla se po obývacím pokoji. Byl pořád zařízený ve stylu devadesátých let, který Paul považoval za vrchol vkusu — byla tam proužkovaná tapeta, nábytek z obchodu Casey's v Oliver Plunkett Street a reprodukce mořského pobřeží na stěnách.

„Mohl bys udělat ještě něco jiného," řekla. „Tohle je teď *tvůj* domov stejně jako můj. Co kdybys nám sem vymyslel nějaké nové vybavení, jiné barvy? Nějaké koberce, závěsy a nábytek. Tenhle pokoj už si dlouho říká o změnu a připomíná mi věci, na které nechci vzpomínat, teď už ne."

„To myslíš vážně?" podivil se John. „Nejsem si jistý, že by se ti můj vkus líbil."

„Ale ano, mně se tvůj vkus líbí, Johne Meaghere," řekla a znovu ho políbila.

Vlak z Dublinu přijel s desetiminutovým zpožděním a Katie začínala být netrpělivá. Doktor O'Brien nebyl hlavní státní patolog, takže by se s ním za normálních okolností nesetkávala osobně, ale do nemocnice měla namířeno tak jako tak. Měla v plánu si popovídat s dívkou, kterou našli u Mawakiyova těla. Kromě toho chtěla, aby dnes všichni členové týmu procházeli bary, noční kluby a masážní salony a zjišťovali, kdo vlastně ten Mawakiya byl.

Krátce po půl desáté dopoledne poslala výzvu do RTÉ, do rádia Cork 96 FM i do *Examineru* a *Echa*. Žádala, aby se kdokoli, kdo Mawakiyu viděl nebo znal, neprodleně ohlásil na policii. Článek s titulkem „Mrtvý bez hlavy a rukou" byl sice hlavní zprávou dne, ale zatím se ozvali jenom tři lidé a nikdo z nich jim nesdělil nic podstatného. „Toho muže jsem viděla minulý týden ve Waxy's." „Nebyl to ten Pavouk, protože toho jsem včera viděla, navíc na sobě neměl fialovou." „Jsem si stoprocentně jistý, že jsem slyšel nějaké hlasité rány na Lower Shandon Street, když jsem se vracel z baru O'Donovan's. Ale nepamatuju si přesně, kdy to bylo."

Katie z vlastní zkušenosti věděla, jak těžké pro policisty je přemluvit některou z prostitutek z nočních klubů, aby si s nimi popovídala. Všechny měly hrůzu z toho, aby se jim nestalo něco podobného. Nebo byly tak zdrogované a vyčerpané, že sotva věděly, jaký je týden. Skoro stejně obtížné bylo přesvědčit sexuální pracovnice na volné noze, aby se ohlásily — tyhle svobodné matky poskytovaly tu a tam nějaký orální sex, aby zaplatily účty, a nechtěly přiznat, čím se živí, aby se o tom nedozvěděli sousedi. Tentokrát byl zavražděn muž, u kterého bylo více než pravděpodobné, že měl nepřátel celou řadu. Když zabili někoho takového, Katie obvykle čekala na tip od některého ze svých práskačů nebo nějakého barmana, který měl oči a uši otevřené výměnou za několik set eur.

Konečně do stanice přijel vlak se žlutou lokomotivou. Na rozdíl od Katiina snu se dveře otevřely, ale vystoupilo jen pár lidí. Ven vyskočila skupinka mladíků, kteří do sebe šťouchali a strkali, a dvě jeptišky. Jediný cestující, který vzdáleně připomínal patologa, byl malý baculatý mladý muž s brýlemi s výraznými obroučkami, přehazovačkou a v pomačkané zelené bundě. Popotahoval za sebou kufr na kolečkách, jako by to byl neposlušný pes.

„Vy musíte být doktor O'Brien," přišla k němu Katie s napřaženou rukou.

„Ale ano!" vykřikl. Chytil držadlo kufru do levé ruky, aby mohl potřást Katiinou rukou, a přitom upustil časopis, který držel pod paží. Sehnul se, aby ho sebral, a z náprsní kapsy mu vypadl mobilní telefon a zarachotil na dlažbě.

„Komisařka Maguirová," představila se Katie. „Děkuji vám, že jste přijel tak rychle."

„Opravdu? Komisařka? No teda!" Zvedl telefon ze země a zmáčkl na něm náhodné tlačítko, aby se ujistil, že stále funguje, a poté jí potřásl rukou. Měl překvapivě pevný stisk. „To je pro mě čest. Obvykle mám štěstí, když pro mě pošlou taxík."

„Stejně jsem byla na cestě do nemocnice. Navíc jsem s vámi chtěla mluvit, než se pustíte do práce."

Kráčeli přes parkoviště ke Katiině fiestě. Doktor O'Brien neohrabaně strčil kufr na zadní sedadlo a oba nastoupili.

„Znal jste doktorku Collinsovou?" zeptala se ho Katie, když zápasil s bezpečnostním pásem.

„Ne, ne, neznal. Dali mě na její místo. Ale vím o okolnostech jejího úmrtí. Byla jste u toho, když ji zastřelili, že? Všichni si jí velice cenili. Je to smutné."

Katie nastartovala a vycouvala z parkoviště. „Tahle oběť, na které budete pracovat, je Afričan, ale zatím jeho identitu přesně neznáme. Moc nám v tom nepomohlo, že mu ustřelili hlavu brokovnicí a usekli obě ruce."

Doktor O'Brien se začal hrabat v kapse bundy. „Omlouvám se… Byl bych přísahal, že jsem si dal lístek na vlak do peněženky. Doufám, že jsem ho neztratil."

Katie pokračovala: „Máme jednu svědkyni, která říká, že vraždu viděla. Je to mladá dívka z Afriky, je jí jenom třináct. Mluvila se dvěma muži, kteří oběť našli. Řekla jim, že ho zastřelila žena, ale nic dalšího. Zatím se neohlásil nikdo, kdo by nám poskytl nějaké vodítko k jeho totožnosti."

„Něco jsem o tom četl v novinách," poznamenal doktor O'Brien. „Samozřejmě mu mohu vzít vzorky DNA, ale ani DNA nám nepomůže, když ji nemáme s čím srovnat. A když navíc nemáme ani otisky prstů, no…"

„Je zatím ještě brzy," opáčila Katie. „Ale vždycky je pro mě nepříjemné nevědět, kdo někoho zavraždil a proč. Ještě horší však je, když ani netuším, kdo byl zavražděn."

Doktor O'Brien pořád lovil lístek. „Zdá se, že váš vrah si dal velkou práci s tím, abyste to nezjistili. Řekl bych, že to bude někdo velmi organizovaný. Můžete zjistit, kdo je oběť, ale až se vám to vrah rozhodne říct, dřív ne."

Když projížděli po nábřeží Penrose Quay, Katie na doktora krátce pohlédla. Potom odbočila vlevo přes řeku do Brian Boru Street. Hladina řeky vytvářela dokonalé zrcadlo, v němž se odrážely budovy z červených cihel a čistá obloha.

Doktor O'Brien si všiml, jak se na něho podívala, a řekl: „Víte… Kromě histopatologie na Saint Patrick Dun jsem studoval i psychiatrii na Trinity College."

„Opravdu? Tak proč jste se nestal psychiatrem? Není to tolik morbidní."

„Mohl jsem. Nakonec jsem ale dal přednost jistotě smrti před vrtochy života."

„Tak to potom ano," usmála se Katie. „Proč si tedy myslíte, že náš vrah nechce, abychom znali totožnost oběti?"

„Co si myslíte vy?" zeptal se doktor O'Brien. „Koneckonců, vy jste odborník. Klaním se vašim zkušenostem z praxe."

Zabočila vlevo dolů do Saint Patrick's Street, hlavní nákupní třídy, projela kolem obchodů Marks & Spencer a Brown Thomas. Doktor O'Brien se jí nečekaně začínal líbit. Možná byl buclatý a neohrabaný, ale díky němu teď přemýšlela jasně. Pracovala na tolika případech zároveň, že se jí v hlavě někdy pletlo všechno dohromady, on po ní ale chtěl, aby odhlédla od ostatních případů a podívala se na vraždu analyticky. Přestaň si dělat hlavu s Michaelem Gerretym a jeho právními kličkami, Mâniosem Dumitrescem a jeho únosy dětí a pasáctvím, nehledě na krádež zemědělské techniky za tisíce eur, vloupání v Ballyvolane a dva případy znásilnění v Ballintemple. Přestaň se obviňovat kvůli Johnovi a tomu, že jsi nesnědla jeho koláč.

„Tak dobře," řekla nahlas. „Nechce, abychom znali totožnost oběti, protože to by nám umožnilo zjistit, jaký motiv k vraždě měla. Kdybychom věděli důvod, bylo by jednodušší zjistit, kdo to udělal."

„A jaké si myslíte, že mohla mít motivy?" zeptal se doktor O'Brien.

„Pravděpodobně pomsta. Pochybuju, že byste někomu ustřelil hlavu jen tak pro radost, i kdybyste byl sadista. Možná ho potrestala za to, že něco ukradl. Podle práva šaría se zlodějům řežou ruce, ne?"

„Ano, říká se tomu *hudud*," doplnil ji doktor O'Brien. „Ale i ortodoxní islamisté obvykle useknou jen jednu ruku, tedy alespoň za první přečin. A je nepravděpodobné, že by trest podle šaríi vykonala žena. U některých islámských soudů se ženám v případech krádeže nedovoluje ani svědčit, natož vykonávat rozsudek."

„Možná se nacpal do něčího rajónu," navrhla Katie. „Něco podobného se nám stalo loni, kdy se dealeři cracku z Limericku pokusili v Corku nasadit nižší ceny než místní dealeři.

Tři z nich jsme pak našli v řece s uříznutými nosy, čímž chtěl pachatel říct: nechoď čmuchat do míst, kde nejsi vítán. Jsme si téměř jistí, kdo to udělal, ale nepodařilo se nám to prokázat."

Doktor O'Brien prudce pokýval hlavou. „Jsem přesvědčen, že amputace rukou měla symbolický význam. Čeho přesně je to symbol, to vám teď nemohu říct jistě. Ale předpokládám, že toho budu vědět víc, až se na oběť podívám. Například může být důležité, jak byly ruce od těla odděleny. Jestli se mi podaří zjistit, co ta amputace znamenala, budeme velice blízko k odhalení vraha."

„Možná jste se měl stát detektivem," usmála se Katie.

„To ne," bránil se doktor O'Brien. „Jak jsem říkal, dávám přednost jistotám. A nic není tak jisté jako někdo, kdo je mrtvý. Mrtví se nehádají. Nelžou. Nejsou nevěrní."

Katie zabočila na parkoviště u corkské fakultní nemocnice. Nezeptala se ho, proč řekl tu poslední poznámku, ale měla pocit, že to ví.

„Uvidíme se později," loučila se. „V hotelu Jury's na Western Road máte zamluvený pokoj — stačí, když na recepci řeknete své jméno. Zavolejte mi, až dokončíte pitvu. Jsem zvědavá, s čím přijdete."

Mladou černošku našla Katie v soukromém pokoji ve třetím patře nemocnice. Před pokojem seděli dva ozbrojení policisté a listovali novinami *Irish Sun*. Jeden z nich vstal, když viděl Katie přicházet. „V pořádku, seďte," řekla mu a on se znovu posadil.

Dívka už vypadala o hodně lépe. Seděla v růžové noční košili na posteli a dívala se na televizi. Rozpletli jí vlasy, umyli je a sčesali do nadýchaného culíku. Byla ještě hezčí, než když ji Katie v sanitce viděla poprvé, ale také vypadala mladší. Opravdu byla teprve dítě.

Katie si vzala židli a posadila se vedle postele. „Tak co?" usmála se na děvče. „Jak se dneska cítíš?"

Dívka nic neřekla, jen na ni zírala a hrála si s rukávem noční košile.

„Pamatuješ si na mě ze včerejška? Mluvila jsem s tebou v sanitce. Jmenuju se Katie. Koukej, přinesla jsem ti nějaké dobroty."

Podala dívce sáček bonbonů Haribo, které koupila v nemocničním obchodě. Dívka se ani nepohnula, a tak Katie položila bonbony na peřinu.

„Řekneš mi, jak se jmenuješ?" zeptala se jí.

Dívka dál mlčela, ale nespouštěla z komisařky zrak.

„Přišla jsem ti pomoct a zjistit, kde máš rodinu, jestli to bude možné. Víš, kde je tvá matka a otec?"

Pořád žádná odpověď.

„Víš, z jaké země jsi sem přijela? Bylo to někde v Africe? Somálsko? Sierra Leone? Nigérie? Kongo?"

Dívka otevřela ústa, jako by chtěla něco říct, ale hned je zase zavřela.

Katie ji vzala za ruku, stiskla ji a usmála se. „Žádný problém, zlatíčko. Jestli se ještě necítíš na to, aby sis se mnou povídala, je to na tobě. Ale bylo by hezké, kdybych znala tvé jméno, abych věděla, jak ti říkat. Možná bych ti prozatím mohla dát nějaké jméno sama. Třeba bych ti mohla říkat Isabelle. Líbí se ti jméno Isabelle?"

Jak tam Katie seděla a držela ji za ruku, skoulely se dívce po tvářích dvě velké slzy. Katie sáhla do nočního stolku, vytáhla papírový kapesník a jemně je otřela.

„Teď už budeš v pořádku, Isabelle. Nic zlého se ti nestane. Dáme na tebe pozor. Jestli se nám nepodaří najít tvoje rodiče, najdeme někoho hodného, kdo se o tebe bude starat, slibuju."

V tu chvíli vešel do pokoje lékař s deskami pod paží. Byl to malý upravený Ind s lesklou pleší a pečlivě zastřiženou bradkou.

„Á, komisařko! Promiňte, že jsem se o několik minut zpozdil. Anafylaktický šok ale nepočká."

Podal jí ruku a představil se: „Doktor Surupa. Jak se máte? Myslím, že už jsme se potkali. Přivážejí mi sem lidi v hrozném stavu a vy vždycky musíte přijít na to, kdo jim to udělal."

Krátce se usmál na Isabelle a otočil se ke Katie: „Možná bude lepší, když si promluvíme venku."

Vyšli z pokoje a kráčeli chodbou až k oknu na jejím konci, které shlíželo na parkoviště.

„Je pod dohledem doktorky Corcoranové, která je jedním z našich šesti psychiatrických poradců. Je to specialistka na léčení traumat spojených s obchodováním s lidmi a sexuálním otroctvím a je teď pro zlepšení stavu té dívky klíčová. Bohužel jsou tyto případy v posledních letech stále častější. Nejspíš je to cena za otevření hranic a větší svobodu v cestování."

„Jak je jí?" zeptala se Katie. „Už s někým mluvila? Mně neřekla vůbec nic, ani jak se jmenuje nebo odkud přišla."

Doktor Surupa zavrtěl hlavou. „Je hluboce traumatizovaná a podle doktorky Corcoranové může trvat týdny nebo měsíce, než se zotaví."

„Ti dva muži, kteří ji našli, tvrdí, že je jí jenom třináct let."

„Vyšetřili jsme ji a zdá se to pravděpodobné. Ačkoliv není žádný způsob, jak to určit přesně, protože dívky se v dosažení sexuální zralosti liší. Začínají jí růst prsa, ale Afričanky se v tomto ohledu vyvíjejí rychleji než bělošky, i když nikdo neví proč. Každopádně je zoufale podvyživená, takže u ní ještě nenastoupila menstruace."

„A jaký je její celkový zdravotní stav?"

„Na zádech a rukou má jizvy ve tvaru ještěrek a škorpiónů, vypadá to jako kmenové znamení. Jestli se vám podaří najít nějakého odborníka, mohla byste zjistit, odkud je. Má ale také několik velkých diagonálních jizev, což je výsledek bití nebo bičování."

„Aha. A nějaké deformace pohlavních orgánů?"

Doktor Surupa se podíval do papírů v deskách. „Ne, žádná ženská obřízka, ačkoli mě to vzhledem k těm kmenovým jizvám překvapuje. Každopádně byla sexuálně zneužívaná, a to velice násilně. Má vaginální i anální oděrky a trhliny, oboje z poměrně nedávné doby. Nechci si ani představovat, co do ní strkali."

Katie stála u okna a dívala se ven na dvě mladé zdravotní sestry, které se smíchem přebíhaly parkoviště. Potom se otočila na lékaře. „Děkuji vám, doktore. Byla bych moc ráda, kdybyste mě informoval o jakýchkoli změnách jejího stavu — zvlášť jestli začne mluvit. Budu sem za ní chodit tak často, jak to jen půjde."

Vrátila se k Isabellinu pokoji. Ke svému překvapení v místnosti našla Brannu MacSuibhneovou, mladou reportérku z *Echa*, jak stojí vedle dívčiny postele a fotí si ji telefonem.

„Co to tady proboha děláte?" zeptala se ostře. Otočila se na policistu, který hlídal u dveří. „Proč jste ji pustil dovnitř? Prokristapána, vždyť je to novinářka! Měla jsem dojem, že se máte starat o bezpečnost té dívky!"

Policista se postavil a noviny mu spadly na podlahu. „Omlouvám se, komisařko!" vykoktal. „Prohlásila, že patří k lékařskému týmu."

„To jsem tedy neřekla," ohradila se Branna.

„No, neřekla mi, že k němu nepatří."

„Jo aha," odfrkla rozčileně Katie. „Takže když se vám někdo hned nepředstaví jako reportér, zločinec nebo vraždící maniak, necháte ho vtančit dovnitř, ano? Copak vypadá, že je z personálu? S tou kabelkou a vůbec?"

„Chtěla jsem jenom ukázat lidskou stránku toho příběhu," namítala Branna.

„Ukážu vám lidskou stránku svojí ruky, jestli odsud okamžitě nevypadnete. A dejte mi ten telefon."

Branna neochotně odevzdala svůj iPhone a Katie ji vyvedla z místnosti. Mezi dveřmi se otočila na Isabelle. Dívka se dívala na televizi, netečná k vyrušení.

Na chodbě Katie vymazala veškeré fotky Isabelle z Brannina telefonu. Než jí mobil vrátila, zeptala se: „A co nějaké nahrávky?"

Branně rozhořčením zrudly tváře. „Nebylo co nahrávat."

„Nic vám neřekla?"

„Ani slovo."

„Tak mazejte, holka, a ať vás už ani nenapadne sem vtrhnout bez pozvání."

„Nemůžete mě zastavit, abych ten článek napsala," řekla reportérka vyzývavě.

„Já se o to ani nesnažím, Branno. Ale můžu vám zabránit, abyste z toho dítěte udělala nějakou show. Za celý svůj život nezkusíte tolik jako tahle dívka, tak na to nezapomeňte!"

„Tak to teprve uvidíme, že ano?" odtušila Branna, a když odcházela, její buvolí účes se natřásal.

9

Mânios Dumitrescu vyšel z domu číslo třicet sedm a zapálil si cigaretu. Niamhin syn Brendan vykřikl: „Tak to by stačilo!" A vyrazil ke vstupním dveřím.

„Nedělej to, Brendane! Tihle lidé za to nestojí!" řekla Niamh a chytila ho za rukáv. „Budeš s nimi mít jenom potíže!"

„Ježíš, mami, roztrhlas mi košili!"

Pokusil se matce vymanit, ta se ale prosmýkla kolem a postavila se před dveře, aby Brendan nemohl projít.

„Řekla jsem ne, Brendane. Nechci, aby se ti kvůli takovým jako oni něco stalo!"

„Jo aha! Takže ten chlap vyhrožuje mojí mámě, zaparkuje ten svůj otlučený range rover před naším vjezdem, takže se skoro nemůžu dostat dovnitř, a to je všechno v pohodě, jo?"

Niamh nic neřekla, ale zůstala stát na místě s rukama rozpaženýma mezi zárubněmi. Dýchala zhluboka a upřeně se na Brendana dívala, jako by ho vyzývala k tomu, aby ohrozil všechno, co kdy vložila do jeho výchovy — každý hrnek mléka, každý polibek, každou písničku, každý den na pobřeží.

Slyšeli, jak range rover Mâniose Dumitresca hlučně nastartoval, potom zarachotil uvolněný výfuk a auto odjelo pryč.

Brendan zavrtěl hlavou a vrátil se do obývacího pokoje. Niamh se dotkla roztrženého rukávu jeho košile a řekla: „Sundej ji, ať to můžu zašít. To je jen malá cena, víš? Tihle lidé by ti vyřízli srdce jenom proto, že na ně mrkneš. Radši budu zašívat rukáv kluka, který potlačil svou pýchu, než stát nad hrobem toho, kterému se to nepodařilo."

„Mami, nemůžeš je nechat, aby se k tobě takhle chovali. Nenechám nějaké posrané cikány, aby mojí vlastní matce vyhrožovali smrtí."

„Jdi si vypláchnout pusu a dej mi tu košili."

Mânios Dumitrescu jel po Pope's Quay a potom dál podél řeky. Poklepával prsty, takže jeho těžké stříbrné prsteny bubnovaly o volant, a prozpěvoval si „Dragostea din tei", skladbu, které se před lety tolik dařilo v Eurovizi. Tu a tam zpěv přerušil, odkašlal si a hlasitě popotáhl.

Byl teď daleko spokojenější. Jeho právní zástupce mu právě zavolal, že soudní jednání o opatrovnictví malé Coriny se přesunulo na příští úterý odpoledne a jedna z klíčových svědkyň stáhla svou výpověď. Pokud se nestane něco neočekávaného, bude Corina zpátky u něj a jeho matky už ve středu.

Naposledy potáhl z cigarety a nedopalek vyhodil z okna. Věděl, že má v krabičce poslední dvě nebo tři cigarety, a tak zastavil před obchodem Spar uprostřed McCurtain Street, aby si koupil novou. A také nějakou čokoládu. Z neznámého důvodu měl obrovskou chuť na čokoládu.

Nebyl v obchodě ani tři čtyři minuty, vyšel ven a zahlédl policistu, jak mu pod stěrač pečlivě vkládá lístek.

„Hej! Hej, co to děláte?" dožadoval se pozornosti. „Tady na ulici se může parkovat!"

Policista byl velký muž se světlými řasami a obličejem barvy vařené šunky. Klidně ukázal na range rover propiskou a řekl: „To není kvůli parkování, pane, ačkoli v téhle ulici je mezi čtvrtou a šestou odpoledne zákaz zastavení. Máte tři měsíce propadlé povinné ručení a nemáte vystavené potvrzení o technickém stavu vozidla."

„Co? Jaké potvrzení? Co to je? Já jsem cizinec, nic takového nepotřebuju!"

„Ať pocházíte odkudkoli, pane, musíte mít platné povinné ručení. Váš vůz je ke všemu více než čtyři roky starý a registrovaný v Irsku, takže musíte mít potvrzení o technickém stavu vozidla. Tentokrát vás nechám jet, protože by bylo otravné zařizovat odtahovku. Ale musíte auto okamžitě pojistit a zařídit si potvrzení. Doklad o obojím prokážete na nejbližší policejní stanici."

Mânios Dumitrescu byl tak rozčílený, že se mu jeho úzké chřípí rozšířilo. Stiskl pěst, v níž svíral tyčinku Kit Kat, až ji úplně rozdrtil. Měl ale dostatek sebekontroly, aby se nehádal s policistou. Jednou už to udělal, když se hodně opil v jedné hospodě. Tehdy souhlasil, že na místě zaplatí pokutu sto čtyřicet eur, aby neměl záznam v trestním rejstříku. Předtím mu ale dva policisté pod přístavním jeřábem přes ulici vysvětlili jeho práva. Skončil se dvěma monokly, protrženým ušním bubínkem a zlomeným palcem.

Neřekl ani slovo, ale vytrhl papírek zpoza stěrače, vlezl si na sedadlo řidiče a zamířil po McCurtain Street na světelnou křižovatku s ulicí Summerhill. Když tam dojel, zuby roztrhl obal tyčinky Kit Kat a do klína se mu vysypala sprška čokoládových drobků.

„*Pula mea!*" zaklel a smetl je z klína.

U levého ucha se mu najednou ozval klidný ženský hlas se silným přízvukem. „Smála bych se, Mâniosi, kdybys někdy udělal něco vtipného."

Mânios Dumitrescu se polekaně otočil, ale ať byl v autě kdokoli, schoval se za sedačku, takže mu nebyl vidět obličej. Zahlédl jenom rukáv černé kožené bundy a nohu v černých džínech.

„Kdo kurva jsi a co děláš v mým autě?!" zařval. Snažil se rozepnout si bezpečnostní pás, ale v tu chvíli na semaforu naskočila zelená, zatroubilo na něj nákladní auto stojící přímo za ním a další v řadě se přidala.

„No jo, no jo!" zaječel a zoufale hledal volné místo u obrubníku. Projížděl ale ulicí s úzkým chodníkem. Nejbližších sto metrů se po straně tyčila kamenná zeď presbyteriánského kostela Svaté Trojice. O padesát metrů dál byla zastávka městské hromadné dopravy, ale na ní právě zastavil autobus číslo dvě stě sedm a odstavnou plochu za ním, která patřila obchodu s lihovinami, zabíral popelářský vůz.

Nákladní auto, které stálo za ním, se mezitím přiblížilo asi na půl metru od rezervy na zadních dveřích range roveru a jeho řidič zuřivě túroval motor.

Když se blížili k Saint Luke's Cross, zpomalil Mânios Dumitrescu ještě víc. Přemýšlel o tom, že zabočí vlevo do Wellington Road a zaparkuje před stánkem bookmakera. Před křižovatkou žena na sedadle za ním řekla: „Ani nemysli na to, že zastavíš, Mâniosi. Koukej jet. Jeď do toho domu, kam jsi měl v plánu."

„Hele, kdo si kurva myslíš, že jsi?" obořil se na ni Mânios a znovu se otočil. Zpomalil, jak to jen šlo, a tentokrát řidič za ním troubil nepřetržitě pět vteřin. Mânios se otočil k volantu a vztekle šlápl na plyn, takže minuli Saint Luke's Cross a jeli dále do kopce na Ballyhooly Road. Výfuk mu rachotil jako rumba koule.

„Mâniosi, nezáleží na tom, kdo jsem," řekla žena po chvíli. Navzdory silnému přízvuku působil její hlas velmi kultivovaně. Ale také trochu roztržitě, jako kdyby myslela na něco úplně jiného, něco mnohem důležitějšího — nebo možná tam někde, hodně daleko, mluví všichni jako ona.

„Odkud znáš moje jméno?" ozval se popuzeně Mânios. „Jak víš, kam mám namířeno?"

„Anděl pomsty ví všechno."

„A co to kurva je, anděl pomsty?"

„Trpělivost, Mâniosi. Pšt! Nespěchej do pekla!"

„Vo čem si sakra myslíš, že mluvíš, *scorpie*? Co jako uděláš s tím, když tady zastavím, vytáhnu tě z auta a hodím tě pod autobus?"

Ulice Ballyhooly Road vedla do příkrého kopce a v dohledu nad mnoha šedými střechami se objevily zelené vrcholky. Mânios Dumitrescu měl před nákladním autem náskok téměř dvě stě metrů, takže jeho řidič už se na něj nelepil. Blížila se čtvrť Dillon's Cross, kde by mohl zaparkovat před lékárnou a černou pasažérku vyhodit. Byl tak vzteklý, že zase začal popotahovat a trhat hlavou, což ho ještě víc popudilo. Když byl mladší, děti ve škole na něj volaly *marionetă* neboli „loutko", kdykoli se naštval.

„Říkala jsem ti, abys jel, dokud nedorazíš k domu, kam jsi měl namířeno. Nezastavuj. Už se znovu neotáčej, aby ses na mě podíval. Jsem tady. Brzy mě uvidíš, ale to si budeš přát, abys mě radši vůbec nepotkal."

„Jediný, co ti řeknu, bude „Jdi do prdele'," zasyčel Mânios Dumitrescu. „*Pizda mă-tii!*"

Dojeli do Dillon's Cross a Mânios uviděl na druhé straně silnice místo, kde by mohl zastavit. V tu chvíli ale na semaforu naskočila červená a on musel čekat.

Žena se znovu klidně a beze spěchu ozvala: „A já ti říkám, Mâniosi, že nadávat mi můžeš, jak chceš. Ale nadávky odeženu jako mouchy. Co ale nemůžeš odehnat, je pistole, kterou ti přes sedadlo mířím na záda."

Na chvíli se odmlčela, aby vstřebal, co právě slyšel. Potom dodala: „Přísahám, Mâniosi, že ti nelžu. Jestli se pokusíš zastavit dřív než před Glendale View číslo čtrnáct, jestli se na mě znovu otočíš, budeš muset z klína klepat něco horšího než drobky čokolády."

Mânios Dumitrescu si upravil zpětné zrcátko a pokusil se zahlédnout její tvář, ale zadním oknem dovnitř pronikalo prudké slunce, které ho oslňovalo. V tu chvíli se na semaforu rozsvítila zelená. Řidič nákladního auta ho dojel a znovu zatroubil, aby jej popohnal.

Trvalo to ani ne čtyři minuty a dojeli do ulice Glendale View k řadové zástavbě jedenácti domků s malými předzahrádkami. Každý dům byl natřen jinou barvou — růžovou, malinovou, zelenou a šedou. Na dvou nebo třech byla zachována původní mozaiková omítka pískové barvy. U většiny zahrádek stály zelené popelnice na odpad a vyřazený stavební materiál. Našla se tam i jedna či dvě skalky, pár umělohmotných květináčů, a dokonce jedna betonová fontána, ze které ale voda spíš kapala, než stříkala. Měla tvar andělíčka, jehož hlavu pokrývala zelená rouška slizu.

„Víš, kde máš zaparkovat," ozvala se žena.

Dojeli na konec řady domků, Mânios Dumitrescu odbočil do úzké uličky a vyjel nahoru na malý dvorek s polorozpadlými garážemi na zámek.

„A co chceš, abych udělal teď?" zeptal se. Vypnul motor a bez hnutí seděl na svém místě. „Věřím, že máš zbraň, protože jsi to řekla. A já jsem vždycky opatrný, když jde o riskování života. Ale možná tu zbraň nemáš."

„Chceš zkusit utéct, abys zjistil, jestli ti lžu?"

„Radši bych z tebe vymlátil *cacat*."

„Udělej, co uznáš za vhodné."

Na to neměl Mânios Dumitrescu odpověď. Popotáhl a potom kýchl podivně dívčím způsobem.

„Dobře," řekla žena. „Já teď vystoupím z auta. Budu stát o kousek dál. Až ti dám znamení, vystoupíš i ty. Pak upustíš klíčky na zem a půjdeš za roh k číslu čtrnáct."

Mânios Dumitrescu se chystal něco říct, ale potom si asi uvědomil zbytečnost jakýchkoliv námitek, ať už ta žena měla zbraň, nebo ne. Jediné, co se mu podařilo vykoktat, bylo: „A jak mám…"

„Půjdeš do čísla čtrnáct. Dveře jsou zavřené jen na západku, nejsou zamčené, jestli ses mě chtěl zeptat na tohle. Budu hned za tebou. Půjdeš do ložnice a zastavíš se u okna. Potom ti řeknu, co máš dělat dál."

Žena otevřela dveře a chystala se vystoupit, když se Mânios Dumitrescu zeptal: „Takže — chystáš se mi říct, co po mně vlastně chceš? Nemám ani tušení, kdo kurva jsi. Je to únos? Chceš od mojí rodiny prachy? Nejsme bohatí. Plejtváš časem."

„Nejde mi o peníze," odvětila žena. „To zjistíš."

„Jsou to drogy? Jestli jde o drogy, tak proč všechen ten cirkus? Můžu ti sehnat věci, vo jakejch jsi ani neslyšela."

„Tvoje drogy mě nezajímají."

„Už jsi zkusila LucY? Vsadím se, že ne. Jakmile se ti LucY dostane do mozku, změní se ti celý život. Budeš šukat s každým a bude ti jedno, jestli je hezký nebo ošklivý, hubený nebo tlustý, jestli je mu devět nebo devadesát. Budeš šoustat se všema a pokaždý to bude božský."

„Mâniosi…"

„Hele, co si myslíš, že berou všechny šlapky? Od února je LucY v Irsku nelegální, ale jestli chceš, tak ti ji seženu."

„Už jsem ti řekla, že mě tvoje drogy nezajímají."

„Tak teda co?" rozčílil se a plácl se do stehen, až drobky ze sušenky nadskočily. „Nechápu to! Chceš můj byznys? O to ti jde, že jo? To mě mělo napadnout! S váma *negris* je to vždycky stejný! Jste moc líní na to, abyste si rozjeli vlastní podnik, tak kradete práci poctivejm lidem, který makaj do úmoru!"

„Poctivým lidem?" zeptala se žena. „Kde jsou? Nikoho poctivého tu nevidím, jsi tu jenom ty."

S tím vystoupila z auta a poodešla o nějakých pětadvacet metrů dál, kde se nakonec otočila a pokynula mu.

Mânios Dumitrescu zaváhal, než otevřel dveře. Nepodíval se na ni, skoro jako by nechtěl vzít její existenci na vědomí. Žena trpělivě čekala, zatímco po obloze pluly velké bílé mraky, šedé vrány poletovaly okolo a krákaly, zjevně stejně klidné jako ona.

Dveře u řidiče se s cvaknutím otevřely a Mânios vystoupil ven.

„Klíče," zavolala na něj.

Až tehdy se na ni podíval. Byla to mladá černoška s ebenovou pletí, nemohlo jí být víc než dvacet tři, dvacet čtyři let. Hlavu měla na jedné straně oholenou a na zbytku se kroutily černé vlnité kadeře. Nebyla vysoká, ne víc než metr sedmdesát, ale měla široká ramena, velká prsa, úzké boky a dlouhé nohy.

Byla oblečená do černých úzkých džínů, černého trička a černé kožené vesty. Na krku jí visel korálkový náhrdelník s kostmi a drápy a na obou zápěstích se jí leskly stříbrné náramky.

„Takže — kdo jsi?" dožadoval se Mânios vysvětlení. Zamžoural na ni, ale měla široké sluneční brýle, které jí schovávaly půlku tváře a odráželo se v nich slunce.

„Klíče," zopakovala.

„Žádnou pistoli nevidím," namítl. „Kde je ta slavná zbraň, kterou ses chlubila?"

„Ty mi opravdu nevěříš?"

„Cha! Věřím svým očím, ničemu jinému. Kdyby mi vlastní matka řekla, že mě porodila, taky bych jí nevěřil."

Žena sáhla do pravé kapsy vesty a vytáhla plochou šedou pistoli ne o moc větší než mobilní telefon.

Mânios Dumitrescu zvedl obě ruce a řekl: „To si děláš srandu. Vždyť je to hračka!"

„Vyzkoušej to," pobídla ho mladá žena.

Mânios udělal tři nenápadné kroky vzad. Chřestil klíči, jako by ji vyzýval, aby ho zastřelila — tedy pokud ho vůbec mohla zastřelit tak malou pistolí.

Oběma rukama zvedla pistoli a zamířila mu na břicho.

„Klíče," řekla. „Nejsem nejlepší střelec, ale pokusím se ti ustřelit péro."

Chvilku bylo napjaté ticho. Mânios přestal chrastit klíči a zůstal nehybně stát. Jako by se proměnil v jednu z těch živých soch, které pózují před obchodem Brown Thomas na Patrick Street a kolemjdoucí na ně dělají obličeje, aby narušili jejich soustředění.

Mladá žena stála také bez hnutí a dál mu mířila mezi nohy.

Po čtvrt minutě pustil Mânios Dumitrescu těžký svazek klíčů na beton.

„Tak jo, budu hrát tu tvoji hru," řekl. „Co mám dělat teď?"

„Už jsem ti to řekla. Pomalu jdi do čísla čtrnáct. Běž dovnitř, dveře nejsou zamčené. Běž nahoru do hlavní ložnice."

Mânios váhavě udělal, co mu řekla. Jeho trhavá chůze připomínající pohyb loutky prozrazovala vztek a frustraci, ačkoli se snažil dát ženě najevo, že si jí vůbec nevšímá.

Před lety musela být zahrádka domu číslo čtrnáct pýchou a radostí majitelů. Byly tu dva záhony ohraničené terakotovými obrubníky a v každém stál betonový trpaslík. Zahrada ale zarostla svlačcem a modrá i červená barva se už z trpaslíků smyly, takže vypadali jako malomocní.

Vstupní dveře byly původně natřené na limetkově zelenou, ale barva zpuchřela a odlupovala se. Když je Mânios Dumitrescu otevřel a vstoupil dovnitř, zachvěly se v pantech.

Pak vešel do haly a zavolal: „Bridget! Rodiko! Miski!"

„Plýtváš dechem, Mâniosi," řekla mu mladá žena. „Tvoje dívky už pro dnešek skončily."

Zůstal na ni zírat a tentokrát byl doopravdy ohromený. „Šly pryč? Kam? Kdo jim kurva řek', že můžou jít ven? Nesmějí chodit ven! Mají pracovat! Co se stalo s jejich klienty? Ty holky nemůžou ven!"

„Můžou a šly. Všechny schůzky pro dnešek zrušily."

„Cože? Tohle mi sakra nemůžeš dělat. Tohle je můj byznys, *scorpie*! Já se tímhle živím!"

„Já vím," odtušila mladá žena. „Proč si myslíš, že jsem tady? Tak teď jdi po schodech nahoru."

Další chvilka napětí. Mânios zůstal stát s rukou položenou na zábradlí, zhluboka dýchal a snažil se ovládnout. Napjatou atmosféru ještě zdůrazňovala úzká chodba s vybledlými květovanými tapetami a korálkovým závěsem ve dveřích do kuchyně, který vyvolával dojem nevěstince. V květináči vedle schodiště se krčila uschlá juka, jako by z patra dolů spadl obrovský mrtvý krab.

Celý dům byl cítit vlhkem, pižmovým parfémem, zatuchlým potem a bělidlem. Přes zeď slyšeli z vedlejšího domu tlumený zvuk komediálního seriálu s příležitostnými výbuchy hraného smíchu.

Mânios Dumitrescu nakonec začal pomalu stoupat po schodech. Mladá žena se držela o tři čtyři schody pod ním.

Vyšel do prvního patra, znovu zaváhal, ale poté se otočil doleva a vydal se do hlavní ložnice. Žena ho následovala.

„A co teď?" zeptal se.

Závěsy byly zatažené, ale skrz řídce tkanou látku krémové barvy přesto prosvítalo slunce. Většinu ložnice zabírala obrovská postel s lesklou růžovou saténovou pokrývkou posetou nesčetnými skvrnami. Na stropě nad postelí bylo zrcadlo se šmouhami a otisky prstů. Na nočním stolku stály tři umělé penisy různých velikostí — dva byly tenké a třetí, tmavě červený, svou velikostí připomínal mužské předloktí se zaťatou pěstí. Čtvrtý robertek ležel obtočený kolem nich. Byl dlouhý a vypadal jako had. Nacházelo se tu také několik lahviček lubrikantu Durex Play, balíček dětských ubrousků, lampa s růžovým nařaseným stínidlem a hodiny.

Na stěně naproti posteli visel plakát od Jacka Vettriana s nahou ženou. Měla přes obličej šmouhu čehosi, co mohla být čokoláda.

Mânios se otočil. „A co se bude dít teď?" zeptal se. „Proč jsi chtěla jít se mnou? Chodím sem tak jako tak. Ale co se týče holek, musím je dostat zpátky. Každá hodina, kdy nepracují, mě stojí peníze. I je to stojí peníze. Deset schůzek denně, minimálně, takové je pravidlo."

„Kolik let je Miski?" zeptala se žena.

„Co? Je mladá, jasně. Kdo by chtěl píchat nějakou starou babu? Ale jak to mám vědět?"

„Miski je patnáct."

„A? Co jako? Dělá to, co má ráda. A je v tom dobrá! Polyká nejlíp v celým Corku, to se o ní říká! A co jiného by taky měla dělat? Neumí číst. Neumí psát. Neumí počítat. A ty jsi kdo? Nějaká její kamarádka?"

„Svlékni se," řekla mladá žena.

„Co? Zbláznila ses?"

Namířila na něj malou šedou pistoli, tentokrát přímo na obličej.

„Svlékni se, Mâniosi. Do naha."

10

Mânios Dumitrescu se otočil, jednu ruku zdviženou, a zavrtěl hlavou.

„Myslíš, že se svlíknu do naha jenom proto, že mě o to prosíš? Jak říkám, zbláznila ses."

„Ne, Mâniosi, já tě neprosím, já ti to nařizuju."

„Aha, s tou tvojí pistolkou? Odpověď je každopádně ne. Jdi klidně do prdele. Už mám týhle hry dost. Chci vědět, kde jsou moje holky, a chci, abys vypadla. Už dost tohohle *cacat*. Koukej…"

Sáhl si do kapsy, vytáhl vystřelovací nůž a zmáčkl pojistku. „Tak co bude? No?" zahučel a kroužil zbraní se zápěstím uvolněným jako někdo zvyklý na boj s noži. „Řekl bych, že skutečný nůž je víc než ta tvoje hračka, co myslíš?"

Mladá žena si sundala sluneční brýle a zastrčila je do kudrn. Byla nápadně krásná — vysoké lícní kosti, hnědé oči daleko od sebe. Měla krátký rovný nos a výraznou vystrčenou bradu, jako by měla trochu dolní předkus. Mânios Dumitrescu poznal výjimečně krásnou ženu, když stála před ním, ať byl jakkoliv vzteklý a podrážděný.

„Hej…" zašklebil se na ni najednou a vypadal jako krysa. „Proč to prostě nenechat takhle, co? Ty odsud odejdeš a hotovo. Žádná zášť. Co ty na to?"

„Nepřibližuj se," varovala ho.

„Nemám? A ty mě jako zastavíš, s tou pistolkou na kapsle?"

Mladá žena sáhla do levé kapsy vesty a vytáhla úzký černý náboj do brokovnice. Zvedla ho a poznamenala: „Určitě víš, co je tohle."

Mânios Dumitrescu na něj beze slova zíral.

„Možná jsi o těchhle zbraních neslyšel," usoudila. „Říká se jim pistole pro osobní ochranu a vejde se do nich jedna takováhle patrona. Jedna ale bude stačit, když jí budeš stát v cestě, až vystřelím, a to ty budeš."

Mânios Dumitrescu se zamyslel, oči přivřené. Potom pomalu zatáhl čepel vystřelovacího nože a pevně ho sevřel v dlani.

„Hoď ho na postel," přikázala mu. „A teď se svlékni. Do naha."

Odhodil vystřelovací nůž na postel. Žena ho okamžitě vzala a zastrčila si jej do zadní kapsy džínů. Potom poodstoupila a sledovala ho, jak si rozepíná košili a odhaluje hrudník, na němž mu rostly dlouhé šedivé chlupy. Skopl z nohou béžové kožené mokasíny, potom spustil pomačkané šedé kalhoty k zemi a vystoupil z nich. Neměl na sobě nic, jen boxerky se zažloutlými skvrnami a obrázky kocoura Felixe a bílé ponožky vytažené do půli lýtek.

„No tak," řekla mladá žena, „všechno."

Mânios Dumitrescu nechal trenýrky spadnout ke kotníkům a odkopl je stranou. Potom balancoval na jedné noze a snažil se stáhnout si ponožky.

Nakonec stál před mladou ženou úplně nahý. Měl rozcuchané pubické ochlupení a drobný tmavý penis. Ruce ale nechal vzdorovitě založené na prsou a nepokoušel se nijak se zakrýt.

„Jdi si sednout na postel," přikázala mu. „Ne, tady ne, tamhle."

Přešel ke druhé straně postele a posadil se. Mladá žena posbírala všechno jeho oblečení a vyhodila jej z pokoje ven.

„Za tohle tě proklínám," zasyčel Mânios. „*Trăsni-te-ar moartea, săte te trăsnească!*"

Žena si toho nevšímala. Přešla k toaletnímu stolku u okna, otevřela levou zásuvku a vytáhla ocelová pouta.

„Zvedni nohy na postel," rozkázala.

„Tak — už vím, co chceš udělat," ozval se popuzeně. „Chceš zavolat moje holky a zesměšnit mě před nima! Koukejte na šéfa, nahatý, svázaný jako slepice!"

„Zvedni nohy na postel," zopakovala.

„Dobře, jak chceš. Ale říkám ti, nic se tím nezmění! Ty holky mě respektujou! Ať už mi uděláš cokoli, pořád mě budou respektovat!"

„Já vím," odvětila klidně. Chytila ho za chlupatý kotník a zacvakla kolem něj pouta. „To proto, že je do krve biješ, když tě neposlechnou."

Spoutala mu oba kotníky a poté od něj na moment odstoupila. „Podívejme se," řekla a potřásla hlavou. „No jen se na sebe podívej."

„Dobře, vypadám jako idiot!" vyštěkl. „Výborně. Kvůli tobě vypadá velký šéf jako *tâmpit!*"

„Ale ty se nedíváš!" naléhala.

„Já se nemusím podívat. Já se nechci dívat!"

„*Ty se nedíváš!*"

S těmito slovy ho udeřila doprostřed kostnatého hrudníku. Spadl na záda na postel a zjistil, že zírá na svůj odraz v zrcadle na stropě. Téměř pět vteřin zůstal ohromeně hledět, jako by nemohl uvěřit tomu, na co se dívá.

„Tohle jsi ty, tam nahoře!" řekla. „To je ten velký šéf Mânios. Mânios, který rád bije ženy a podřezává lidem krky, když ho rozčílí, a s malými dětmi zachází jako s otroky. Podívej se na sebe! Říkal jsi, že vypadáš jako slepice! Ne, ty nevypadáš jako slepice. Vypadáš jako pavouk!"

Mânios pevně zavřel oči. Po chvíli přecedil skrz zuby: „A to je všechno? Už jsi se mnou skončila? Co uděláš teď? Vyfotíš mě, abys to mohla ukázat mým holkám? Do toho, je mi to jedno. Jsi mi úplně u prdele, všichni jsou mi u prdele."

Sedla si na postel vedle něj. „Právě proto jsem tady, Mâniosi. Když někomu záleží jenom na sobě, je pro svět nebezpečný. A v tu chvíli ho musí navštívit anděl pomsty."

„Aha, a ten anděl pomsty, to jsi jako ty? Haha! První negerskej anděl, kterýho vidím!"

„Mysli si, co chceš. Ale anděl pomsty musí navštěvovat lidi jako ty, aby je potrestal za zlo, které způsobili. A co víc, anděl pomsty musí dokázat, že je potrestal."

„Eşti nebun! Eşti complet nebun! Ty ses úplně zbláznila!"

„Ne, vůbec ne. Ve většině afrických zemí platí takové pravidlo — když někdo něco provede a oni ho chytnou a potrestají, je vždycky nutné úřadům dokázat, že byl potrestán."

„Jak potrestán?"

„To samozřejmě záleží na tom, co provedl. Někdy třeba jenom nedokázal sklidit dost kaučuku na kaučukové plantáži, nesplnil kvóty. Nebo to taky může být něco horšího, jako když někdo někomu ukradne kozu nebo zneužije vlastní dceru. Anebo možná něco ještě horšího, něco jako jsi udělal ty. Ty jsi zavraždil pár lidí, že ano, Mâniosi?"

„Vo čem to mluvíš? Tohle blábolení vůbec nemusím poslouchat!"

Mladá žena sáhla do vesty a vytáhla malou pilku na železo s kovovým rámem a jemně ozubenou patnácticentimetrovou čepelí.

„Můj důkaz toho, že jsi byl potrestán, bude tvoje ruka.“

Mânios se podíval na pilku a z hrdla se mu vydral štěkavý zvuk, jako by se snažil zasmát, ale krk se mu stáhl strachy.

„To myslíš vážně? Ty mi chceš uříznout ruku?“

„Ne, Mâniosi. Uřízneš si ji ty.“

„Jak jsem říkal. Jsi magor! Proč si myslíš, že si uříznu vlastní ruku?“

Žena lehce pokrčila rameny. „Je to na tobě.“

Zvedla malou šedou pistoli a namířila mu na slabiny. „Jestli si neuřízneš ruku, střelím tě mezi nohy a udělám z tebe ženu.“

„Děláš si srandu. Tohle je blbej vtip, že jo?“

„Myslím, že to je velice dobrý vtip, vzhledem k tomu, jak ses celý život choval k ženám. Teď můžeš sám zjistit, jaké to je.“

„Mohla bys mě zabít, když mě tam střelíš.“

„Ano. To by ale byla škoda. Jak se rumunsky řekne eunuch?“

Pokusil se posadit, ale přitlačila ho zpátky na postel.

„Když mě teď pustíš,“ vyhrkl, „postarám se o to, abys dneska do večera dostala sto tisíc eur v hotovosti. Myslím to vážně.“

„Neříkal jsi náhodou, že nejsi bohatý?“

„Nejsem, ale můžu se k penězům dostat, když budu chtít. Mám přátele.“

„Už jsem ti to říkala. Nejde mi o tvoje peníze.“

„Sto padesát tisíc eur. Dvě stě tisíc!“

Mladá žena vstala a opatrně položila pilku na postel vedle jeho levé ruky. „Jsi pravák, že?“ zeptala se.

„Dvě stě padesát tisíc! Přísahám! Do půlnoci to pro tebe seženu, v hotovosti! Čtvrt milionu! A pak už žádné otázky!“

Mladá žena kývla směrem k laciným postříbřeným hodinám, které stály vedle umělých penisů na nočním stolku. „Podívej, za dvě minuty budou tři. Ve tři tě střelím.“

Mânios Dumitrescu zhluboka dýchal. Naklonil se k ní, na okamžik zaváhal a poté se překulil z postele na zem. Ztěžka dopadl na koberec, ale zachytil se přehozu na posteli a chňapl po nočním stolku ve snaze se postavit. Hodiny a erotické pomůcky zarachotily na podlaze.

Podařilo se mu vstát, ale se spoutanými kotníky mohl pouze odhopkat ke dveřím. Po dvou skocích si uvědomil, že to, o co se snaží, je směšné a marné. Navíc to bolelo. Pouta mu sedřela kůži na nohou a rány začaly krvácet.

Odšoural se zpátky k posteli a posadil se. Během jeho pokusu o útěk zůstala žena na místě a nevzrušeně ho pozorovala. Jak řekla v autě cestou sem — kdyby to byl kdokoli jiný než on, bylo by to vtipné.

„Myslím, že už jsi promarnil svoje dvě minuty," řekla. Obešla lůžko a povalila ho na záda. Nohy mu zvedla na postel. Potom odstoupila a namířila mu malou šedou pistoli přímo na šourek.

„Chceš ještě něco říct, dokud jsi muž?" zeptala se.

Zavřel oči. Penis mu trochu zduřel a vyšel z něj slabý proud moči, která se rozlévala po růžovém potahu a zmáčela mu stehna. Žena počkala, až skončí. „Kéž by tě všechny tvoje dívky a děti mohly vidět. Jsi nechutný. Celou dobu jsi jim ubližoval a myslel sis, že si to zasloužíš, ale když někdo pohrozí, že udělá něco tobě, umíš se jenom pomočit," řekla s odporem.

Znovu namířila pistoli, ale on zvedl obě ruce. „Ne," zaškemral. „*În numele lui Isus.* Prosím."

„Je pozdě, Mâniosi. Čas vypršel!"

„Ne!" zaječel. „Ne!"

Kolena mu vystřelila k bradě a schoulil se do polohy plodu. Rukama horečnatě šátral po posteli, až našel pilku. Toporně zvedl levou ruku před obličej, jako kdyby se díval, kolik je hodin, a potom táhl pilou přes zápěstí těsně nad místem, kde končil ocelový náramek jeho rolexek. Drobné zoubky pilky protrhly kůži a zařízly se do masa se zvukem, jako by někdo trhal papírový kapesník. Obličej měl okamžitě postříkaný od krve.

„Áááá! Au! Au!" zajíkal se.

„Pokračuj," povzbudila ho žena. „Teď už jsi s tím začal, tak to můžeš rovnou i dokončit. Možná se ti to bude dělat líp, když si sedneš a sundáš si hodinky."

Díval se na ni s vykulenýma očima, ale neřekl nic. Když mu pomáhala shodit nohy z postele a posadit se, nevzpíral se ani se po ní nevrhl. Třásl se šokem a ani neprotestoval, když mu ze zkrvaveného zápěstí stáhla hodinky.

„Pokračuj," přesvědčovala ho. „Zatím ses sotva škrábl."

Slunce nejspíš zaclonily mraky, protože v místnosti bylo stále větší šero. Mânios Dumitrescu umístil plátek pily do řezu, který už se mu táhl přes zápěstí, zavřel na okamžik oči a potom přitlačil.

Když začal řezat, z úst se mu vydral zvláštní vysoký zvuk. Znělo to, jako by auto srazilo toulavého psa.

Brzy si však uvědomil, že neřeže dost silně ani hluboko. Po pěti tazích pilou zjistil, že se nedostal hlouběji než k chrupavce, která spojuje kosti mezi paží a dlaní. Přestal řezat a sípavě oddychoval, jako by se snažil sebrat kuráž.

„Pokračuj," přikázala mu žena. „Jestli to nedokončíš, stejně tě střelím, to ti slibuju."

Neodpověděl. S funěním k sobě přitáhl noční stolek, aby na něj mohl položit předloktí. Z drážky, kterou zatím přeřezal, se řinula krev, ale podařilo se mu do ní vsunout plátek pily. Zakousl se do špičky jazyka a znovu začal tahat pilku. Tentokrát řezal bez prodlevy, prudkými rychlými tahy, které se prodraly skrze tkáň, šlachy a chrupavku a oddělily od sebe kosti.

Jako rudá rozkvétající květina se po nočním stolku začaly rozlévat potůčky krve a skapávaly na zem. Muži stékala krev i po bradě, protože si svými křivými zuby téměř ukousl špičku jazyka. Bolest, kterou prožíval, byla tak silná, že téměř omdlel. Ale utrpení už v životě poznal. Když jako mladý prodával v Bukurešti ve čtvrti Ferentari drogy, zbili ho baseballovými pálkami, bodli ho nožem a zbičovali ostnatým drátem. Ať už s člověkem dělali cokoli, důležité bylo nedat nepřátelům najevo, jak moc ho zraňují, protože v takovém případě by ti parchanti zvítězili. Nad vodou ho vždycky držela jediná myšlenka: jakmile budu mít šanci, udělám jim totéž, jenom mnohem hůř. Právě na to myslel teď. *Já se téhle černošce pomstím. A z toho, co jí udělám, zbledne hrůzou i samotný Satan.*

Mânios Dumitrescu řezal, až se dostal k poslednímu proužku kůže. Několika tahy pilkou ho překonal. Odříznutá ruka se překulila a spadla ze stolu na koberec.

Muž měl popelavě šedý obličej, až na rudý plnovous krve — ukousl si totiž špičku jazyka. Třásl se šokem a vypadalo to, jako by se mu kůže na těle vlnila. Navzdory tomu se mu podařilo levou ruku zvednout a strčit pahýl ženě před obličej. Přeřízl si v zápěstí obě tepny, ale díky obrannému stažení cév z pahýlu krev jenom odkapávala jako voda z netěsnící zahradní hadice.

„Hele!" zaskřehotal. Musel se zarazit a vykašlat krev, aby mohl mluvit dál. „A ty sis myslela, že na to nemám koule! *Futu-ti crucea matii!*"

„Budu ti to muset zavázat," řekla mladá žena tiše. Na dveřích do místnosti visel zlatý župan v japonském stylu. Vytáhla z něj pásek a otočila se na Mâniose. „Jinak vykrvácíš."

„Že ti na tom záleží!" Kývl hlavou k odříznuté ruce, která se válela na podlaze. „Jen se podívej! Důkaz, že jsi mě potrestala! Tohle jsi chtěla! A teď jdi! Vypadni z mýho života!"

„Lehni si," řekla.

Snažil se jí vzdorovat, ale byl v příliš velkém šoku a zesláblý. Nechal ji, aby ho položila na záda na postel a zlatým páskem mu stáhla zápěstí, pevněji a pevněji, až krev přestala kapat.

„Tady to zmáčkni palcem a drž si to," přikázala mu. Odešla na malou přilehlou toaletu a vrátila se s kartáčkem na zuby. Obtočila kolem něj oba konce pásku a vytvořila tak tlakový obvaz.

Nadzvedl se, aby se podíval. „Chceš, abych ti za to děkoval?"

„S tím děkováním počkej, až s tebou skončím, Mâniosi."

„Až se mnou skončíš?" zopakoval a poprvé to odpoledne mu z hlasu zaznívala opravdová hrůza.

Mladá žena přešla k posteli a pomocí přeloženého výtisku včerejšího *Echa* zvedla odříznutou ruku. „Ano, dobře," řekla. „Tahle ruka je důkazem, že jsi byl potrestán. Ale budeme potřebovat dva důkazy. Jeden pro Boha, druhý pro policii."

„Co?" vykoktal zmateně. Několik vteřin se mu oči obracely v sloup, až upadl do bezvědomí. Mladá žena položila odříznutou ruku na stolek a trpělivě čekala, až se muž probere. Asi o tři čtyři minuty později přišel k vědomí, ale zíral na ni, jako by ji nepoznával. Potom se zadíval na zakrvácený pahýl s obvazem utaženým kartáčkem na zuby a v hrůze znovu upřel pohled na mladou ženu.

Zpočátku jenom lapal po dechu, ale bylo vidět, že přemýšlí. *Pane bože, ať to není pravda. Bože, nedej, aby se mi tohle dělo.* Pravou rukou se mu nakonec podařilo udělat znamení kříže a pak ho slyšela šeptat: „*O, Isus va rog sa ma salveze.*"

Přešla ke straně postele, kde ležel, a podívala se na něj. „Potřebuju ještě jeden důkaz tvého potrestání. Ale ten důkaz mi sám dát nemůžeš. Budu si ho muset vzít sama."

Hlava mu klesla na postel a tupě se na ženu zadíval.

„Až to udělám," řekla, „nechám tě být. Slibuju."

Dál mlčel. Nebyl si ani jistý, že ji slyší.

„Já ti teď uříznu druhou ruku. Rozumíš mi? Říká se, že ďábel dvěma nečinným rukám vždycky najde práci. Ale když žádné ruce mít nebudeš, tak už nebudeš moct vyvádět další neplechy, víš, Mâniosi?"

Ložnice se najednou zaplnila světlem. Mânios Dumitrescu přivřel oči a pokoušel se sám sebe přesvědčit, že zemřel a je v nebi. Ale nedovedl si představit, že by nebe takhle páchlo — krví, močí a parfémem Estée Lauder — nebo že by v nebi mohla být taková agonie.

„*Alo, salut, sunt eu, un haiduc...*" zašeptal verš z písně „Dragostea din tei". *Ahoj, to jsem já, psanec...*

11

Katie zaparkovala na Anglesea Street přímo před vchodem na velitelství Garda Síochána místo na hlavním parkovišti. Když vystoupila z auta, pofukoval mírný vítr a téměř jí z náručí vyrazil složku s důkazy, kterou si nesla.

Zaparkovala tady, aby mohla vyjet, jakmile vyřídí nějaké naléhavé vzkazy a sní sýrový sendvič se salátem, který si koupila v Marks & Spencer. Na odpoledne měla domluvenou schůzku v Cois Tine, dobročinné organizaci, která podporuje africké imigrantky. Doufala, že tam najde někoho, kdo by jí pomohl začít komunikovat s Isabelle. Cois Tine v irštině znamená „u krbu" a účelem organizace je pomoci africkým ženám získat pocit, že mají nějaké vřelé bezpečné místo, kam mohou jít a kde mohou vyprávět svůj příběh a získat přátele.

Přešla chodník a všimla si muže stojícího na rohu Copley Street, nějakých deset metrů od ní. Ačkoli bylo teplo a větrno, měl na sobě dlouhý pršiplášť se špičatou kapucí a brýle jako nějaký motorista z dávných dob. Seděl vedle něj ošuntělý kříženec, kterému vítr foukal dlouhé chlupy do očí.

Katie se na chvilku zastavila, přivřela oči a dívala se na dvojici. Kvůli mužovým brýlím nebylo jasné, jestli se na ni dívá. Nevykročil ani směrem k ní, ani přes ulici. Jen tam stál a pršiplášť mu ve větru povlával kolem nohou.

No jo, pomyslela si, *lidé jsou různí.* Nebyla nijak zvlášť pověrčivá, ačkoli šedé vrány považovala za znamení neštěstí, a když rozsypala sůl, vždy si dvě špetky hodila přes rameno pro případ, že by se za ní objevil ďábel. Její otec, policejní inspektor, jí ale vždycky říkal, že když něco vypadá jako špatné znamení, má si dávat pozor, ať už to je cokoli. Jednou v Togheru zahlédla rozbité okno, jehož vysklená část měla tvar čarodějnice, a když vešla do domu, zaútočil na ni zfetovaný lupič a málem jí vypíchl oko nohou od židle, ze které trčel hřebík. U oka jí zůstala malá trojúhelníková jizva dodnes.

Vystoupala po schodech z červených cihel, když zaslechla ochraptělý hlas: „Katie! Počkejte na mě momentík, ano?"

Byl to vrchní inspektor Dermot O'Driscoll a funěl za ní jako parní lokomotiva, s bílými vlasy připomínajícími kouř z komína a s červeným obličejem. Kravatu měl nakřivo a plátěnou bundu přehozenou přes rameno, rukávy košile vyhrnuté, břicho mu viselo přes opasek.

„Myslela jsem, že máte dneska volno, pane," řekla Katie, když ji dohnal.

Vytáhl z kapsy kalhot zelený puntíkovaný kapesník a otřel si čelo i zátylek. „Ano, to mám. Nepřišel jsem kvůli práci. Jsem tu, abych si s vámi a některými dalšími promluvil."

Otevřel Katie dveře do budovy a společně vyjeli výtahem do jeho kanceláře. Cestou nahoru se na ni jednou či dvakrát usmál, ale nic neřekl, což u něj bylo neobvyklé. Většinou v jednom kuse mluvil — třeba o strašlivém zápase v hurlingu minulou sobotu proti týmu Clare, o hoře těstovin, kterou předchozího večera spořádal v restauraci Kethner's, nebo o tom, jak je s manželkou přijela navštívit její sestra, která nezavře pusu, a to je, prokrista, na zabití.

„Posaďte se," řekl, když vešli do jeho kanceláře. Odložil si bundu na opěradlo židle a poté se za neustálého popotahování rychle probral zprávami, které mu ležely na stole. Jednu z nich zvedl, podíval se na ni, pobaveně zabručel, ale ostatní si ani nepřečetl.

„Já… hm," začal váhavě. Potom se zarazil a řekl: „Vy a já, Katie, spolu pracujeme už hezkých pár let, viďte? Když uvážím, jak vy jste mladá a já starý." Znovu se odmlčel a pokračoval: „To bylo v nějaké písničce, nebo ne? Pamatuju si to dobře?"

Katie se usmála, ale neodpověděla. Bylo jí jasné, že něco není v pořádku. Vrchní inspektor O'Driscoll nebyl nikdy váhavý ani vyhýbavý. Vždycky se vyjadřoval jasně a zřetelně, nehledě na to, jak nepopulární mohly jeho názory být. To také vždycky obdivoval na Katie a bylo to jedním z důvodů, proč ji tak nadšeně prosazoval na povýšení do funkce komisařky oproti odhodlané opozici starších kolegů z Corku, a dokonce i v Dublin Castle.

„Ženy by měly být doma, luxovat, péct chleba a utírat dětem nosy, ne pracovat jako komisařky," komentoval Katiino povýšení v *Examineru* náměstek policejního prezidenta Pádraig Feeney.

Vrchní inspektor O'Driscoll si přitáhl židli, ale nesedl si. „Důvod, proč jsem si dneska vzal volno, je ten, že jsem musel k doktorovi pro výsledky," řekl nakonec. „Symptomy jsem měl už nějakou dobu, ale víte… Myslel jsem, že je to přirozený důsledek stárnutí a přibírání." Plácl se do břicha, aby zdůraznil, co právě řekl, a pokračoval: „Věc se má tak, že mám trochu problém s trubkami."

Panebože. S trubkami. Katie samozřejmě věděla, co přijde. Mohla ale jen čekat se sýrovým sendvičem v ruce, dokud vrchní inspektor nenajde slova, aby jí sdělil, co se dozvěděl od doktora. S hroznou jistotou si uvědomila, že tohle je jeden z těch sendvičů, které nikdy nesní.

„Je to rakovina prostaty," řekl nakonec. „Prý dost pokročilá. Ale ještě budou muset udělat další vyšetření, aby zjistili, kam až se to rozšířilo."

„Ach, Dermote…" povzdychla si Katie.

Vrchní inspektor O'Driscoll pokrčil rameny a usmál se, jako by chtěl říct: *No jo, takový je život.* Katie si však všimla, že svírá bundu na opěradle židle, až mu zbělely klouby, a podle jeho mrkání a popotahování usuzovala, že nemá daleko k pláči.

„Od zítra jdu na časově neomezenou nemocenskou," řekl. „Vezmou mě do Bon Secours hned v pondělí ráno a pak uvidíme, jak to půjde dál."

Kdyby to byl kdokoli jiný z Katiiných známých, hned by vstala a objala ho, aby se uklidnil. Teď ale zůstala sedět, protože jí bylo jasné, že by se pak cítil ještě nepříjemněji. Byl to koneckonců její nadřízený, a protože tak zuřivě bojoval za její povýšení, stále respektovala jeho šarži. Také věděla, že rozhodně není žádný feminista. Jednoduše věřil, že ženy mají citlivější nos, když jde o podvody a lži, než muži.

„Tadgh McFarrell je až do konce příštího týdne na dovolené," pokračoval. „Myslel jsem, že to převezme on, ale už mi řekli, že sem pošlou někoho zvenku. Bude to tady řídit, tedy aspoň do doby, než budu fit, abych se vrátil."

Rozhostilo se mezi nimi dlouhé ticho. Katie nevěděla, co by měla říct, kromě toho, že je jí to moc líto. Nemohla se zeptat, jak dlouho už trpí bolestivým či obtížným močením nebo jak dlouho už to je, co měl naposledy erekci.

Nemohla se ho ani zeptat, jak dlouho bude pryč, protože věděla, že to on nemůže odhadnout a že se možná nevrátí nikdy. I když to přežije.

Ale vrchní inspektor O'Driscoll tleskl, jako by tím chtěl říct: *Dost sentimentu, vraťme se k práci.*

„Tak jak to jde s tím černochem?" zeptal se. „S tím, co si nechal ustřelit kebuli."

„Ach ano, tenhle," odkašlala si Katie. „Patolog nám zatím neposlal výsledky pitvy, ale měla bych je dostat někdy dneska. Co se týče identifikace toho muže, pár svědků nám řeklo, že ho tu a tam viděli ve městě, a podle společnosti, která ho provázela — což byly většinou mladé prostitutky —, soudíme, že se jednalo o pasáka. Ale nikdo nám zatím neřekl jeho jméno, kromě přezdívky Mawakiya, Zpěvák."

„To nám ale nic neříká, že ne? Co my víme, mohl to klidně být nějaký módní návrhář. A co ta dívka?"

„Ta, kterou jsme našli u něj? Isabelle? Tak jí teda prozatím říkám. Zatím ani nepípla. Pracují na ní terapeuti a ve tři hodiny mám schůzku s otcem Dominicem v Cois Tine. Doufám, že nám najde nějakou vstřícnou a laskavou Afričanku — někoho, kdo mluví Isabelliným jazykem a kdo by ji mohl přesvědčit, aby si s námi promluvila."

„Tak dobře, skvělé. A co Michael Gerrety? Dal bych cokoli za to, aby ten holomek šel do chládku."

„Zítra se máme v jednu odpoledne setkat s jeho právníky. Ale abych byla upřímná, pane, myslím, že se s ním daleko nedostaneme."

„No, ne, vlastně jsme s tím ani nepočítali, že. Problém je, že Gerrety má v kapse polovinu městské rady. A jestli jim přímo neplatí, určitě ti pánové chodí do jeho salonů nechat si přeleštit tyče, promiňte mi ten výraz. Dokonce i někteří sociální pracovníci se ho zastávají. ,Aspoň dostal ty ubohé holky z ulice.' A žádná z těch holek by na něj neřekla křivého slova. Tedy pokud by nechtěla, aby ji zbili do klubíčka — nebo něco horšího."

„Budeme pokračovat v operaci Šutr? Tím myslím — i když budete na nemocenské?" zeptala se Katie.

„Operace Šutr! No jistě. Proč ne? Co by ji mohlo zastavit? Je to jediný způsob, jak se ujistit, že Michael Gerrety půjde dolů. Sotva může popřít, že žije z nemorálních příjmů, když mu vpadneme na pozemek a chytneme jeho prostitutky a kunčafty uprostřed smilnění, že?"

„Já bych se chtěla dostat k jeho notebookům, mobilům a k obsahu jeho sejfů. Nikdy ho nezašijeme jen na základě zákona o sexuálně motivovaných trestných činech, ne v současné situaci. Musíme jít po narušování veřejného pořádku a obchodování s lidmi. K tomu máme dost silné důkazy, pokud se tedy před soud dostaví svědkové. Takže mně jde o jeho účty. Takhle jsme přeci dostali Terryho Buckleye. Buckley musel zaplatit čtyři miliony eur Odboru pro výnosy z trestné činnosti. Vsadím se s vámi, že Gerrety bude muset vypláznout aspoň dvakrát tolik."

„Nedělejte si starosti, Katie," řekl vrchní inspektor O'Driscoll a zatřásl hlavou, až se mu rozhýbal podbradek. „Operaci Šutr nic nezastaví. Nebudu tolerovat, aby se Cork stal hlavním městem neřesti. Aspoň dokud tady tomu velím."

Katie měla v operaci Šutr nasazeny tři své detektivy už téměř půl roku a k tomu ještě dva na poloviční úvazek. Byla to menší akce než operace Balvan, při níž proběhly razie do čtrnácti corkských nevěstinců. Šutr byla operace spíše výzvědná. Název vybral detektiv Horgan podle toho, že šutr je velký kámen, který ale lze zvednout a hodit jím.

Tým pracující na operaci Šutr sbíral usvědčující důkazy ze všech možných zdrojů. Policisté hlídali u každého podezřelého nevěstince a každou podezřelou prostitutku. Vyslýchali prostitutky v ženském křídle limerické věznice a v centru Dóchas v dublinském vězení Mountjoy. S povolením úřadů se nabourali do mobilních telefonů a internetových připojení. A měli uši nastražené, i co se týče běžných rozhovorů v hospodách a klubech či mezi právníky na okresním soudu.

Za tři týdny měla všechna tato práce vyvrcholit několika současnými raziemi v sedmi podnicích v centru města — nejen v sexshopech a masážních salonech, ale i v kancelářích účetních a právníků.

Vrchní inspektor O'Driscoll se začal trochu třást a konečně se posadil. Vypadal zamyšleně.

„Ten váš informátor," řekl nakonec. „Víte, ten, co má oči jako koza."

„Denis Costigan, toho myslíte?"

„To je on. Je si pořád jistý tím, že ví, kde si Gerrety schovává záznamy?"

Katie kývla a musela se usmát. Denis Costigan měl opravdu oči jako koza. Nejen to — když žvýkal, dolní čelist se mu rytmicky hýbala ze strany na stranu, přesně jako když koza přežvykuje trávu. Ale všechny znal a věděl o všem, co se v Corku děje. Jeho kozí oči byly vždycky otevřené, když šly peníze, drogy nebo kradené věci z ruky do ruky.

„Včera mi volal," pokračovala Katie. „Je si na devadesát devět procent jistý, že Gerrety pořád používá sklep toho sexshopu Amber's na Oliver Plunkett Street. Máme to místo pod dozorem, ale velice diskrétně, protože Gerretyho nechceme vystrašit. Byl tam v pátek odpoledne se svojí ženou Carole. Jeho holky tam pořád nosí svoje zisky, tedy podle Denise. Polovina z toho jde Michaelu Gerretymu, polovina holkám, minus dvě stě eur, které si účtuje za inzeráty na svých stránkách, nebo pět set eur, které mu dívky platí za pronájem nějakého toho ošuntělého pokoje."

„Dobře," kývl vrchní inspektor O'Driscoll. „Vím, že se můžu spolehnout, že to dotáhnete do konce. Vy a Tadgh McFarrell nebo kdokoli, koho sem povolají. Kéž bych tu tak mohl být a dohlížet na to."

„Nedělejte si starosti," usmála se Katie. Bylo téměř za deset minut tři a nastal čas, aby vyrazila. „Až moc mi na tom záleží, než abych to někoho nechala pokazit."

Vstala, v ruce sýrový sendvič se salátem.

„Nebudete asi mít ani čas, abyste si to snědla, že?" zeptal se jí.

„Ne, myslím, že ne. Navíc ani nemám moc hlad. Chcete ho?"

„Co to je?"

„Sendvič se sýrem a salátem."

Dermot O'Driscoll najednou vypadal staře, unaveně a smutně. „Ne, Katie. Myslím, že ne. Dny, kdy jsem jedl salát, už jsou pryč."

12

Domů ten večer dorazila až v půl desáté. Doufala, že si John vzpomněl a vyvenčil Barneyho. Bývala by to udělala sama, kdyby s ní nikdo nebydlel, ale teď měla hlavu plnou událostí toho dne a jediné, po čem toužila, byl drink, něco k jídlu a postel.

John si musel všimnout reflektorů skrze závěsy v obývacím pokoji, protože jakmile vystoupila z auta, otevřel vstupní dveře. Barney mu proběhl mezi nohama, štěkal a vyskočil na ni. Zatahala ho za uši a sklonila se k němu. „Pšt, pššt! Uklidni se! Takhle to vypadá, jako bych nebyla doma aspoň týden."

John se usmál, políbil ji a řekl: „Dobrý večer, náčelnice chlupatých. Jak to vypadá v chlupatém doupěti?"

„Stres jako vždycky," povzdychla si. Vešla do haly a sundala si bundu. „Co to tady voní?"

„Večeře. Doufám, že dneska ji budeš schopná sníst."

„Abych řekla pravdu, voní to skutečně, skutečně dobře. A nejen to, dneska jsem se nemusela dívat na žádná rozkládající se těla."

Odešla z předsíně do vedlejší ložnice, které stále říkala dětský pokoj, rozepnula pouzdro na pistoli a položila svůj revolver Smith & Wesson na prádelník.

Když se vrátila do obývacího pokoje, John už stál u baru a v ruce držel broušenou sklenku s vodkou, ve které cinkal led. „Tady máš, jednu jsem ti nalil." Podal jí drink a znovu ji políbil. „*Sláinte*. Ať tě celý život pronásleduje smůla, ale nikdy tě nedožene."

„Kde máš pití ty?" zeptala se ho.

„V kuchyni. Už jsem s vařením skoro hotový. Chceš se ke mně přidat? Bože můj, já už jsem úplný podpantoflák, to je neuvěřitelné. Víš, co jsem dneska dělal? Utíral jsem prach na parapetech. Mám doktorát z informatiky, a oprašoval jsem parapety."

Následovala ho do kuchyně a cestou mu položila ruku na záda, na bílou košili. Byl tak vysoký a štíhlý. Vypadal jako bůh. Katie milovala jeho kudrnaté černé vlasy, i když je měl takhle krátké. Nejvíc na něm obdivovala to, že je fyzicky silný, ale zároveň citlivý a že se mu vždycky daří vycítit, když ji něco trápí.

Vyrazil k troubě, odklopil oranžové víko zapékací mísy a nahlédl dovnitř. „Vypadá to dobře," poznamenal. „Dáme tomu ještě dvacet minut a bude to hotové."

„Co to je? Boloňské špagety?"

„Masové kuličky na mexický způsob. Naučila mě je moje uklízečka Nina v San Francisku, jsou v paprikovo-rajčatové omáčce. Věř mi, když se podávají tyhle kuličky, nikdy žádné nezbydou."

„To zní úžasně. Celý den jsem nic nejedla. Snědla bych i kliku od dveří s máslem."

„Tak jak bylo?" zeptal se John. Promíchal omáčku a vrátil na zapékací mísu víko.

„Nic zvláštního. Proč?"

Přistoupil k ní a položil jí ruce na ramena. Milovala tu černou vlhkost jeho očí a uhlovou čerň jeho pubického ochlupení. Opravdový Ir z těch romantických dob, kdy existovali králové a víly.

„Myslím, že teď už tě dobře znám," usmál se.

„Vždyť víš, jak vypadá můj život," zvedla k němu pohled. „Někdo pořád dělá něco, co by neměl, a já musím zjišťovat, kdo to byl, a chytit ho. Den za dnem. Nikdy se nestane, že by si v Corku dali všichni na den pohov od pití, krádeží, rvaček, vandalství, prodávání drog nebo prostituce. Ani jeden den, nikdy! Ale tomu jsem se upsala."

„Tak jo," řekl John a políbil ji do vlasů, pak na čelo a nakonec na špičku nosu. „Víš, co jsem dneska dělal já? Teda kromě uklízení."

Odložila si sklenici na linku a rozepnula knoflík jeho bílé košile. „Povídej. Co jsi dneska dělal? Jestli to bylo něco, co souvisí s internetem, tak tomu pravděpodobně nebudu vůbec rozumět."

„Když to řeknu jednoduše, navrhoval jsem webovou stránku, kde doktoři a lékárníci najdou výsledky testů nejnovějších produktů ErinChemu. Ne jenom tabulky a statistiky, ale i videa. Například zrychlený záznam toho, jak někomu mizí vyrážka."

Katie mu na košili rozepnula další knoflíček. „Fuj! Doufám, že mě nechceš odradit od večeře."

Dlouze ji políbil, jazykem zápasil s tím jejím a prozkoumával jí zuby. Potom ji políbil ještě jednou. Když od ní odstoupil, hrudník se mu zvedal a klesal, jako by k ní právě běžel po písečném pobřeží. „Myslím, že bychom ty masové kuličky mohli na chvíli vypnout," řekl. „Nic takového uklízečka Nina v receptu nezmínila."

Natáhl se k plotně a vypnul plyn. Když se otočil zpátky ke Katie, už si rozepínala blůzu. Prudce ho k sobě přitáhla a líbala ho znovu a znovu a přitom mu rozepínala košili a strhávala mu ji z ramen. Ačkoli už uteklo několik měsíců od doby, kdy pracoval na statku svého zesnulého otce, a přibral alespoň pět kilo, hrudník měl pořád svalnatý a břicho pevné. Přes kalhoty mu sevřela penis a cítila, jak roste. Stiskla ho ještě pevněji. „Au!" vyjekl John a ucukl, ale oba se mezi polibky zasmáli.

John jí vyhrnul blůzu a rozepnul podprsenku. Katiin zesnulý manžel Paul měl s rozepínáním podprsenky vždycky potíže, ačkoli to byl sukničkář, a obvykle to skončilo tím, že začal nadávat, který zatracený idiot je vymyslel. John kolem ní ale obtočil levou ruku a rozepnul podprsenku jakoby kouzlem. Její velká kulatá prsa vypadla ven a růžové bradavky jí začínaly tvrdnout.

Znovu se dlouze líbali, až se Katie téměř nemohla nadechnout. *Takhle umřít*, pomyslela si se zavřenýma očima a myslí někde v temnotách, *být ulíbaná k smrti*. Nakonec zalapala po dechu, odtáhla se a zašeptala: „Barney."

„Barney?"

Přešla ke kuchyňským dveřím a zavřela je. „Nechci, aby nás špehoval."

„Je to pes."

„Přesně. Nikdy jsi neslyšel, jací to jsou čmuchalové?"

Rozepnula Johnovi světle hnědý kožený pásek i poklopec. Měl na sobě šedé trenýrky značky Davida Beckhama, které mu Katie koupila v Gentleman's Quarters, a erekce je napínala k prasknutí. Katie si klekla na jedno koleno, aby mu pomohla svléknout kalhoty, a poté srolovala dolů také trenýrky, takže se před ní objevil jeho penis, tak tvrdý, že jemně pulzoval s každým úderem srdce. Vzala jej do úst, sála ho a obkroužila jazykem, který pak zanořila do jeho špičky.

John stál rovně, pevně a oběma rukama si zakrýval obličej. Katie vzala do rukou jeho varlata, jemně je poškrábala nehty a polykala jeho penis stále hlouběji a sála silněji, až zaúpěl jako muž, který si poprvé uvědomil strašlivou pravdu — že štěstí nikdy netrvá navěky.

Katie vstala a rty se jí leskly. „Sedni," zašeptala.

„Sedni? To zní, jako bych byl Barney."

Zašklebila se a přikázala mu: „Sedni si, ty moulo. Tady — na židli."

John se nahý posadil na obyčejnou dřevěnou židli a v ruce svíral svůj ztopořený penis jako nově korunovaný král nachové žezlo. Katie si rozepnula sukni, stáhla silonky a shodila na zem kalhotky. Obvykle kalhotky pod silonky nenosila, ale už se blížil konec měsíce.

„Víš, kdo ty jsi, Katie Maguirová?" zeptal se jí John, když k němu přistoupila a položila mu ruku na rameno.

„Náčelnice chlupatých, tak jsi mi před chvílí řekl."

Usmál se a nepatrně zavrtěl hlavou. Ve tváři měl téměř blažený výraz. „Ty jsi sen, to jsi. Jsi neuvěřitelný sen, který by se mi ani neměl zdát. Podívej se na sebe."

Katie ho políbila a potom na něj velice opatrně obkročmo nasedla, nohy široce rozevřené, aby se jeho žalud jemně dotýkal rozevřených pysků její oholené vulvy. Když se ujistila, že se mu sedí pohodlně, pomalu na něj nasedala a jeho penis se do ní nořil hlouběji a hlouběji. Nakonec byl tak hluboko, až to vypadalo, že je jeho kudrnaté ochlupení tam dole i její.

Rukama ho objala, položila mu hlavu na rameno a přes minutu takhle zůstali sedět a jen vnímali jeden druhého a jeho vůni.

„Nechci, aby to skončilo," zašeptal John, jeho horký hluboký dech u jejího ucha.

„Všechno musí skončit, lásko," zamumlala.

„Bože, prosím, tohle ne."

Katie na to nic neřekla. Její život byl spíš samý konec než začátek a teď tady seděli na kuchyňské židli, zatímco kroužili kolem Slunce rychlostí 110 000 kilometrů za hodinu, a celé to působilo tak vášnivě a tragicky zároveň, že by ji to dohnalo k slzám.

Pomalu se nadzvedávala, dokud v ní John nebyl jen na úplném kraji a potom na něj velice pomalu znovu nasedla, dokud neucítila mezi svýma nohama jeho chloupky. Tentokrát do ní pronikl tak hluboko, že se jí špičkou penisu opřel o děložní hrdlo. Katie se rychle nadechla a maličko ucukla. Nadzvedávala se na něm a zase si na něj sedala ve stejném rytmu, ačkoli se jí John teď snažil pomoci, nohy rovné, stehna pevná a zadek stažený. Katie cítila, jak se jí mezi stehny pomalu blíží vyvrcholení. Dřevěná židle, na které seděli, se jí zařezávala do vnitřní strany kolen, ale sotva si toho všímala. Jediné, co vnímala, byl John uvnitř, tlak, který v ní rostl a rostl, jako by se celá její existence měla najednou zhroutit sama do sebe.

John zalapal po dechu. „Můj bože, Katie! Ach, můj bože!"

Cítila, jak se začal třást, potom proti ní prudce zdvihl pánev a pak ji spustil, jako by měl nějaký záchvat. Cítila jeho teplo a vlhko, které ji zaplavilo. Držela se ho za ramena, celé tělo stažené napětím, obličej zkřivený, zuby zaťaté, vyvrcholení tak blízko, že měla chuť zaječet.

Pak jí na stole zazvonil telefon. *A už ne, ne, nikdy — ne, nikdy, nikdy víc…*

Byl to inspektor Liam Fennessy. Zněl velice klidně, ale tak on zněl pokaždé. Měl v sobě určitý chlad a odtažitost, kterou na něm zprvu obdivovala, až mu ji záviděla, než zjistila, že si stres z práce vybíjí na své ženě Caitlin.

„Omlouvám se, že vás ruším, komisařko. Máme tu dalšího chlapa s uříznutýma rukama a bez obličeje."

„Ale, bože na nebesích," hlesla Katie. Pořád ještě popadala dech. Zvedla utěrku, aby si otřela pot z obličeje a krku. John vstal, odešel do ložnice a přinesl tmavě zelený župan, kterým jí zahalil ramena, a políbil ji na čelo.

Inspektor Fennessy pokračoval: „Na mayfieldskou policejní stanici, těsně před tím, než šli všichni domů, zavolala nějaká žena a řekla, že na Ballyhooly Road je tělo, někde mezi Glen Avenue a Sunview Park East. Pak zavěsila."

„Neřekla, jak se jmenuje?"

„Ne. Ale klukům netrvalo dlouho najít ten dům, kde se to stalo. Byl to ten jediný, kde se nikdo nedíval na televizi. Dveře byly odemčené, takže mohli rovnou dovnitř. Strážmistryně ó Nuallánová a detektivové O'Donovan a Horgan už jsou na cestě, stejně jako technici."

„Máme tušení, kdo by mohl být oběť?"

„Zatím ne. Je to běloch, kolem čtyřicítky. Zatím ho samozřejmě ještě neodvezli, ale na horní části rukou má dvě tetování a nějaké ty jizvy, ale to je všechno. Byl nahý jako ten černoch, obě ruce uříznuté a na místě činu nejsou. A vypadá to, že ho z bezprostřední blízkosti střelili do hlavy, možná ne jen jednou. Podle kluků, co ho našli, tam toho z jeho hlavy moc nezbylo."

„Dejte mi adresu a já se tam zajedu kouknout sama."

„Není třeba, komisařko. Postarám se o to, abyste ráno měla srozumitelnou zprávu, video a tak dále. Taky se postarám o média, jestli se o tom někdo dozví."

„Děkuju, Liame, ale chci to vidět na vlastní oči. Začínám mít pocit, že tahle vražda možná nebude poslední, jestli pachatele brzy nechytíme."

„Tak dobře. Řeknu strážmistryni ó Nuallánové, aby vás očekávala."

Položila telefon. John si se smutným výrazem ve tváři zapínal kalhoty. „Zase jedeš pryč? To půjde další skvělá večeře do záchodu."

„Opovaž se! Mám v plánu ji sníst, až přijedu domů."

„Katie, jestli ten hovor byl o tom, o čem si myslím, tak se budeš zase koukat na nějaké tělo. Mám pravdu?"

Katie si zapnula podprsenku vepředu a pak ji kolem sebe přetočila. „Ano, máš. Liam říkal, že oběť má odříznuté obě ruce a do obličeje ji střelili brokovnicí, stejně jako toho chlapa na Lower Shandon Street — akorát tenhle muž je běloch. To nám napovídá, že vraždy nemají rasovou motivaci. Takže buď je to nějaký napodobitel toho prvního vraha, nebo někdo, komu jde o pomstu, nebo nějaká ženská, která se baví tím, že mužům uřezává ruce a potom jim ustřelí hlavu."

„Ať je motiv jakýkoli, Katie, neříkej mi, že přijdeš před půlnocí a s chutí na masové kuličky."

Popošla k němu a zapnula mu zbývající dva knoflíčky na košili. „Ne," povzdychla si. „Asi máš pravdu. Ale rozhodně je nevyhazuj. Zítra budou možná ještě lepší, když je necháme uzrát v té omáčce."

John ji políbil. „To je můj životní příběh, že? Dneska to nejde, Johne, ale to nevadí. Zítra to bude lepší. A neříká se nechat uzrát, ale odležet. Zrají jablka na stromech."

„Já vím," usmála se Katie. „To měl být vtip, vzhledem k tomu, že jsi farmář a tak. Teda bývalý farmář. Omlouvám se." Opřela se mu čelem o hruď a zopakovala: „Omlouvám se."

Napadlo ji, kolikrát to bude ještě nucena říct, jestli spolu zůstanou. Možná by si to mohla nechat vytetovat na dlaň.

13

Strážmistryně ó Nuallánová se s Katie setkala před domem, oblečená do oprané džínové bundy a džínů, s pestrobarevnou hedvábnou šálou omotanou kolem hlavy.

„Pěkná šála," pochválila ji Katie. „Taková hippie."

„Musím si umýt vlasy, to je všechno." Neměla na sobě žádný make-up a fialové kruhy pod očima svědčily o únavě, jakou pociťovala i Katie.

Mezi ulicemi Glen Avenue a Sunview Park East stála na dvou stech metrech chodníku spousta hlídkových vozů, dodávek a sanitka a blikalo tam tolik modrých, červených a žlutých světel, že to vypadalo jako v lunaparku. Téměř všechny vchodové dveře byly otevřené a obyvatelé stáli na schodech před svými domky v teplém večerním vzduchu a sledovali, jak technici a policisté přicházejí a odcházejí. Venku postávaly dokonce i malé děti v pyžamech.

Katie viděla detektiva O'Donovana, jak mluví s lidmi v malém hloučku, který se shromáždil za modrobílou páskou s nápisem *Garda Síochána: zákaz vstupu*. Také zahlédla Dana Keana z *Examineru*, oblečeného v pytlovité šedé plátěné bundě, kterou vždy nosíval celé léto. Dan na pozdrav pozvedl ruku s cigaretou, ale Katie na něj jenom krátce kývla.

„Kdo zavolal média?" zeptala se strážmistryně ó Nuallánové. „Ježíši, podívejte, je tu Fionnuala Sweenyová z RTÉ. Řekněte kamarádům, že budete v ranních zprávách."

„Ani by mě nepřekvapilo, kdyby jim dala tip sama pachatelka," odtušila strážmistryně. „Podle mě se tím snaží něco říct."

„Ano? A co?" zeptala se Katie, když vstoupila do haly domu a rozhlédla se.

Nahoře v prvním patře svítilo tolik halogenových světel, že to vypadalo, jako by tam probíhalo nějaké vymítání ďábla. Shora na ně zavolal technik: „Mohly byste tam prosím ještě chvilku zůstat, dámy? Musím tady rozmotat jeden kabel."

„Jde o ty ruce," pokračovala strážmistryně ó Nuallánová. „Nejen že je uřízne, ona si je bere s sebou, takže nemáme žádné otisky prstů. A protože ty muže z bezprostřední blízkosti střelí do obličeje, je prakticky nemožné je identifikovat podle fotek. Počkejte, až uvidíte toho chlapa nahoře. Navíc nám zkomplikovala i srovnání zubních záznamů — tedy pokud oběti v Irsku nějaké měly. Soudě podle toho, jaké zuby měl ten Afričan, řekla bych, že u zubaře v životě nebyl."

„A co se nám tím snaží říct? Tedy za předpokladu, že ona je pořád ona."

„Myslím, že je to něco o nás. Možná dělá show z toho, že nezvládáme svoji práci. Možná nám chce říct, že jsme už dávno měli vědět, kdo tihle muži jsou a co mají za lubem. Takže teď je z ní mstitelka z lidu, která se snaží, aby to vypadalo, že se neumíme ani podepsat. Protože je nemůžeme potrestat my, dělá to ona, a my pořád nevíme, co byli zač."

„Zatím nemáme žádný hmotný důkaz, že byl některý z těch mužů zločinec," připomněla jí Katie. „Nevíme, kdo ti muži jsou."

„To si uvědomuju, komisařko. Je to jenom teorie. Pachatelka je pravděpodobně zabila kvůli pomstě. Možná obrali její starou babičku o úspory nebo třeba s jedním z nich otěhotněla, on ji opustil a nechal bez prostředků. Třeba dokonce nevěděla, který z nich je otec. Kdo ví? Já bych si ale vsadila na to, že měli na svědomí ještě něco horšího. Není moc slušných lidí, co mají na penisu vytetovaného hada — aspoň já jsem nikoho takového nepotkala."

Katie se unaveně usmála a přikývla. Strážmistryně ó Nuallánová se jí líbila stále víc. Katie upřednostňovala detektivy, kteří měli dost fantazie na to, aby přišli s nějakou teorií přitaženou za vlasy, ale byli natolik pragmatičtí, aby věděli, že zločinci jsou většinou hloupí a porušují zákon jen kvůli hamižnosti nebo z krutosti. Možná to nejchytřejší, co tahle pachatelka mohla udělat, bylo nechat jim tak málo forenzních důkazů, aby museli teoretizovat.

Technik na ně zamával, že mohou jít za ním. Vyšly po schodech nahoru a vešly do ložnice.

Muž byl zavražděn teprve nedávno, takže se jeho tělo teprve začínalo rozkládat, ale jeho kůže vypadala skvrnitě. Místnost přesto čpěla močí a výkaly až k zalknutí. Tohle byl ten zápach, kterému detektiv Horgan říkal „vůně starobinců". Katie si přikryla ústa a nos rukou. Vzala si s sebou latexové rukavice, ale zamrzelo ji, že zapomněla parfém Miracle doma. Dva technici v místnosti měli chirurgické roušky a strážmistryně ó Nuallánová si omotala kolem obličeje šálu, takže vypadala jako bandita.

Muž ležel na posteli a ruce měl položené tak, že kdyby mu nechyběly dlaně a prsty, zakrýval by si genitálie. Kolem levého zápěstí měl tlakový obvaz s růžovým zubním kartáčkem, kterým byl utažen, ale z pravého zápěstí vyteklo tolik krve, že potah na posteli byl stále ještě lesklý a mokrý. Ačkoli oba pahýly pokrývala zaschlá krev, Katie si všimla, že levé zápěstí bylo odříznuto křivě a visí z něj proužky potrhané tkáně, kdežto pravé bylo odděleno čistě a rovně jako poleno do krbu.

Muž měl světlou kůži, chlupaté ruce a nohy a mnoho kudrnatých chlupů na hrudníku. Vzhledem k tomu, že se mezi tmavými chlupy tu a tam objevovaly i šedé, Katie odhadovala, že by mu mohlo být něco mezi pětačtyřiceti a padesáti. Přes hrudník měl sedm úhlopříčných podlitin, které vypadaly jako uschlé hnědé housenky. Dalo se z nich usuzovat, že byl někdy v minulosti pořádně zbit, pravděpodobně holí nebo kovovou tyčí. Na těle měl také několik světlých jizev nejspíš od nějakého dřívějšího pobodání, některé se stopami po šití.

Na obou kostnatých ramenou měl vytetovanou vítězoslavně se zubící modrou lebku s velkou hvězdou na pozadí.

Poranění hlavy bylo ještě horší než u černocha na Lower Shandon Street. Z obličeje nezbylo vůbec nic, jenom nachově rudá díra s ušima po stranách, aspoň dvacet pět centimetrů od sebe. Z čela mu trčel trojúhelníkový kus lebeční kosti, mozek se rozstříkl po pokrývce a jeho růžové kousky se stále pomalu sunuly dolů po čele postele.

Velitel techniků se naklonil ke Katie a sehnul se k tomu, co zbývalo z mužovy hlavy. „Dobrý večer, komisařko. Tohohle nešťastníka střelili tak třikrát, řekl bych, kdežto toho černocha jenom dvakrát, jak už teď víme."

Katie pozvedla obočí, ale nezeptala se, jak si tím může být tak jistý. Věděla, že jí to vzápětí řekne sám.

„Dnes odpoledne nám doktor O'Brien poslal munici, kterou získal z ostatků, takže jsme ji mohli zvážit spolu s tím, co jsme vydolovali z matrace. Šest disků a dvacet jedna mědí potažených broků o průměru 4,3 milimetrů, což znamená, že jsme museli tři přehlédnout, protože by jich mělo být dvacet čtyři."

„Disky? To znamená, že to jsou ty nové brokové náboje Winchester?" zeptala se Katie.

„Přesně tak. PDX1. A krása PDX1 spočívá v tom, že je můžete použít pro jednoruční krátkou zbraň jako Taurus Judge, kam jdou brokové náboje .410 i obyčejná pětačtyřicítka. Jsou určené pro sebeobranu z bezprostřední blízkosti. Je to ten druh zbraní, co si neurotičtí Američané dávají na noční stolek pro případ, že by se k nim někdo vloupal."

„Takže jestli je možné tyhle brokové náboje vypálit z ruční zbraně..." začala Katie.

„Přesně tak, komisařko. Už jsem to napsal do zprávy — pošlu vám ji zítra kolem oběda, tedy jestli to tady někdy dokončíme. Zodpovídá to otázku, jak by mohla žena oběť střelit do hlavy z bezprostřední blízkosti, aniž by přitom musela stát na posteli nad ní. Taky to řeší problém, jak se pachatelka mohla dostat do domu v Lower Shandon Street, aniž by ji někdo viděl s dlouhou nebo upilovanou brokovnicí."

Katie se obrátila na strážmistryni ó Nuallánovou. „Tak jo. Musíme se zeptat všech prodejců zbraní v zemi, jestli prodali nějaké z těchto konkrétních nábojů." Otočila se zpátky k vedoucímu techniků. „Vyrábí je Winchester, že? Ale jak jste říkal, že se jmenují?"

„PDX1 Defender," odpověděl technik a pinzetou prozkoumával rozstřelenou hlavu oběti. „Jdou snadno poznat, protože mají černý plášť, na rozdíl od většiny patron do brokovnic. Vidíte tohle? Ten šedý plastový prášek? Říká se tomu grex. Dává se do brokovnicových patron, aby byl rozptyl broků menší."

„Dobře, děkuju," řekla Katie. „Taky bychom potřebovali vědět, jestli někdo z dealerů prodal zbraň, ze které by šlo takovéhle patrony vystřelit, ačkoli by mě překvapilo, kdyby byla nabytá legálně. Jo a spojte se se střeleckými kluby Lough Bo a Fermoy. Nikdy nevíte, jejich členové jsou zbraněmi posedlí a někdo z nich mohl něco zaslechnout. Já si promluvím s Eugenem Ó Béarou. Jestli někdo ví o zbraních v Corku, je to on. Nebo zná někoho, kdo by to mohl vědět."

Strážmistryně ó Nuallánová si dělala poznámky do svého iPhonu. Přes šálu uvázanou kolem obličeje zněl její hlas zastřeně. „Dobře. Dám se do toho hned ráno, jakmile otevřou."

Katie chvíli stála nehybně, ruku stále přitisknutou k obličeji, a prohlížela si místnost centimetr po centimetru. Už si všimla barevných umělých penisů ležících pod stolkem, hodin a rozbité lampy. Po chvíli pomalu přešla k prádelníku a otevřela zásuvky jednu po druhé. Oční linky, manikúrové nůžky, lak na nehty se třpytkami, gumičky, sponky do vlasů, tablety Nurofenu, kondomy Durex. Nic z toho jí nenapovědělo, kdo mohl tento pokoj používat. Ale bylo pravděpodobné, že jej využívali k prostituci.

Detektiv O'Donovan vydusal nahoru po schodech, celý zadýchaný.

„Mluvil jsem se sousedy v téhle ulici," řekl a otevřel bloček. „Dům je pronajatý, ale jméno majitele nikdo nezná. Mají podezření, že se posledního půl roku užívá jako bordel, protože sem chodí různí divní chlapi přes den i v noci. Sousedka, co bydlí hned vedle, paní Cooneyová, se jednu noc snažila uspat děti a stěžovala si na křik. Další ráno za ní zašel nějaký chlapík a řekl jí, že jestli si bude ještě někdy stěžovat, polije ji benzínem a zapálí."

„Prokrista, proč ho nenahlásila?"

„Chcete vědět, co přesně řekla? ,Věřila jsem tomu, že by mě vážně upálil, kdyby zjistil, že jsem ho udala. A policajti by určitě neudělali vůbec nic, dokud bych nebyla na popel.'"

„Veřejnost nám opravdu důvěřuje. Dovede ho popsat, toho chlapíka?"

„Myslí si, že to byl cizinec, protože mluvil divně."

„No, tak to nám teda pomůže. Tady si lidé myslí, že jste cizinec, už když pocházíte z Midletonu. Řekla, jak vypadal?"

„Prý to byl hubený mrňous. Údajně byl tak vyzáblý, že by ho snad přepralo i dítě. Ale stejně se ho k smrti bála."

Katie kývla směrem k posteli. „Tenhle je dost hubený, neřekl byste? Mohl by to být on."

„No, to ano. Ale asi nemá smysl žádat paní Cooneyovou, aby se na něj chodila dívat."

„Tak jo," řekla Katie. „Myslím, že tady toho dnes večer víc nezmůžu. Ráno se budu těšit na vaši zprávu, Bille, a doufám, že už budeme mít zprávu z pitvy našeho černého přítele."

Když vyšla z domu, přiběhl k ní Dan Keane v patách s Fionnualou Sweenyovou a jejím kameramanem.

„Tak co se děje, komisařko?" zeptal se Dan. „Slyšeli jsme, že tu ustřelili hlavu dalšímu pasákovi."

„Nevím, kdo vám to řekl, Dane," odvětila Katie. „Na této adrese jsme našli zemřelého dosud neidentifikovaného bělocha, ale příčina smrti dosud nebyla oficiálně potvrzena. Zatím nemáme důkazy, že by tato vražda měla souvislost s úmrtím neidentifikovaného černocha na Lower Shandon Street."

„Ale to je škoda," povzdychl si Dan Keane. „Už jsem měl do zítřejšího vydání připravený titulek. ,Pasák ztratil hlavu!'"

„Zatím nemáme žádný důkaz, že by oběti měly něco společného s prostitucí nebo sexuálními službami. Promiňte. Ale zajímalo by mě, kdo vám tu informaci dal."

„To je mi jasné, komisařko. Ale jako vždycky musí moje zdroje zůstat v anonymitě."

Fionnuala Sweenyová napřáhla mikrofon a řekla: „Je něco pravdy na tvrzení, že byly oběma obětem uříznuty ruce?"

Katie se na ni pousmála a řekla: „V tuto chvíli bohužel nic dalšího říct nemohu. Pořád čekáme na zprávu od patologa. Jakmile si budeme bezpečně jisti příčinou smrti a rozsahem dalších zranění, dáme vám samozřejmě vědět. Je pravděpodobné, že zítra v podvečer uspořádáme na Anglesea Street tiskovou konferenci."

Fionnuala Sweenyová pozvedla k očím malý kousek papíru a zamračila se na něj. „Nevíte, co znamená ‚Ra-ma-mala-íka'?" zeptala se.

„Kde jste to slyšela?" zarazila se Katie a zaclonila si oči před světlem kamery.

„Obávám se, že nemůžu odhalit své zdroje. Bylo mi to sděleno důvěrně."

„No tak to vám tedy pomohlo. A vy víte, co to znamená?"

„Ne, zkoušeli jsme to prohnat na googlu všemi možnými slovníky, ale nic jsme nenašli."

„Pak vám v tuhle chvíli nic víc říct nemůžu," odvětila Katie. „Zítra se s vámi spojí tiskové oddělení."

„Jste si jistá, že jste to nikdy předtím neslyšela?" naléhala Fionnuala Sweenyová, ale Dan Keane jí položil ruku na rameno a řekl: „Neplýtvej dechem, holka. Pokud ti komisařka nechce něco říct, tak se dřív bude svatý Petr ptát na tvoje hříchy, než ti to komisařka prozradí."

Katie a strážmistryně ó Nuallánová společně došly ke Katiinu autu.

„Myslím, že máte pravdu. Nejspíš to opravdu byla pachatelka, kdo dal novinářům tip," zhodnotila Katie. „Ta dívka, kterou našli u těla na Lower Shandon Street, ta, které říkám Isabelle, vyslovila totéž jméno, než ji odvezli do nemocnice."

„A nenaznačila vám, co by to mohlo znamenat?"

„Ne, nenaznačila. A bylo to také to poslední, co mi řekla. Ale měla jsem schůzku s otcem Dominicem v Cois Tine a zítra za ní pošle dvě Afričanky, Nigerijku a Somálku. Většina imigrantů v Corku pochází z jedné z těchto dvou zemí, takže máme šanci, že ji alespoň jedna z nich přesvědčí, aby se rozmluvila."

Strážmistryně ó Nuallánová si znovu omotala hlavu šálou. „Nevím, jestli už jste si vyzvedla moji zprávu, ale Horganovi na imigračním moc radost neudělali. Není ani stopy po tom, že by ta dívka překročila hranice, ať už pochází odkudkoli."

„Proč mě to ani trochu nepřekvapuje?" odtušila trpce Katie. „Poslouchejte, uvidíme se ráno. Odpoledne máme schůzku s Michaelem Gerretym a jeho právníky. Možná by nám mohl říct, kdo ta dívka je, právě on."

„Patrick O'Donovan mi o Michaelu Gerretym dlouze vyprávěl," řekla strážmistryně ó Nuallánová. „Z toho, co jsem pochopila, je mi to jasné — tenhle vám to rozhodně poví, jasně."

14

„Tak tohle je tvoje hnízdečko," řekla Mairead a otevřela poslední dveře na konci chodby. Zakiyyah nahlédla dovnitř. Domy na druhé straně Washington Street byly orientovány na jih, takže pokoj prosvětlovaly sluneční paprsky odražené z jejich oken. Místnost byla ale tak úzká, že obrovská postel přiražená ke stěně nechávala prostor jen na malý noční stolek s lampou ozdobenou zřasenou růžovou látkou. Na čele postele byla připevněna další lampička na čtení.

Okno pokrývaly plastové žaluzie se světle fialovými a bílými lamelami, na posteli ležel pomačkaný fialový sametový přehoz a polštářky v různých odstínech nachové a fialové. Roh místnosti hned za dveřmi byl skrytý za závěsem, zřejmě proto, aby si Zakiyyah měla kam dávat oblečení — tedy ne že by nějaké měla, teď když jí zabavili kufřík.

Na jedné stěně visel oplzlý plakát mladé čarodějky. Kromě špičatého klobouku a pláště byla nahá a s očima zavřenýma v extázi do sebe strkala násadu od koštěte. Sledovala ji černá kočka, která si olizovala tlamu.

Na protější zdi byla zarámovaná fotografie Blarneyského hradu, která za léta na slunci tolik vybledla, že byla takřka černobílá.

„Tak co myslíš?" zeptala se Mairead. „Z domova rovnou domů. Lepší než nějaká hliněná chýše v Africe, to se vsadím."

Mairead byla malá žena s velkým poprsím a dlouhými zplihlými stříbřitě blonďatými vlasy, které se jí plazily po ramenou. Měla srdcovitý obličej a nos trochu nahoru. Byla celkem pohledná, až na skvrny na tvářích a popraskané rty natřené silnou vrstvou světle růžového lesku. Oči měla bledě modré a Zakiyyah připadaly zvláštně prázdné, jako kdyby Mairead dávno zapomněla, kdo je a co tady dělá.

Měla na sobě stříbrný saténový župan a na nohou se jí leskly zlaté pantoflíčky. Zakiyyah si všimla, že pod županem se skrývá jen černý krajkový korzet, který byl kolem jednoho košíčku potrhaný.

Na chodbě za nimi stál Mistr Dessie, kouřil a bavil se s dívkou z vedlejší místnosti. „Už musím vyrazit, Mairead," řekl po chvíli. „Velkej se tady později staví, říkal, až dohraje golf. Prý se jí nikdo nemá ani dotknout, dokud se na ni nekoukne on sám a doktor."

„No jasně," přikývla Mairead. „Poslouchej, mohl bys mi zaskočit naproti pro krabičku cigaret, než půjdeš? Sotva dýchám."

„Dojdi si tam sama, ty běhno líná. Kdo si myslíš, že jsem?"

„Jsi prohnilý chlap, to jsi, Dessie. Už ti ho nikdy nevykouřím."

„Po tom, cos předvedla posledně, bych ho radši strčil do mlýnku na maso."

Mistr Dessie odešel a Mairead položila Zakiyyah ruku kolem ramen. „Vůbec si ho nevšímej, toho vola. Jenom kecá, ale v kalhotách nic nemá."

„Mám z něj strach," přiznala Zakiyyah. „Nechtěl mi vrátit kufr a zranil mě."

„Neboj se, holka. Nenechám ho, aby ti znovu něco udělal. Teda v případě, že se budeš chovat slušně a uděláš, co se ti řekne."

„Měla jsem tancovat v klubu. Tomuhle vůbec nerozumím."

Mairead se podívala z okna na protější budovu a měla ještě nepřítomnější výraz než jindy, jako by rentgenovým pohledem viděla skrz domy až na kopce za nimi. „Ne, miláčku, tomu nerozumí nikdo z nás. Sama sebe se ptám, jak jsem se k tomuhle dostala, a abych řekla pravdu, nevzpomínám si. Vím jen, že jsem byla totálně švorc. Dessie mi půjčil nějaké peníze, pak mi půjčil znovu, a než jsem si to uvědomila, dlužila jsem mu sedm set eur. Neměla jsem, jak mu je splatit. Leda takhle."

„Postel jsem s mužem sdílela jenom jednou," pípla Zakiyyah. „Byl to můj šéf v Lagosu a já to nechtěla, ale on řekl, že jinak přijdu o práci."

„Ale, na to si zvykneš. Není to ani z půlky tak hrozný, jak to některý svatoušci popisujou. Je fakt, že někteří kunčafti jsou totálně sjetí nebo ožralí a smrděj pitím, ale v takovým případě se jim většinou ani nepostaví. Nebo po tobě budou chtít nějakou prasárnu. Ale nemusíš dělat nic, do čeho by se ti nechtělo, zvlášť když je to nehygienický. Mistr Dessie tě většinou podpoří, když po tobě kunčaft vyjede. Ale když chce kunčaft něco nechutného po mně, řeknu mu, že musí zaplatit dvojnásobek."

Zasmála se, ale její smích zněl úplně prázdně jako prasklý zvon, nebyla v něm žádná radost ani veselí. „Většinou ale vypláznou peníze a já si pak přeju, abych jim účtovala třikrát tolik."

„A co když se mi ti muži nebudou ani trochu líbit?" zeptala se Zakiyyah.

„Tak roztáhni nohy, zavři oči a mysli na to, co by sis dala k večeři."

„Nemůžu říct: ‚Ne, vás nechci.'?"

„Ne, holka. Jsi tady, abys splatila, co dlužíš. Když odmítneš kunčafta nebo ho naštveš, tak tě pravděpodobně čeká bití, věř mi."

„Mám takový strach," vykoktala Zakiyyah. Musela se posadit na postel, protože se celá třásla a cítila, že asi bude zvracet.

Dvakrát se jí obrátil žaludek. Mairead stála vedle ní a soucitně ji pozorovala.

„Povím ti, jak to funguje," řekla Mairead. „Dělá se to tak, že kunčaft uvidí tvoji fotku na Michaelových stránkách. Zavolá nám a my ho pošleme do té soudní budovy naproti. Tam si ho prohlídneme, jak jde po schodech, abychom zjistili, že to není policajt nebo nějaký jednonohý malomocný. Když vypadá v pohodě, zavoláme mu a řekneme, jak se dostane sem nahoru."

„A potom co?" zeptala se Zakiyyah. Nikdy v životě necítila takovou hrůzu jako teď, a ještě strašlivější pro ni byl věcný tón, kterým jí Mairead vysvětlovala, co se od ní čeká.

„Jsou tady většinou čtyři holky. Za chvilku tě s nimi seznámím. Jestli si kunčaft ještě nevybral podle fotek na stránkách, vybere si, až sem dorazí. Řekne nám, co si představuje, a my mu řekneme, kolik ho to bude stát. Je to sto eur za vyhonění rukou nebo sto sedmdesát za orál, dvě stě za komplet sex a dalších padesát ještě za anál. A ještě víc, samozřejmě, za věci jako bondáž, lesbi show nebo jiné požadavky."

Zakiyyah zavřela oči. Přála si, aby se nějakým kouzlem dostala zpátky do své vesnice, a když by otevřela oči, uviděla by, jak matka míchá kaši, otec hrabe listí na zahradě a sestra se směje na slunci. Kdyby to nešlo, přála by si, aby už nemusela nikdy vidět fialový přehoz na posteli, polštářky, oranžovou budovu naproti a její oslňující okna. To by radši zemřela.

Ale znovu oči otevřela a byla pořád naživu. Mairead k ní stále mluvila: „Pronájem tohohle pokoje tě bude stát dvě stě eur týdně a inzerát na webu dvě stě padesát. Navíc si Michael bere šedesát procent tvýho výdělku, čímž mu splácíš dluh. Pomůžu ti s účetnictvím.

Pravidla tady nejsou vlastně žádná, kromě toho, že musíš vždycky používat kondom. Michael je v tomhle velice důsledný, kondom dokonce i na orál. Nezáleží na tom, kolik ti kunčaft nabídne za sex bez kondomu. Je to všechno součást Michaelovy kampaně Zelená lucerna, kterou chce dokázat, že jeho holky jsou zdravé a v bezpečí, a to on o nás říká. Každopádně si budeš muset kupovat svoje vlastní kondomy a vlhčené ubrousky.

Začneš ráno, jakmile zazvoní první kunčaft, a skončíš, až ten poslední bude chtít skončit. To obvykle znamená obsloužit deset až dvanáct kunčaftů denně, někdy víc. Když hraje Cork doma, budeš mít víc práce, to ti povídám. Někdy ani nebudeš mít čas vypláchnout si pusu."

Zakiyyah se vratce postavila. „Potřebovala bych sklenici vody, prosím."

„Ale jistě, holka! Vždyť jsi celý den nepila, viď? A dal ti ten Bula něco k jídlu? Vsadím se, že ne, bídák. Ježíš, ten chlap je blbej jak necky. Pojď do kuchyně, nachystám ti sendvič."

Zakiyyah následovala Mairead do maličké kuchyňky, kde v kleci na parapetu na bidýlku seděla pelichající zelená andulka. Mairead nalila Zakiyyah sklenici červené limonády a připravila jí sendvič z bílého chleba s lančmítem. Když zasedla ke skleněnému stolu, vešly dovnitř dvě další dívky, malá Thajka s plochým obličejem a velmi dlouhými vlasy, která měla na sobě jenom tanga a otevřenou podprsenku, z níž vyčuhovaly tmavé bradavky, a vysoká hubená blondýna ve špinavém růžovém županu. Blondýna měla vlasy zapletené do koruny kolem hlavy a vypadala jako Češka nebo Ukrajinka.

„Tohle je Lotosový květ a Elvíra," představila je Mairead. „Holky, tohle je Zakky."

Lotosový květ vstala a políbila Zakiyyah na obě tváře. „Vítej," řekla. „Říkej mi Lawan, to je moje pravé jméno, ne pracovní."

„Zakiyyah," hlesla Zakiyyah.

Elvíra se usmála a zamávala na ni malíčkem. Lotosový květ hned vysvětlovala: „Elvíra ještě nemluví dobře anglicky. Je tady jenom měsíc. Pro mě bylo hrozně těžké rozumět Irům, když jsem sem poprvé přijela, i když jsem uměla dobře anglicky. Ještě teď jim někdy nerozumím. Říkají pořád nějaké ‚jako', místo ‚skvělý' řeknou ‚hrozně dobrý' a i starým chlapům říkají kluci."

Přitiskla si prst s nablýskaným lakem ke rtům a zachichotala se. Elvíra se také usmála, trochu jako by byla zfetovaná. Bylo jasné, že neví, proč se směje, a že ničemu nerozuměla.

Zakiyyah vypila červenou limonádu a pokusila se sníst sendvič, ačkoli měla potíže s polykáním. Zazvonil telefon. Mairead ho zvedla a řekla: „Aha. Jasně. Budeš tam za pět minut, že jo? Tak nám pak zavolej, miláčku, a já ti řeknu, kam potom dál. To je v pořádku."

„Kdo to byl?" zeptala se Lotosový květ.

„Nic pro tebe, holka. Je to nějaký vidlák, který sem přijel služebně z Kenmare a líbí se mu Elvíra. Víš, co ten trouba říkal? ‚Viděl jsem její fotku na webu a hned jsem se do ní zamiloval.' Ježíši."

„Aspoň to není ten stařík, který na trhu prodává ryby," podotkla Lotosový květ. „Ten chce vždycky mě. ‚Ach, Lotosový květe, jsi sladká jako tvé jméno!' Ale je cítit rybami. Říká, že se myje, ale stejně je cítit!"

Znovu se zahihňala, ačkoli v tom smíchu nebyla žádná radost, stejně jako u Mairead. Zakiyyah měla pocit, že se smějí jenom proto, že pláčem stejně nic nezmění. Odstrčila od sebe talíř. „Omlouvám se, ale víc už sníst nemůžu. Mám žaludek na vodě."

„Ale s tím si nedělej hlavu, holka," podotkla Mairead. Vzala si jeden sendvič a sama se do něj zakousla. „Brzo si zvykneš na pochoutky irské kuchyně. Většinou si objednáváme jídlo z místní restaurace. Tak..." zamumlala s plnými ústy, „teď ti ukážu zbytek."

Zakiyyah dopila a zvedla se. Když vstala, Lotosový květ jí položila ruku na rameno a zašeptala: „Nedělej si starosti, Zakky. Není to tak strašné. Je to lepší než pracovat v obchodě nebo restauraci. Většina mužů je na nás hodná. A těch pár je zlých jen proto, že jsou opilí."

„Jak dlouho jsi tu?" zeptala se jí Zakiyyah.

Lotosový květ potřásla hlavou. „To si nepamatuju! Možná dva roky. Budu tady, dokud nezestárnu a nevypadají mi všechny zuby. To se mužům líbí. Když jim vykouříš bez zubů! Nemusí se bát, že jim ho ukousneš."

„Ty jsi jim za ty dva roky nesplatila, co jim dlužíš?"

„Já si to nepamatuju. Pořád říkají, že jim ještě dlužím. Kromě toho, co můžu dělat jiného? Mají můj pas a všechny doklady."

Mairead vzala Zakiyyah do obývacího pokoje. Slunce osvětlovalo prach na fialových sametových závěsech a prošlapaném černém koberci. Podél zdí stály tři pohovky potažené černou kůží a před nimi plochá televize o asi metrové úhlopříčce. Mezi pohovkami stál načerno natřený konferenční stolek s pomačkanými pornografickými časopisy s názvy jako *Soukromé* nebo *Barevné vyvrcholení*, které byly úhledně vyskládány do vějíře podobně jako ženské časopisy v čekárně u zubaře.

„Tady si kunčaft může po příchodu sednout, dát si drink a rozhodnout se, kterou z nás by chtěl," vysvětlovala Mairead. „Za pivo účtujeme pětadvacet eur, třicet za skleničku vína a padesát za panáky. Takové jsou základní ceny. Většinou jim ale účtujeme víc podle toho, co si tak myslíme, že nám projde."

Pokoj Mairead byl téměř stejně tak velký jako obývací pokoj. Byl vybaven postelí s nebesy, červenou plyšovou pohovkou a bílým stolem v regentském stylu s mramorovou deskou, která měla odštípnuté kraje. Naproti posteli stála vestavěná skříň se zrcadlovými dveřmi.

„To je tady proto, aby se na sebe kunčafti mohli dívat, aby věděli, za co dali peníze," vysvětlila Mairead. „Teda dneska si chtějí všichni udělat selfie přímo u toho, aby to pak mohli ukazovat kámošům. Michael zvažuje, že by jim za to začal něco účtovat."

Ukázala Zakiyyah koupelnu na protější straně chodby. Byla tmavá a páchla vlhkem, spáry mezi dlaždicemi byly zčernalé. Pod neprůhledným oknem stála úzká staromódní vana se skvrnami od rzi a vedle ní umyvadlo, zaplněné lahvičkami šamponů a kondicionérů. Na stropě se od plísně a vlhka vytvořily mapy a vypadalo to, jako by se měl každou chvíli propadnout.

Mairead se na ni obrátila: „Zítra ti půjdeme nakoupit, seženeme všechno, co budeš potřebovat. Nějaké toaletní věci, make-up a tak, něco na sebe, i když — věř mi, většinu času na sobě nebudeš mít nic. Za oblečení ušetříš, to ti povídám."

V tu chvíli se ozval zvonek u dveří. „To bude kunčaft pro Elvíru. A čekám, že sem každou chvíli dorazí Michael. Co si zajít na chvíli lehnout, holka? Odteď toho moc nenaspíš!"

Zakiyyah si lehla na fialový přehoz, ale oči nechala otevřené. Samet nakysle a zatuchle páchl, jako by ho nikdo nepral roky nebo možná vůbec nikdy, a byl pokrytý spoustou lesklých stříbřitých skvrn. Slyšela, jak se otvírají dveře do bytu, potom se ozval hrubý mužský hlas a Maireadin smích. Jediné slovo, které zachytila, bylo „miláčku".

Potom uslyšela, jak se zavřely dveře do Elvířina pokoje a někdo zapnul televizi v obývacím pokoji. Ani tu neslyšela příliš dobře, jen zaslechla, jak se nějaká Irka hádá s jinou, a potom se ozvala hudba. Jedna z těch smutných písní, jaké si Irové pouštějí, když se chtějí rozplakat. Hudba hrála dál a dál a Zakiyyah se začaly klížit oči.

Nechtěla usnout, ale nakonec se propadla do spánku. Snad se jí i něco zdálo, ale později si ze snu nic nepamatovala. Najednou ji prudce probudilo zaklepání na dveře a mužský hlas: „No páni, koho to tu máme? Šípková Růženka! Černá šípková Růženka!"

Okamžitě otevřela oči a posadila se. Stáhla si košilku, aby se zakryla. Pokusila se upravit si vlasy, protože si uvědomila, že se jí všechny copánky s korálky zapletly do sebe.

Ve dveřích stál muž s širokými rameny, v obleku barvy velbloudí srsti a se zeleným hedvábným kapesníčkem v kapse. Měl husté kaštanové vlasy sčesané na stranu, opálený pihovatý obličej a zelené oči. Na bradě se mu rýsovala kolmá linka. Usmíval se, ale jeden zub se mu zachytil za ret, takže Zakiyyah si nemohla být jistá, jestli se usmívá, nebo ušklíbá.

Mairead stála hned za ním. „Zakky, tohle je pan Michael Gerrety. Přišel se na tebe podívat."

Michael Gerrety přistoupil k posteli z boku a stál mezi Zakiyyah a oknem, takže viděla jen jeho siluetu.

„Mistr Dessie mi říkal, že jsi krasavice, a rozhodně se nespletl, že, Mairead?"

„Všichni se sem pohrnou, až ji uvidí na webu."

Zakiyyah se v irských nářečích nevyznala, ale Michael Gerrety mluvil vřele, melodicky a vyslovoval jako školený herec.

„Nemůžu říct, že bych dával přednost černoškám, ale ty jsi opravdu mimořádná, že? Jak jsi říkala, že se jmenuje, Mair? Zakky?"

„Zakiyyah," opravila ho Zakiyyah. „To znamená čistá."

„No ano! Myslím, že o tom Dessie něco blekotal. Tak tě budeme inzerovat. Zakiyyah, čistá černá kráska. Kolik je ti, Zakiyyah?"

„Sedmnáct. Já ale nechci být prostitutka. Nechci být s tolika muži."

„Kdy máš narozeniny, krasavice?"

„Patnáctého srpna."

„Tak to budeš za pár dní legální, což mi skvěle vyhovuje. Já nejsem pasák, Zakiyyah. Nejsem zločinec. Jsem vážený muž, který věří tomu, že sex by se měl prodávat otevřeně, stejně jako všechno ostatní, co lidé prodávají a kupují. Požaduji řádnou ochranu pro dívky, které se chtějí prodávat, a porozumění a soucit s muži, kteří mají potřebu si je kupovat. Je to jednoduché."

„Ale já se nechci prodávat," řekla Zakiyyah. Oči se jí naplnily slzami, ale vzdorovitě je otřela konečky prstů. „Myslela jsem, že tady budu tancovat."

Michael Gerrety odstoupil od okna, takže už ho viděla jasně. „Přijela jsi sem tancovat, Zakiyyah, a taky budeš tancovat! Mám kontakty v nočních klubech i v tanečních souborech po celém Irsku! S Michaelem Flatleym jezdíme skoro každý víkend na golf! Ale na rozdíl od něj nejsem milionář, beruško. Přijela jsi sem až z Lagosu. Víš, kolik mě to stálo?"

„Mistr Dessie mi to říkal," přiznala Zakiyyah. „Já ale vrátím všechno, co vám dlužím. Slibuju."

Michael Gerrety se pořád usmíval, ale zavrtěl hlavou. „A kde budeš pracovat? Budeš v Dunne's doplňovat regály? Mýt nádobí u McDonald's? Převlékat postele v hotelu Jury's? Víš, jak málo tam platí? Protože na jinou práci nemáš kvalifikaci, že ne?"

„Slibuju, že vám to vrátím!"

„Já ti to věřím, srdíčko, ale otázka je kdy. Za takové práce se platí 8,65 eur za hodinu, zatímco tady si vyděláš víc než dva tisíce eur denně. Takové peníze bys v nějaké té práci za minimální mzdu musela vydělávat aspoň jedenáct dní. A nejen to — kde bys žila? Co bys jedla? Do čeho by ses oblékala? I to by sis musela z platu hradit, a to by pak na mě moc nezbylo, že? Jestli vůbec něco."

„Oblečení bych měla, kdybyste mi neukradli kufr."

„Nikdo ti ho neukradl, holčičko. Zatím ho máme jako záruku, to je všechno. Vrátíme ti ho, až splatíš všechno, co mi dlužíš."

„Nevěřím vám. Nevěřím ničemu, co říkáte. Měla jsem jet do Irska tancovat, ne pracovat jako *bagar*."

„Ty mi nevěříš?" zeptal se Michael Gerrety. „Myslel jsem si, že něco takového řekneš, a vlastně ti to ani nezazlívám. Mair — Mair! Přines mi kufřík, ano? Je v kuchyni na židli."

Mairead se vrátila s kostkovaným kufříkem Louis Vuitton a podala mu ho. Michael Gerrety z něj vyndal hnědé desky a otevřel je. Bylo v nich šest nebo sedm fotografií různé velikosti, některé barevné, jiné černobílé.

„To jsou moje fotky!" zvolala Zakiyyah a napřímila se. „To je moje rodina."

Michael Gerrety zvedl fotografii usmívající se ženy v obrovském zelenožlutém turbanu.

„To je moje matka!" vykřikla Zakiyyah. „To je jediná její fotka, kterou mám! Dejte mi ji!"

Vyskočila z postele a pokusila se mu fotografii vytrhnout, ale Michael Gerrety ji zvedl nad hlavu, dívce z dosahu, a desky podal zpátky Mairead.

„Dejte mi to! Dejte mi to! Je to moje! Prosím, dejte mi to."

Michael Gerrety levou rukou odstrčil Zakiyyah zpátky na postel. Snažila se opět postavit na nohy, ale znovu do ní strčil, tentokrát silněji.

„Říkám ti, drahoušku, jsi moc krásná a budeme spolu skvěle vycházet — ale jenom pokud budeš dělat, co po tobě budu chtít, a budeš se chovat slušně. Nemáš peníze, nemáš kam jít, nemáš vůbec žádné přátele. Navíc brzy budeš chtít znovu tu vakcínu proti vzteklině, kterou jsme ti dali. Když ji nedostaneš, začne ti být zle, to ti můžu slíbit. A pak mě budeš prosit, abys mohla být prostitutka. Budeš za mnou lézt po těch svých černých kolenou."

„Prosím, je to moje matka," úpěnlivě žadonila Zakiyyah. „Prosím, dejte mi tu fotku."

Michael Gerrety jí strčil fotografii před obličej a v půli ji roztrhl. Pak kusy roztrhl znovu a znovu a kousíčky rozhodil po místnosti.

„Pokaždé když s tebou budou potíže, tak sem přijdu a udělám to samé s nějakou další fotkou tvé rodiny. Rozumíš, co ti říkám? A až dojdou fotky, budu muset vymyslet něco jiného, aby ses začala chovat slušně... Jako třeba že roztrhám tvůj pas, pro začátek, a udám tě na imigračním. Víš, co tu dělají s ilegálními imigrantkami? Zavřou je do vězení. A ve srovnání s ženskou věznicí v Limericku je to tady nebe na zemi."

Zakiyyah zbídačeně zvedla dva útržky matčiny fotografie a pokusila se je k sobě přiložit, ale kousíčky byly rozsypané po celém pokoji. Mairead stála celou dobu ve dveřích, ruce založené na prsou, ale v očích měla pořád ten vzdálený pohled jako dřív.

„Jsi čistá, že?" zeptal se Michael Gerrety.

„Ještě jsem se neumyla," odpověděla Zakiyyah. „Umýt se budu moct až tady."

„Nemyslel jsem takhle čistá. Myslím tím, jestli nemáš nějaké sexuálně přenosné choroby."

„Nemoci," vysvětlila Mairead. Ukázala si na rozkrok a řekla: „Nemoci tam dole. Jako kapavka."

Zakiyyah se na ni podívala. „Byla jsem jen s jedním mužem. Můj šéf, pan Bankole. Nikdo jiný. Pan Bankole byl velice čistotný muž."

„To ale není žádná záruka," odfrkl si Michael Gerrety. „Později se na tebe přijde podívat doktor a vezme ti krev, abychom se ujistili, že nemáš aids. Nechceme, aby kdokoli obviňoval Zelenou lucernu z šíření sexuálně přenosných chorob."

Zakiyyah nevěděla, co na to říct. Měla na Michaela Gerretyho vztek a zároveň se ho bála, ale z nějakého zvláštního důvodu ji uklidňoval. Ať už od ní požadoval cokoli, hodlal se postarat, aby měla kde spát, co jíst a že ji nezavřou do vězení. Nelíbilo se jí, co jí dělal pan Bankole, to jeho pocení a vzdychání a hrubý dotyk jeho kůže, ale vždycky bylo za pár minut po všem. Koneckonců jí potom poděkoval a dal jí tisíc naira v hotovosti. Už když si dopřávala dlouhou horkou sprchu, měla pocit, jako by se nic nestalo. Byla si ale jistá, že její přátelé jí na očích poznají, že už není panna.

Možná má Lotosový květ pravdu. Možná nebude tak zlé být prostitutkou. Možná to půjde na konci každého dne jednoduše smýt, jako by se vůbec nic nestalo.

Michael Gerrety pohledem zkontroloval své těžké zlaté hodinky značky Rolex. „Tak jo, už budu muset jít. Podíváme se na tebe."

Zakiyyah se zamračila na Mairead. Co tím myslel? Vždyť se na ni právě dívá.

Michaelu Gerretymu to zamračení neuniklo a řekl: „Svlékni se." Rukama naznačil, že si má stáhnout košilku. „Potřebuju tě vidět nahou."

Zakiyyah zaváhala, ale Mairead se na ni povzbudivě podívala. „Do toho, holka, jenom chce vidět, jakou máš postavu, kvůli inzerátu."

Zakiyyah rozpačitě slezla z postele, postavila se před Michaela Gerretyho a podívala se mu do zelených očí. *„Ya zama jarumi,"* říkávala jí matka. „Musíš být vždycky statečná."

Zvedla si košilku a stála před ním nahá. Její velmi tmavé kůži dodávalo sluneční světlo jemný lesk. Měla malá, ale dost pevná prsa a úzký pas, který se v bocích rozšiřoval k pevnému kulatému zadku. Michael Gerrety se jí nedotkl. Podíval se na ni odshora dolů a sevřel rty — vypadalo to, jako by se účetní díval na řadu čísel, ne pasák na jednu ze svých dívek. Po chvíli jí ukazováčkem naznačil, že se má otočit. Poslechla ho.

„Tuhle je za co chytit," poznamenala Mairead ode dveří, zapálila si cigaretu a nosem vydechla dva obláčky kouře.

„Tak jo," řekl Michael Gerrety. „Dessie ti zítra udělá pár snímků a pak už v tom jsi s námi. Můžeš se zase obléct, mladá dámo. Jsi krásná dívka a věřím, že na tebe budeme pyšní."

Jak to může říct? pomyslela si Zakiyyah. *Jak mi může roztrhat jedinou fotku mé matky přímo před obličejem a pak mi říct, že jsem krásná?* Žádný muž ji v životě tolik nezmátl.

„Ještě jedna věc," dodal Michael Gerrety, když se otočil k odchodu. „Popros Mairead, ať ti půjčí svoje holítko, ano? Nebudeme přece inzerovat safari v africké buši, že ne?"

Mairead se chraptivě zasmála. Michael Gerrety se přes rameno podíval na Zakiyyah a posměšně se na ni usmál. Zakiyyah se otřásla a ztěžka usedla na postel s košilkou v klíně. Cítila se prázdná, jako by právě prodala duši ďáblu.

15

Bula-Bulan Yaro si probíjel cestu mezi zákazníky ven z pobočky Burger King na Patrick Street. Okamžitě vytáhl hamburger Whopper, který si právě koupil, a hned se do něj za chůze pustil. Mezi sousty popotahoval a otíral si nos o hřbet ruky.

Mistr Dessie mu dal odpoledne volno a on měl v plánu ho strávit hraním kulečníku v Quay Side Clubu, ale celé ráno stěhoval postele z jednoho domu Michaela Gerretyho do druhého, takže měl takový hlad, že by snědl kočár i s kočím.

Dohnala ho postarší jeptiška v brýlích bez obrouček a zaklepala mu na rameno.

„Zapomněl jste si krabičku, mladý muži," řekla a ukázala na papírovou krabici od jídla, kterou cestou odhodil na chodník.

Bula se otočil a zíral na ni, jako kdyby v životě žádnou jeptišku neviděl. „Já jsem ji nezapomněl, sestro. Jen ji nechci, to je všechno. Vidíte? Jím tenhle burger. V žádném případě nebudu jíst tu krabici, ve který mi ho dali."

„Mohl jste ji ale vyhodit do koše."

„To jsem mohl, to jo. Ale neudělal jsem to. A když vám to dělá takový starosti, proč ji nehodíte do koše vy? Pak budeme mít radost oba."

„Budu se za vás dnes večer modlit," odtušila jeptiška. „Budu se modlit, aby vám Bůh ukázal, jak je hříšné odhazovat odpadky po ulicích tohoto krásného města."

Bula se na ni otočil. „Sestro," řekl, „jestli si myslíte, že je tohle město krásný, nutně potřebujete nový brejle. Tamhle — koukejte, možná to vidíte trochu rozmazaně — je optik."

S tím se otočil a pokračoval v chůzi. Znovu se pořádně zakousl do svého hamburgeru. Nedošel ještě ani ke konci bloku, když se znepokojivě blízko za ním ozval ženský hlas: „Bulo! Jdi první ulicí doprava, Bulo! Slyšíš mě, Bulo? Tamhle zahni vpravo!"

Bula se prudce otočil, ztratil rovnováhu a poskočil si na jedné noze. Ani ne metr za ním stála mladá černoška. Byla oblečená celá v černé, kromě náhrdelníku, který vypadal jako vyrobený z trojúhelníkových kousků slonoviny. Na hlavě měla drdol smotaný z černých kudrnatých loken. Zírala na něj s tak zuřivým pohledem, až ho napadlo, že si z něj někdo vystřelil. Ani nepřestal žvýkat, jen se rozhlédl, ale neviděl žádného ze svých hospodských kumpánů a nikdo z kolemjdoucích si ho nevšímal.

Měl plná ústa, takže se mu podařilo na protest jenom něco zahuhlat a pokrčil rameny. Ale černoška se mu postavila do cesty a prstem ho píchla do hrudníku. „Slyšel jsi mě, Tlusťochu! Tamhletou ulicí, tamhle! A jdi, dokud ti neřeknu!"

Bula polkl a zakašlal, ale než se mu podařilo něco vykoktat, žena se k němu naklonila blíž a řekla tiše, ale zřetelně, se silným nigerijským přízvukem: „Vím, kdo jsi, Bulo, a vím, pro koho děláš. Mám v kapse pistoli a ani na vteřinu nezaváhám a zastřelím tě, klidně i tady, uprostřed ulice."

Bula udělal dva obranné kroky zpátky. Jazykem honil v ústech nespolknuté kousky jídla. Znovu polkl. Přemýšlel nad tím, jak by tahle malá štíhlá žena oblečená jen v džínech, tričku a vestě bez rukávů mohla mít u sebe pistoli. Ale všiml si, že má pravou ruku zabořenou hluboko v kapse.

„Hele," řekl vztekle. „Co kdybych ti řekl, aby ses votočila a mazala pryč?"

Stáli před úzkým ústím ulice Mutton Lane, která vede z Patrick Street na Anglické tržiště, takže se kolem nich ostatní chodci museli protahovat. Bula si nebyl jistý, jestli má tuhle ženu brát vážně, nebo ne. Tohle je určitě vtip. Ale jestli je to vtip, co je na něm pro kohokoli vtipného?

„Jen si s tebou chci promluvit, Bulo, nic víc," řekla žena klidně.

„Odkud víš, jak se jmenuju? Kdo kurva jsi? A vo čem vůbec chceš mluvit?"

„Na to nikdy nepřijdeš, když se teď ode mě necháš zastřelit."

„Ale no tak, přestaň s tím. Vždyť nemáš pistoli."

„To mi řekl i Mânios Dumitrescu. Skoro slovo od slova."

„Mânios? Myslíš Mannyho? Mannyho Idiota? Toho smradlavýho rumunskýho vola?"

„Je mrtvý, Bulo. Nečetl jsi to dneska ráno v novinách? Záhadný muž, kterého našli s uříznutýma rukama a ustřelenou hlavou v Ballyvolane."

Bula se znovu rozhlédl. Částečně pořád čekal, že na něj někdo ušil boudu. Otočil se zpátky k ženě a zeptal se: „To byl Manny? Vážně? Jak to víš? Každopádně — co to má co dělat se mnou?"

„Proč tady nezablokujete celou cestu?" vyhrkl muž, který právě vyvrávoral z hospody v Mutton Lane.

„Jdi se bodnout," opáčil Bula.

„Hele, dávej bacha na to, s kým mluvíš, špekoune," rozvzteklil se opilec.

„Řekl jsem, ať se jdeš bodnout. Jseš hluchej, nebo co?"

Opilec na Bulu namířil prst a nemotorně udělal krok kupředu, ale černoška zvedla levou ruku a podívala se na něj, jako by chtěla říct: *Nedělejte potíže. Copak nevidíte, že jich tady máme už tak dost*? Opilec otevřel ústa, ale potom její gesto pochopil. Zase ústa zavřel a odvrávoral po Patrick Street, jako kdyby balancoval na přívozu na řece Cross.

„Tak jdi, Bulo," řekla mladá žena a kývla směrem k Mutton Lane. Vzápětí kolem nich prošli dva policisté, muž a žena, tak blízko, že se k nim Bula mohl natáhnout a chytit je za rukáv. Nechal je ale projít, aniž by něco udělal. Byl v Irsku nelegálně, a kdyby na imigračním oddělení zjistili, že pracuje pro Michaela Gerretyho bez dokladů a bez zdaněných příjmů, měl by štěstí, kdyby z něj Mistr Dessie jenom vytloukl duši. Bula byl svědkem toho, jak Mistr Dessie potrestal mladého podnikatele z Dublinu, který se pokusil Michaela Gerretyho podvést při uzavírání majetkové smlouvy v Rochestownu. Mladík skončil s oběma nohama zlomenýma a nevratným poškozením mozku.

„Dobře," řekl Bula mladé ženě. „Dám ti pět minut, ale to je maximum, ať už mi chceš říct cokoli. Už tak jsi mi zkazila večeři."

Pokračoval dál po Mutton Lane, šortky s kapsami mu pleskaly kolem nohou a sandály šoural po šedém dlážděném chodníku. Žena ho v těsné blízkosti následovala. Prošel kolem dveří hospody, v níž bylo takové šero, že tam svítily svíčky i přes den, a pak uslyšel hysterický ženský smích, který zněl téměř jako jekot. Protože ulice vedla přímo na místní trh, ucítil čerstvé vepřové a sýr. Než došli ke vstupu na tržiště, mladá žena ho zarazila: „Tady, Bulo! Stůj! Těmihle dveřmi."

Na pravé straně ulice byly oprýskané dveře původně natřené vínovou barvou, se zašlou mosaznou plaketou s nápisem „Čalounictví O'Farrell".

Žena vyjmula z kapsy vesty dva dlouhé klíče a jedním z nich odemkla dveře. Ustoupila o krok zpátky a přikázala: „Do toho, otevři a jdi dál."

Bula se podíval na svůj napůl snědený hamburger. „A co mám jako dělat s tímhle?"

„Sněz to. Nebo to nejez. To je jenom na tobě."

Bula zaváhal a potom upustil hamburger na zem. „Ať už chceš mluvit o čemkoli, ať to kurva stojí za to."

„Hodnocení nechám čistě na tobě, Bulo."

Muž otevřel dveře a překročil práh. Žena ho okamžitě následovala. Cvakla vypínačem a zavřela za sebou dveře. Zářivky se s blikáním rozsvítily a Bula zjistil, že jsou v úzké dílně přeplněné stoly a pohovkami, z nichž většina byla vypolstrovaná jen z části a ven se z nich drala kapoková výplň.

Dílna stála vedle hospody v Mutton Lane jako přístěnek a oni měli nad hlavami šest metrů vysoký strop s krokvemi ověnčenými pavučinami. Podél levé stěny se táhl zaneřáděný ponk, na zdi za ním byly rozvěšeny pilky, dláta, kleště a palice a v rohu stála kotoučová pila. Vzduch byl štiplavý pachem laku a lepidla a Bula při každém nadechnutí cítil, že vdechuje piliny.

„Dobře, tak vo co jde?" dožadoval se vysvětlení. Podíval se na hodinky a řekl: „Máš už jenom čtyři minuty a kousek, ačkoli — abych řekl pravdu — nevím, proč s tebou ztrácím čas."

„Ztrácíš se mnou čas ze dvou dobrých důvodů," řekla žena s ledovým klidem. „Zaprvé proto, že jsi hrozně zvědavý, co ti chci říct. A zadruhé si myslíš, že je přece jen možné, že mám zbraň. A ty nejsi ten typ, který by riskoval, když to není nutné."

Bula přikývl. Popotáhl a otřel si nos. „Tak to máš pravdu. Teda vo tý pistoli každopádně. Proč mi ji neukážeš? Pak bych se třeba vážně začal bát."

Žena vyndala pravou ruku z kapsy a pozvedla malou nerezovou pistoli, kterou vyhrožovala Mâniosi Dumitrescovi. Bula na ni zíral a pak se zasmál.

„Co to kurva je? Stříkací pistole? Tak to mě teda neděsí, ledaže bys ji naplnila chcankama. Padám vocaď! Je mi u prdele, vo čem jsi se mnou chtěla mluvit!"

Žena pistoli otevřela a vyndala černou patronu. „Podívej se! Tohle je kapesní brokovnice. Je nabitá jenom jedním nábojem, Bulo, jak vidíš. Ale jeden náboj bude stačit na to, aby tě zabil nebo velmi těžce ranil."

Zatlačila patronu zpátky do pistole a zaklapla ji. Bula se vzdorovitě ozval: „Ty se tím bavíš, co? To je ta nejpitomější pistole, co jsem kdy viděl. Ne že bych teda takovouhle někdy předtím viděl."

„To mě nepřekvapuje. Je úplně nová. Jmenuje se Heizer. Je vyrobená tak, aby se dala nosit v kapse a nikdo si jí nevšiml, ledaže by se člověka pokusili okrást nebo mu dělali potíže."

„A tímhle jsi zastřelila Mannyho Idiota?"

Žena neodpověděla, ale dál se na Bulu dívala tak upřeně, že musel odvrátit pohled. Bulu nebylo snadné vyděsit. Vyrostl v nábřežní chudinské čtvrti Port Harcourtu v Nigérii a vždycky byl velký a hlasitý a připravený dát ránu komukoli, kdo by ho rozčílil. Nebyla to ženina pistole, co ho tolik rozrušilo. Byl to její pohled, kterým se mu dívala až do duše. Jeho babička provozovala juju a on viděl, jak ukradla lidem duši a udělala jim ze života peklo, aniž by se jich dotkla, jenom pohledem stejně pronikavým, jakým se na něj teď dívala tahle žena.

„Znáš dívku jménem Nwaha?" zeptala se ho žena.

„A jestli jo, tak co?"

„V únoru ji našli utopenou v řece."

„No a co? Tady v Corku z řeky tahají víc lidí než ryb."

„Znal jsi Nwahu?"

„Kdy to bylo? V únoru? Ježíši. Nový holky potkávám skoro denně. Jak po mně můžeš chtít, abych si všechny pamatoval?"

„Nwaha byla moc krásná. Měla na rukou a zápěstích vytetované květiny. Modré a červené. Nwahu by sis zapamatoval, kdybys ji viděl."

Bula pokrčil rameny. „Nevím. Možná si ji pamatuju, možná ne."

„Střelím tě mezi nohy, když budeš předstírat, že si na ni nevzpomínáš. Tak co, povzbudí ti to paměť?"

„Cože?"

„Já vím, že si na ni pamatuješ, Bulo, ale chci to slyšet přímo od tebe. Chci, abys řekl: ‚Ano, pamatuju si na Nwahu, a ano, donutili jsme ji k prostituci, já a muž, kterému se říká Mistr Dessie, a šéf Dessieho, Michael Gerrety.'"

„Ale ne! Na to seru! Něco takovýho vode mě neuslyšíš! Nikdy v životě! To bych si taky mohl vykopat vlastní hrob, lehnout si do něj a zasypat se hlínou!"

„Takže si vybereš, abych tě střelila mezi nohy? Možná ti to pomůže si vzpomenout!"

Namířila malou šedou pistoli přímo na poklopec Bulových plandavých šortek. Bula to nevydržel a krátce vyjekl hysterickým smíchem. Znělo to jako vyděšený bulteriér. Ale hned potom zvedl obě ruce na znamení, že se vzdává.

„Ale no tak, vážně. Opravdu bys mě nestřelila, že ne?"

Žena pozvedla jedno z pečlivě upravených obočí. „Tady nás nikdo neslyší. Ten výrobce nábytku bude dalších pět dní na dovolené. Klidně tě můžu střelit, zamknout tě tady a odejít, a nikdo tě neuslyší. To by byla hrozná smrt."

Bula řekl: „Bod pro tebe. Vyhrálas. Přiznávám to. Znal jsem dívku jménem Nwaha. Přál bych si, aby ne. Všichni jsme si to přáli, byly s ní akorát problémy. Mistr Dessie říkal, že jí musel pořád dávat kila heráku, aby byla zticha, že ho stála víc, než vydělala."

„Měla na rukou vytetované modré a červené květy?"

Bula kývl. „To byla přesně ona. Pak k nám přišli policajti, ukázali nám fotku z márnice a zeptali se, jestli tu holku známe.

Samozřejmě jsme všichni přísahali, že jsme ji v životě neviděli, takže nám nemohli nic dokázat. Ale pak celé dny čmuchali kolem našich domů a Michael Gerrety z toho byl vzteky bez sebe."

Odmlčel se. Doléhal na něho stres. V dílně bylo horko, takže mu po plešaté hlavě stékaly pramínky potu a sotva popadal dech.

„Nenahráváš si to, že ne?" zeptal se.

„Nepotřebuju si to nahrávat," odvětila žena. „Já to policii hlásit nebudu."

„Nebudeš? To je úleva!"

„Ne, Bulo. Nepotřebuju to nikomu hlásit. Já jsem soudce i porota. A jsem také vykonavatel trestu."

„Tak to si myslíš ty. Ale já si myslím, že tvých pět minut uteklo a já už mám těchhle sraček dost."

Bula se naklonil doleva, naznačil pohyb doprava a zničehonic vyrazil kupředu a pokusil se popadnout ženinu pistoli. Přezka jednoho sandálu se mu přitom ale zasekla do záhybu čalounického potahu, který ležel na zemi, a muž klopýtl.

Žena vypálila a ozvala se ohlušující rána. Tři disky a dvanáct broků z brokovnicové patrony se vryly do Bulova nahého kolene ze vzdálenosti menší než třicet centimetrů. Jeho čéška jako by vystřelila z těla a vytrhla mu kus rudé tkáně z holeně a lýtka. Krev pokropila potah kanape hned za ním a Bula na něj dopadl, nejdříve příliš v šoku na to, aby vydal jakýkoli zvuk.

Chytil se područky pohovky a pokusil se vstát. Potom se podíval dolů na své koleno a hystericky se rozkřičel: „Koukej, co jsi mi provedla, kurva! Koukej, co jsi mi provedla, ty zasraná čarodějnice! Ustřelila jsi mi celou zatracenou nohu!"

Žena otevřela pistoli a nehty vylovila prázdnou patronu. Znovu zbraň nabila a až poté se podívala na Bulovo zničené koleno. Dolní část jeho pravé nohy byla v podstatě odtržená, jeho pravé chodidlo bylo otočené dovnitř, jako by měl nohy do X. Jasně červená krev se vsakovala do pohovky a kapala na podlahu. Mezi potrhanými svaly a visícími šlachami se bíle blýskaly kosti.

„Tys mi ustřelila nohu," zopakoval tentokrát tišeji, téměř hloubavě.

„Varovala jsem tě," řekla mu žena. „A přiznal jsi, že jsi zabil Nwahu."

„Co? To jsem nebyl já, kdo ji strčil do tý zasraný řeky! Nikdo z nás! Ona tam skočila sama! A teď mi zavolej sanitku, než tady vykrvácím!"

„Já vím, že tam skočila sama. Byli u toho svědci. Ale proč tam skočila? To mi pověz."

Bula se pokusil rozepnout knoflík na jedné z kapes svých šortek, aby mohl vytáhnout mobil. Jakmile se mu to podařilo a naťukal do něj heslo, žena k němu přistoupila a vytrhla mu ho z ruky. Hodila jej přes celou dílnu, takže zarachotil o protější zeď a zapadl někam za židle.

„Potřebuju sanitku!" zařval na ni Bula. V obličeji už byl bledý jako smrt, jako by byl vymodelovaný z vosku. „Koukni se, kolik ze mě teče krve!"

„Já jsem tě varovala. Nemůžeš říct, že jsem tě nevarovala. Ale tys nevěřil, že tě vážně střelím, že ne? Já nelžu jako ty, Mistr Dessie a všichni ostatní, kdo pracují pro Michaela Gerretyho. A nelžu ani jako samotný Michael Gerrety."

„Koukni, mrzí mě to! Ať už jsem udělal cokoli, fakt mě to mrzí! Jen mi zavolej sanitku. Tohle krvácení nezastavím a bolí to, prokrista! Kurevsky to bolí!"

„Ale ty jsi zaútočil na mě, Bulo. Já jsem tě střelila v sebeobraně. Nikdo mě nebude obviňovat, že jsem tě střelila."

„Koho to zajímá? Zavolej sanitku. Prosím, prosím, zavoláš mi sanitku?"

„A co si myslíš, že říkala Nwaha, když si ji vzali tři muži najednou? Myslíš, že také prosila? Tři muži najednou! A všímal si někdo toho, že prosila?"

Bula mlčel. Pravou rukou si svíral zakrvácené stehno těsně nad rozdrceným kolenem. Levou rukou se snažil chytit roztrženou tepnu mezi palec a ukazováček, ale byla moc kluzká a jemu se nedařilo ji pevně stisknout.

Žena ho několik vteřin pozorovala a potom řekla: „Tak dobře. Já to krvácení zastavím. Ale jenom proto, abys neunikl trestu."

„Kristepane, dělej si, co chceš," hlesl Bula. Víčka se mu chvěla a hrudník se zvedal a klesal, jako by to byly jeho poslední nádechy. Kdyby ho koleno tolik nebolelo, možná by ztratil vědomí. Otupěle sledoval, jak žena přešla k ponku a vrátila se k němu s klubkem sisalového provazu a nůžkami.

Zbraň schovala do kapsy vesty, poklekla a pevně Bulovi svázala protrženou tepnu. Když udělala poslední uzel, měla prsty jasně červené od krve, která už ale z nohy přestala stříkat.

„Jestli si myslíš, že ti za tohle poděkuju, tak to spíš počítej s něčím jiným," zasyčel Bula, když se žena naklonila nad dřezem, aby si opláchla ruce.

„Já o tvoje díky nestojím," řekla a použila ústřižek malinově červeného sametu jako ručník. „Brzy mě za to, že jsem ti zachránila život, budeš proklínat. Brzy se budeš modlit, abych tě zabila a ukončila tak tvoje trápení. Brzy si budeš přát, aby ses býval v té řece utopil ty."

„Stejně potřebuju sanitku. Jestli tu nohu někdo brzo nesešije, přijdu o ni."

„Nejdřív musíš být potrestán za to, co jsi udělal Nwaze a všem ostatním dívkám, kterým jsi tolik ublížil."

„Jo ták, a to, že přijdu vo nohu, jako trest nestačí?"

Žena se na okamžik podívala stranou a nepřítomně si pohrávala s kostmi, mušličkami a rohy, které tvořily její náhrdelník. Potom se otočila k Bulovi a řekla: „Ty mluvíš o trestu? Nwaha zemřela. Ale copak si to něčím zasloužila? Ani se jí nedostalo pořádného pohřbu podle naší víry. Nebyla oblečená do bavlněného rubáše a nezpívala se žádná z našich tradičních písní. Nevím, jestli leží s hlavou na západ, jak by měla po smrti ležet každá žena. Jediné, co vím, je, že byla pohřbena do černé země, a ne červené, protože všechna země v téhle zemi je černá, stejně jako srdce lidí, kteří tu žijí. A nedostalo se jí druhého pohřbu, což znamená, že se její duch vrátí zpátky a bude nás strašit."

„Už jsem ti to říkal," zachroptěl Bula. „Já jsem ji do té řeky nestrčil. Nikdo z nás to neudělal. Skočila tam sama, sama vod sebe." Dvakrát nebo třikrát se sípavě nadechl a pokračoval: „Nemáš u sebe žádný retka, co?"

„Retka? Aha, ty myslíš cigarety. Ne. Kouření není zdravé."

„Možná tomu nebudeš věřit, ale teď zrovna se moc nebojím, že umřu na rakovinu plic. No tak, vždyť se nemůžu ani nadechnout. Myslím, že mám v kapse placatku. Mohla bys mi ji vyndat?"

Žena si ho nevšímala. „Nastal čas, aby sis vybral svůj trest. Dávám ti na výběr, což je daleko víc, než se dostalo Nwaze."

„Díky ti mockrát."

„Můžu tě střelit mezi nohy, jak už jsem řekla dřív."

„Hele, cože? Říkalas, že to neuděláš, když ti řeknu, že jsem znal Nwahu."

„Ne, to jsem neřekla. Řekla jsem, že to udělám, když nepřiznáš, že jsi ji znal. Nikdy jsem neřekla, že to neudělám, když mi to přiznáš."

Bula k ní vzhlédl. „To nemůžeš. Podívej se, cos mi provedla s nohou. Budu do smrti mrzák. A teď ze mě chceš ještě udělat valacha. Co jsi to kurva za sadistku?"

„Řekla jsem ti, kdo jsem. Jsem soudce, porota a vykonavatel trestu. Myslíš, že se mi tohle líbí? Nesnáším být ve stejné zemi jako ty a ta verbež, pro kterou pracuješ, natož být tak blízko, že tě cítím. Ale jak jsem řekla, můžeš si svůj trest vybrat."

„Nikdo by si nevybral ustřelení koulí, že jo," odfrkl si Bula. „Takže co je to další?" Mrkl a na chvíli pevně zavřel oči. „Bože na nebi, ta noha ale bolí. Nemohla bys mi zavolat sanitku? Chcípnu tady bolestí."

„Jsi pravák, nebo levák?"

„Co na tom záleží? Levák, jestli to musíš vědět."

„Takže tě místo střelení mezi nohy nechám, aby sis uřízl svoji pravou ruku."

„Cože?"

„Výběr je na tobě, Bulo. O co radši přijdeš, o mužství, nebo o ruku?"

Bula dlouho seděl na pohovce a zhluboka dýchal, aby se vyrovnal s bolestí v koleni. Žena stála a dívala se na něj. Věděl, že to myslí vážně a nenechá ho jít, dokud ho nepotrestá, ať tak, nebo tak. Ve městě Port Harcourt viděl spoustu členů gangu, kteří byli potrestáni. Takže věděl, že se ho ta žena nesnaží jenom zastrašit. Viděl uříznuté uši, nosy, a dokonce i rty — jedné ženě spadly do klína jako gumička z lahve se zavařeninou.

„Tak co to bude?" zeptala se konečně. „Máš štěstí, že jsem tě vzala sem. Vlastně jsem tě sem vzala z toho důvodu, aby byl pro tebe trest rychlý a snadný."

„Nevím, o čem mluvíš," hlesl Bula.

Žena pistolí ukázala do rohu dílny na modrou stolní pilu. Měla kruhový ocelový kotouč s jemnými zuby pro řezání dubu, mahagonu a jiných tvrdých dřev.

„Mânios takové štěstí neměl. Mânios si musel uříznout ruku obyčejnou pilkou na železo. Ani u toho moc nekřičel, ale já vím, že to nebylo snadné. Ale tobě stačí jenom zmáčknout tlačítko a vzzzt!"

Bula otočil hlavu a zíral na pilu. Potom se obrátil zpátky k ženě a řekl: „Existuje něco, čím bych ti mohl dokázat, že je mi to s tou Nwahou líto? Že kdyby šlo vrátit čas, tak tam pro ni skočím a vytáhnu ji?"

„Ne," řekla žena tvrdě. „Nwaha je mrtvá a tvoje lítost ji zpátky nevrátí. Kdyby nebylo tebe, tak by do té řeky neskočila."

„Mohl bych ti zaplatit," zkusil to Bula. „Sehnal bych aspoň dva tisíce eur. Možná dva tisíce pět set, kdybych prodal tenhle náramek."

Žena se pousmála a zavrtěla hlavou. „Ty mi platíš už teď, Bulo. Tohle je tvoje platba. Tvoje peníze nechci."

„Tak to doufám, že půjdeš do pekla, ty čarodějnice. Doufám, že půjdeš do pekla a tři ďáblové tě tam budou vojíždět na věky věků, amen."

16

Katie se probírala papíry, které měla připraveny na setkání s Michaelem Gerretym a jeho právníky, když jí na dveře zaklepala strážmistryně ó Nuallánová.

„Kyno, pojďte dál. Chvíli už jsem si říkala, že tam budu muset jít bez vás."

Strážmistryně ó Nuallánová na sobě měla volný bílý bavlněný svetr a krátkou šedou sukni. Katie si pomyslela, že je oblečená snad až příliš neformálně na konfrontaci s nejvýznamnějšími corkskými právníky. Katie sama byla oblečená do modro-bílé proužkované košile a tmavě modré sukně po kolena. Ale pak si pomyslela, že Kyna je dost chytrá a dost mladá a nic neodvede pozornost právníka od tématu tak dobře jako krátká sukně.

„Omlouvám se, jestli jdu pozdě," řekla strážmistryně ó Nuallánová. „Detektiv Ryan před minutkou přišel s něčím novým."

S pomocí oddělení pro prevenci zločinu se detektivové Ryan a Dooley poslední dva dny probírali mnohahodinovými záběry z kamerového systému z centra města a soustředili se na dobu, kdy se nejspíš odehrála vražda na Lower Shandon Street.

„Je tam jeden Afričan ve fialovém obleku, který přechází Oliver Plunkett Street. Uhádnete, kam pak šel? Do Amber's... Do sexshopu Michaela Gerretyho."

Katie zaklapla kufřík. „Máte to teď puštěné?"

„Pojďte se podívat sama. Není stoprocentně jisté, že je to on, protože mu není vidět do obličeje, a i kdyby ano, nemáme to s čím srovnat. Ale v Corku nebude tolik Afričanů, kteří nosí fialový oblek."

„Dozvěděli jste se něco v těch tetovacích salonech?"

„Zatím ne, ale na Cook Street je jeden podnik, kam se chci ještě vrátit. Jejich hlavní tatér tam nebyl, když jsem volala, a jeho asistent působil, že ví něco, co mi nechce říct."

Katie se rozhlédla po kanceláři, aby se ujistila, že má na schůzku sbaleno vše potřebné, a potom vyšla za strážmistryní ó Nuallánovou chodbou a po schodech dolů do hlavní místnosti pro ovládání kamerového systému. Detektiv Ryan a jedna mladá policistka seděli ve vysokých křeslech před šestatřiceti obrazovkami, na kterých běžely záznamy z celého města. Seržant Tony Brennan, člen oddělení pro prevenci zločinu, byl v místnosti také, měl na sobě košili s krátkými rukávy, hlasitě usrkával kávu s mlékem a mračil se na to, co vypadalo jako začátek rvačky opilců před hospodou Spailpín Fánac na South Main Street.

Na každé z malých obrazovek tiše projížděla auta sem a tam a chodci se shromažďovali na přechodech. Na jednom z větších monitorů byl obraz zastavený.

„Tady je, komisařko," řekl detektiv Ryan a zvedl se z křesla, aby se Katie mohla posadit a podívat zblízka.

Conor Ryan byl jedním z nejmladších detektivů v Anglesea Street, ale už si vysloužil pověst houževnatého policisty. Vodítka, která staří a zkušenější detektivové opouštěli, protože se jim zdála úplně marná, procházel Ryan znovu a znovu, dokud nenašel důkaz, který hledal, nebo dokud nebyl pevně přesvědčen o tom, že tam žádný důkaz není. Byl oplácaný, měl ohnivě rudé tváře a krátké hnědé vlasy, které mu na týlu stály. Nosil bundy, jež mu vždycky byly trochu těsné. Bylo snadné si ho splést s nováčkem z banky nebo asistentem manažera v papírnictví, ale Katie dávala ve svém týmu přednost lidem, kteří jako detektivové nevypadali.

„Máte jedničku za výdrž, Ryane," řekla a naklonila se blíž k monitoru. Byla na něm část Oliver Plunkett Street směrem na západ od pošty k Robert Morgan Street. Sexshop Amber's s oranžovou markýzou byl na rohu. Z vysokého obrubníku na protější straně sestoupil Afričan ve fialovém obleku a čekal, až kolem něj projede taxi, aby mohl přejít. Na hlavě měl šedý pánský klobouk, který mu z tohoto úhlu zacláněl obličej.

Katie se podívala na čas dole na monitoru: 11:17:14.

Zamžourala na obrazovku z ještě větší blízkosti. „Může to být jenom stín, ale vypadá to, že váš muž má bradku, podobně jako Mawakiya. Pořád to ale není stoprocentní důkaz, že je to ten samý chlapík, i když má fialový oblek."

„Samozřejmě. Zvětšíme to a vyčistíme kvalitu záběru," odpověděl detektiv Ryan. „Jen jsem si myslel, že budete chtít vidět celou sekvenci."

„Ano. Pusťte to."

Přetočil záběr, takže Afričan vyskočil zpátky na obrubník a trhaně přešel zpět až do Cook Street, kde zmizel. Pak Ryan pustil záznam znovu, takže se Afričan opět objevil, znovu čekal na obrubníku a potom přešel Oliver Plunkett Street. Před Amber's ani na chvilku nezaváhal a rovnou vstoupil.

„Řekla bych, že ten podnik zná víc než dobře," prohodila strážmistryně ó Nuallánová. „Většina zákazníků chvíli postává venku, než seberou odvahu tam vejít, a i tak se rozhlédnou po ulici, jestli je nevidí nikdo známý. Ale tenhle chlapík ne, ten vejde rovnou dovnitř, bez zaváhání."

Katie řekla: „Jedenáct sedmnáct. Náš člověk na ulici už měl v tu dobu padla, že?"

„Přesně tak. Většina dívek přinese své příjmy brzy dopoledne, kolem deváté, a krátce potom se objeví Michael Gerrety, jestli se tedy vůbec objeví. Někdy za sebe pošle toho lumpa Dessieho O'Learyho a O'Leary tam zpravidla zůstane déle, ale i ten už je v deset až půl jedenácté pryč."

„Jsem si docela jistá, že tam počítají své nekale nabyté příjmy," poznamenala Katie. „Vsadím se, že peníze nechávají v trezoru v budově. Michael Gerrety by určitě neriskl odejít z domu bez doprovodu s tak velkou hotovostí. Dost pochybuju o tom, že jsme jediní, kdo si na něj posvítil. A kdyby ho nějaký konkurenční pasák okradl — ať už Johnny-G, nebo ten Ambi-bambi, jehož jméno dovede vyslovit jenom Patrick —, jen těžko by to mohl jít ohlásit nám, že?"

„V kolik přesně ten s tím fialovým oblekem odešel z Amber's?" zeptala se strážmistryně ó Nuallánová.

Detektiv Ryan přetočil nahrávku do okamžiku, kdy se pod markýzou objevil černoch ve fialovém obleku. Na monitoru byl časový údaj 11:41:32. Muž zabočil doprava a znovu přešel ulici. Mířil na východ do Winthrop Street — pěší zóny vedoucí do Patrick Street.

„Ten řeznický kluk u Denise Nolana říkal, že viděl černocha ve fialovém obleku kolem poledne, že?" zeptala se strážmistryně ó Nuallánová. „Čas by tedy odpovídal. Pěšky by mu to z Winthrop Street do Lower Shandon Street nemělo trvat víc než deset minut, kdyby tam šel přímo."

„Pokud to tak bylo," poznamenala Katie. „Ale co ta černoška s šálou, co vypadá jako Rihanna? Nemáme žádný důkaz, že za ním šla už odtud, že ne?"

„Zatím jsem ji nikde neviděl," přiznal detektiv Ryan. „Ale máme tu kameru na Mercer Street naproti hlavní poště a ta běží na monitorech vedle, takže jsem ještě neměl čas se na ty záznamy podívat. Doufám, že tam uvidíme, jakým směrem šel ten muž dál, jestli zabočil do Winthrop Street, nebo šel rovně po Oliver Plunkett Street. Nikdy ale nevíte. Možná tam toho najdeme víc."

Katie si povzdychla. „Teď nás ale hodně tlačí čas. Ocenila bych, kdybyste prohlédl ty nahrávky z Mercer Street tak rychle, jak to jen půjde — i kdybychom měli zjistit jenom to, kudy šel. Mohlo by to hodně znamenat. Třeba kdyby šel rovně — kam mohl mít namířeno? Jestli neměl dost času na to, aby se dostal do Lower Shandon Street do poledne, tak se díváme na jiného muže. I když to si neumím představit."

Detektiv Ryan přiblížil obraz černocha ve fialovém obleku a potom ho zase oddálil. „Jak říkáte, komisařko, je to hodně nepravděpodobné. Ale jestli se to samé dopoledne po městě procházeli dva Afričané ve fialovém obleku, zjistím to, i kdybych u toho měl vypustit duši."

Na schůzku v South Mall v kanceláři Moodyho a McCarthyho přišly s desetiminutovým zpožděním. Recepční je zavedla do dubem obloženého konferenčního salonku, kde už seděl Michael Gerrety se svým právníkem, Jamesem Moodym, a kouřil doutník, takže vzduch v místnosti byl modrošedý.

Když Katie a strážmistryně ó Nuallánová vešly, oba muži povstali. Michael Gerrety měl na sobě dokonale padnoucí smetanový oblek s bílým poupětem růže v klopě a jako vždycky vypadal spokojený sám se sebou. James Moody byl velký muž se svažitými rameny. Na černo obarvené vlasy si sčesal z ostře řezaného čela a jeho oči vypadaly jako dva zlomyslní trollové, kteří se schovávají v jeskyních pod obočím. Rty měl rudé a opuchlé a při řeči prskal. Katie se s ním v minulosti při několika příležitostech setkala a znala ho jako prohnaného a nekompromisního právníka, který navíc v Corku patřil k těm nejdražším.

„Co se stalo s inspektorem Fennessym?" zeptal se Michael Gerrety. „Těšil jsem se, že zase zkřížíme meče. Velmi pohotový muž, ten inspektor Fennessy. O co se policie snaží teď? Okouzlit mě, abych se poddal?"

„Aspoň se vás nesnažíme udusit, abyste se poddal," řekla Katie a zamávala rukou v doutníkovém kouři.

„Ach, omlouvám se, komisařko," řekl. Přešel k výsuvnému oknu a otevřel ho, takže všechen kouř se vyvalil ven a bylo slyšet hluk z ulice pod nimi. „Carole mě nenechá kouřit doutníky doma ani v autě, tak nemám moc příležitostí zamořit vzduch."

„Tak to bych neřekla, pane Grerety," ohradila se Katie. Posadila se ke konferenčnímu stolu a otevřela kufřík. „Řekla bych, že zamořujete vzduch pokaždé, když se nadechnete."

„No tak, paní komisařko," vložil se do toho James Moody. „Udržujme to v přátelském duchu, ano? Uvědomuji si, že dnes od tohoto stolu nemůžeme odejít jako přátelé, alespoň bychom však měli vyjasnit všechny nesrovnalosti."

„Je jen jediný způsob, jak od tohoto stolu odejít s tím, že máme vyjasněné všechny nesrovnalosti: Pan Gerrety bude souhlasit, že u soudu nepopře všechna obvinění, která jsme proti němu vznesli, přistoupí na dohodu s Odborem pro výnosy z trestné činnosti a odevzdá všechny zisky, které jemu a jeho ženě vyplynuly z prostituce."

Michael Gerrety se zeširoka usmál, ale nic neřekl. James Moody pozvedl jedno obočí a prohlásil: „No tedy, a to je všechno?" Byl přitom patrný jeho sarkastický podtón.

„Vlastně ne úplně," dodala Katie. „Musí také okamžitě přestat provozovat svoje webové stránky, *Fantastické dívky z Cor-*

ku, a zavázat se, že už nikdy nebude inzerovat ženskou ani mužskou prostituci. Musí také zavřít všechny svoje podniky, které jsou v provozu za účelem prostituce, a spolupracovat se zodpovědnými úřady a neziskovými organizacemi na rehabilitaci všech dotčených žen — nebo i na jejich repatriaci, jsou-li v Irsku nelegálně."

„Už jste dostala odpověď od nejvyšší státní zástupkyně?" zeptal se James Moody, od rtů mu odletěla kapka slin a rozprskla se na naleštěném mahagonovém stole. „Tím chci říct — vy jste opravdu všechna obvinění předali nejvyšší státní zástupkyni, spolu s veškerými důkazy, které máte?"

„Samozřejmě, inspektor Fennessy a já jsme je s ní probírali osobně. Vím, že je to nezvyklé, ale nejvyšší státní zástupkyně je velmi citlivá na politické komplikace, které z tohoto procesu jistě povstanou, nehledě na to, kolika lidem by to mohlo poškodit reputaci."

Zelené oči Michaela Gerretyho se rozšířily pobavením. „Tím myslíte některé významné radní, kteří by raději nebyli přímo jmenováni u soudu?"

„Přesně tak, o to jde také," přiznala Katie. „Nebudu předstírat, že to tak není. Ale nejvyšší státní zástupkyně má dva záměry. Jedním je ušetřit ty dívky ponížení z toho, že by musely veřejně přiznat, čím se živí. Není totiž pochyb, že to bude v médiích hlavní zprávou po celé týdny. A za druhé chce ušetřit daňovým poplatníkům výlohy za proces, k němuž budou povoláni soudní znalci a který bude pravděpodobně velmi složitý a ostře sledovaný."

„Ale přesně to je potřeba, ostře sledovaný proces," přerušil ji James Moody a při slově „přesně" mu od rtů vylétla sprška slin. „Můj klient se na to těší. Poprvé bude mít možnost vyjádřit veřejně své názory na ochranu sexuálních pracovníků a prezentovat svoji kampaň za rozsvícení zelené lucerny. Domnívá se, že on sám posunul vývoj feminismu v Irsku o celá desetiletí. Dal zletilým sexuálním pracovnicím možnost prodávat své služby slušně, hygienicky a v bezpečném prostředí."

„Opravdu se chceme vracet do období prostituce v ulicích?" dodal Michael Gerrety se svým samolibým úsměvem. „Opravdu se chceme vracet do dob, kdy to ženy provozovaly v postranních uličkách, v moči páchnoucích autobusových zastávkách, bez kondomů, které by je chránily před kdejakou chorobou, a bez někoho, kdo by je ochránil, kdyby je klient napadl?"

Katie otevřela aktovku a vytáhla tlusté zelené desky na dokumenty. „Nepředstírejte, že jste nějaký světec, pane Gerrety. Máme důkazy z první ruky, že ta vaše takzvaná ochrana je ve skutečnosti vykořisťování — víme, že ženy zdrogujete, vydíráte je a hrozíte jim fyzickými tresty, když odmítnou dělat, co po nich požadujete."

Michael Gerrety se obrátil na Jamese Moodyho. Ruce měl přitom otočené dlaněmi od sebe, jako by dával najevo, že o podobných obviněních nikdy neslyšel a je úplně nevinný. Katie však pokračovala: „Na webu *Fantastické dívky z Corku* stojí, že se jedná o stránky zaměřené na seznamování, zprostředkování společnic a masérských služeb, ale člověk by musel žít někde uprostřed pralesa, aby nevěděl, co se za tím schovává.

Máme také důkazy, že ilegálně obchodujete s dívkami z východní Evropy a západní Afriky, zabavíte jim doklady, pokud nějaké mají, abyste jim zabránil v útěku. Máme důkazy, že nabízíte dívky jiným pasákům, obzvláště starší ženy nebo ty, které považujete za méně atraktivní. Vy obchodujete s dobytkem, pane Gerrety, to je to, co děláte. Vy a vaše zelená lucerna! Je to obchod s dobytkem a vy jste licitátor. Jediná zelená věc na tom všem jsou peníze, které vám z toho proudí do kapsy."

„Můj klient se ostře ohrazuje proti tomu, aby byl dáván do jednoho pytle s ‚jinými pasáky‘," vložil se do toho James Moody.

„Omlouvám se," řekla Katie. „Problém je v tom, že neznám jiné slovo, kterým bych označila muže žijícího ze zisků z prostituce. Že by kuplíř?"

James Moody neodpověděl. Vytáhl kapesník a otřel si ústa. Pak pokračoval: „Samozřejmě víme o těch vašich takzvaných svědectvích proti mému mandantovi, vzhledem k tomu, že byla uvedena v devětatřiceti obviněních, která proti němu policie z nějakého důvodu vznesla. Můj klient je ale přesvědčen, že ve veřejném a politickém zájmu je podpořit jeho kampaň *Rozsviťme lucernu zeleně* a že nastal čas, aby se irské zákony přizpůsobily době. Kromě toho nevidí důvod, proč by inzeráty na dámskou společnost, které zveřejňuje na svých stránkách, měly být v jakémkoli rozporu s trestním zákoníkem z roku 1994. Pokud s nimi jejich klienti mají sexuální styk, je to jen těžko jeho zodpovědnost, nemyslíte?

Určitě víte, že kanadský nejvyšší soud jednohlasně odvolal veškeré zákony namířené proti prostituci, včetně provozování veřejných domů, příjmů z prostituce, a dokonce i sexuálních služeb na ulicích. Udělali to proto, že sexuální pracovníci požadovali bezpečnější podmínky. Něco podobného se musí odehrát i tady, a to v nepříliš vzdálené budoucnosti. Možná se tento případ stane katalyzátorem podobných rozhodnutí i u nás."

Michael Gerrety vstal a znovu poodešel k oknu. Když z něj vyhlédl ven na ulici, připomněl Katie scénu z filmu *Třetí muž*, kdy Orson Welles shlíží z obřího ruského kola ve Vídni na lidi dole na ulicích a řekne: *„Opravdu byste litoval, kdyby se jedna z těch teček navždy přestala pohybovat?"*

173

„Plně rozumím tomu, že vaší povinností je prosazovat zákony, komisařko," řekl, aniž se na ni otočil. „Ale technologický pokrok jako internet, ale i naše měnící se morální postoje prokázaly, že některé zákony jsou již zastaralé.

Jsme k sobě milejší, tolerantnější. Máme daleko více pochopení pro to, že nás všechny ovládají touhy, a to jak duševní, tak fyzické. Už je to více než deset let, co není homosexuální styk zakázaný zákonem. Určitě nastal čas, abychom se smířili s tím, že každý má od boha dány touhy, které je potřeba uspokojit, ale ne všichni máme partnera, se kterým bychom tak mohli činit.

Jestliže je muž ochotný platit za sex s ženou a ta žena je ochotna se mu prodat, kde je problém? K jediné újmě dochází proto, že je podobná činnost nelegální, a musí se tedy vykonávat tajně. Žena tak není chráněna před sexuálně přenosnými chorobami, nechtěnému těhotenství ani příležitostnému násilí. Navíc dochází k tomu, že sexuální pracovníci jsou bezohledně vykořisťováni těmi nejohavnějšími zástupci nejnižší společenské vrstvy, takže se zaplétají do odporné kriminality, jako je prodej drog a otroctví. Sex by měl být přirozená a zdravá forma obchodu, o nic méně zdravá a přirozená, než je, řekněme, pohostinství. Restaurace uspokojují hlad za peníze. Jaký je rozdíl mezi tím, když prodáte vepřovou kotletu a když prodáte sex?"

„Jste velmi výřečný, pane Gerrety," poznamenala Katie. „Má tohle být závěrečná řeč, kterou jste si připravil na svoji obhajobu?"

„Kolik žen z vašich webových stránek je závislých na tvrdých drogách?" zeptala se strážmistryně ó Nuallánová svým bezbarvým hlasem, který jí vysloužil přezdívku strážmistryně Polygrafová.

„Na to neodpovídejte, Michaeli," upozornil okamžitě James Moody, aniž vzhlédl od svých poznámek.

„Kolik žen z vašich webových stránek jsou ilegální imigrantky?" nedala se strážmistryně ó Nuallánová.

James Moody zavrtěl hlavou a Michael Gerrety neřekl nic, jen se dál usmíval.

„A kolika z těchto nelegálních imigrantek jste zabavil doklady?"

„Můj klient odmítá odpovědět," řekl James Moody.

„A kolik z nich vám dluží peníze, nebo si myslí, že vám je dluží?"

„Můj mandant na to opět odmítá odpovědět a já důrazně protestuji proti takovému způsobu pokládání otázek. Můj klient není za tyto ženy zodpovědný a nemůžete ho činit zodpovědným ani za to, jaké by mohly mít závislosti nebo status jako občanky jiného státu. Domníval jsem se, že jsme se tu dnes sešli, abychom se dobrali nějaké širší shody o těch devětatřiceti nesmírně chatrných obviněních."

Katie se na advokáta přísně podívala. „To ano, proto tu jsme. Bude-li váš klient souhlasit se všemi podmínkami, které jsem vyjmenovala na začátku naší debaty, jsem připravena jít za nejvyšší státní zástupkyní a říct jí, že všechna obvinění stáhneme. Tedy pokud pan Gerrety našim požadavkům vyhoví a zaváže se k jejich dodržování v budoucnosti."

„Žádáte příliš, komisařko," řekl James Moody. „Vy v zásadě očekáváte, že můj klient se bez jakéhokoli procesu přizná ke spáchání zločinu a odevzdá podstatnou část svého majetku Odboru pro výnosy z trestné činnosti. Také po něm chcete, aby zastavil kampaň za lidská práva, v niž bezmezně věří."

Michael Gerrety se posadil a zkřížil ruce na prsou. „Budu s vámi bojovat, věřte mi. Ne za sebe, ale za všechny ty ženy, které na mě spoléhají. Spoléhají, že pro ně prosadím bezpečnější pracovní podmínky. Já se chovám k sexuálním pracovnicím jako ke královské rodině. Budu s vámi bojovat. A dobře mě poslouchejte — já vyhraju, protože já vyhrávám vždycky."

Katie uložila zelené desky zpátky do aktovky, zapnula ji a vstala. „Pak tedy nemám, co bych vám dál řekla, pánové. Nejvyšší státní zástupkyně se s vámi v řádném termínu spojí, tím jsem si jistá."

Když jim James Moody otvíral dveře, zastavila se a řekla: „Pane Gerrety, je tu jedna věc, o kterou jsem vás chtěla požádat."

„Předpokládám, že schůzka to není," usmál se Michael Gerrety.

„To rozhodně ne. Máte mě za masochistku? Chtěla jsem se vás zeptat na toho vašeho afrického přítele — toho, který nosí fialový oblek. Kdy jste ho naposledy viděl?"

Michael Gerrety se nepřestal usmívat, ale Katie neuniklo, že se z jeho výrazu vytratilo veškeré veselí. „Nemám tušení, o čem to mluvíte."

„Tak si s tím nedělejte hlavu. Říká se, že kamera nelže, že ano? V tomto případě však možná šilhala. Uvidíme se u soudu."

„Jaká kamera? *Jaká* kamera?" vyhrkl Michael Gerrety, ale Katie už vyšla z místnosti, aniž by mu odpověděla nebo se na něj otočila.

Do kanceláře Jamese Moodyho je odvezl detektiv O'Donovan, ale zpátky se Katie rozhodla jít pěšky, protože odpoledne bylo slunečné a jasné a ona se potřebovala uklidnit. Michaelu Gerretymu se vždycky podařilo vyvést ji z míry. Také chtěla napsat Johnovi, že dnes by domů neměla přijet pozdě a že pro oba koupila v Marks & Spencer dušené jehněčí. Masové kuličky na mexický způsob dal John zmrazit.

Když šly po South Mall, řekla strážmistryně ó Nuallánová: „Dnes ráno jsem si pročítala složku Michaela Gerretyho."

„Opravdu?" opáčila Katie a dál psala na svém iPhonu.

„Téměř všechna svědectví proti němu pocházejí od žen, které pracují v jeho nevěstincích nebo spoléhají na jeho webové stránky. Není divu, že je tak suverénní."

Katie zakončila zprávu pro Johna symbolem :-* a opět vsunula telefon do kapsy. „Samozřejmě máte pravdu. Právě proto jsme zahájili operaci Šutr. Gerrety je se svou úlisností schopen přesvědčit porotu, že má na srdci pouze nejlepší zájmy těch žen. A jak říkáte, máme spoustu svědectví, ale většina je od žen, které jsou na něm tak či onak závislé."

„A nemohli jsme s obviněním počkat, až budeme mít víc materiálu?"

„No, já to tak chtěla. Ale Dermot O'Driscoll byl rozhodnutý ho obvinit, jakmile budeme mít výpovědi svědků. Touží poslat Gerretyho do chládku už celé roky, jako by šlo o svatou válku. Možná měl podezření, že s ním něco není v pořádku, a chtěl Gerretyho usvědčit, než bude muset z postu odejít."

„Myslím, že nebude snadné dosáhnout takového rozsudku s tím, co dosud máme," řekla strážmistryně ó Nuallánová. „Některá prohlášení o zneužívání drog a bití jsou jednoznačná, ale teď když jsem Gerretyho viděla... Ježíši. Je to pěkný hajzl, co?"

„To teda pořádný," přitakala Katie. „Možná vypadá jako úplný svatoušek, ale nebude váhat a pošle ty své šmejdy, aby vyhrožovali všem ženám, které proti němu promluvily. Ne — my potřebujeme víc hmotných důkazů, to chápe i Dermot. Potřebujeme lékařské zprávy o tom, kolik z jeho žen je závislých na drogách a kolika z nich pravidelně platí. Také potřebujeme nezávislé svědky, kteří nám řeknou, kolik z těch žen donutil k prostituci. Musíme si být jistí počtem nelegálních imigrantek, které měl ohlásit na imigračním. Kolik z nich ani nemluví anglicky? Kolik z nich má pasy nebo občanky a kolika doklady sebrali? Vsadím se s vámi, že v rámci operace Šutr najdeme jejich doklady v Gerretyho sejfu v Amber's — nebo možná dokonce i v sejfu Jamese Moodyho. To by mi vážně udělalo radost!"

Přešly přes most a Katie do tváře foukal teplý jihovýchodní vítr. Dvacet nebo třicet racků pištělo a kroužilo nad něčím, co plulo v řece. Strážmistryně ó Nuallánová se na chvíli zarazila a zaclonila si oči, aby viděla, o co se jedná.

„Žádný strach," řekla, když zachytila Katiin pohled. „Je to jen mrtvý pes."

17

„K tomu mě nedonutíš. Na to nemáš nervy," řekl Bula.

Žena pokrčila rameny na znamení, že si Bula může myslet, co chce, že jí na tom nezáleží. „To zpočátku říkal také Mânios Dumitrescu. Ale přesvědčila jsem ho o opaku. Za chvíli si už odřezával zápěstí, jako by byla zima a on si potřeboval nachystat dřevo na otop."

„Mě o ničem nepřesvědčíš, ty čarodějnice."

„Ty mi nevěříš, že tě opravdu střelím mezi nohy?"

Bula si pohrdlivě odfrkl a zavrtěl hlavou. Už jenom mumlal. Tu a tam škytl a každou chvíli sebou trhl bolestí, ale pohledem stále klouzal ke dveřím do dílny. Vymýšlel plán, jak ženu srazit k zemi, sebrat jí pistoli a na jedné noze doskákat ke dveřím. Mohl by se přidržovat opěradel židlí namísto berlí. U vzdálenějšího konce pohovky, na níž seděl, ležela mahagonová noha od stolu a počítal, že by se po ní mohl vrhnout, rozmáchnout se s ní a praštit ženu po hlavě, což by ji snad omráčilo. Možná by se mu ji podařilo i zabít. Ve škole vzal jednou spolužáka po hlavě cihlou a viděl, jak mu z hlavy vystříkl mozek. Dokonce si pamatoval jeho jméno, Abayomi. Chlapec přežil, ale nikdy už nebyl jako dřív. Už nikdy nepřestal slintat.

„Tak co... Uděláš to?" zeptala se ho. „Můžeš zůstat, kde jsi, jestli tě ta noha hodně bolí. Můžu tu pilu přesunout k tobě, abys na ni snadno dosáhl."

„Ty si vážně myslíš, že jsem tak pitomej, abych si uříz' vlastní ruku?"

„Jak jsem řekla, Bulo, rozhodnutí je na tobě. Ale svému tres-tu neutečeš."

Bula si pomyslel: *Pětkrát se nadechnu a pak skočím pro tu nohu od stolu. Popadnu ji za užší konec a rozmáchnu se s ní, abych tu ženskou trefil z boku do hlavy tím tlustým koncem — a bum! Teď u mě stojí blíž, takže bych ji mohl zasáhnout do tváře nebo obočí. Možná bych jí tím i vyrazil oko.*

Tři, čtyři, vydrž, pět.

Bula se odvalil na stranu a popadl nohu od stolu. Zvedl ji, ale přitom zjistil, že se její silnější konec zachytil o vedle stojící židli. Podařilo se mu ji vykroutit, ale žena udělala krok zpátky, a když se zvedl z pohovky a máchl po ní, minul. Zraněná noha se mu podlomila a on ztěžka dopadl na podlahu.

Ležel na boku, sípavě funěl, ale stále svíral nohu od stolu v ruce. Žena se postavila nad něj a přikázala: „Pusť to."

„Přísahám, že tě zabiju," supěl Bula, ačkoli zíral na podlahu. „Přísahám bohu, že tě kurevsky zřídím!"

„Řekla jsem, abys to pustil," zopakovala.

Zahekal bolestí a pokusil se o nohu stolu opřít, aby se mohl zvednout. Žena mu bez váhání přišlápla zápěstí botou s vysokým podpatkem. Se slyšitelným zakřupáním šlach se mu rozevřely prsty, takže se jí podařilo odkopnout nohu od stolu z jeho dosahu. Pokusil se ženě chňapnout po kotníku, zatřást s ním a potom ji uhodit, ale byl tak zeslábý, že se mu nepodařilo ani setřást její nohu z ruky.

„Jsi blázen, Bulo," řekla. „Jsi krutý a hloupý a ani nevíš, jak odčinit, co jsi způsobil. Myslel sis, bůhvíjaký jsi šéf, když jsi zneužíval Nwahu a všechny ty dívky. Choval ses k nim hůř než ke zvířatům. Vím o tobě všechno. Ale podívej se na sebe teď. Nejsi dost chlap ani na to, aby sis vybral svůj trest, i když víš, že si ho zasloužíš."

„Seš mrtvá," zamumlal Bula a přitom mu z koutku úst vytékal pramínek slin. „Slibuju ti to. Seš kurva mrtvá."

Žena se sklonila, botu stále nechávala na jeho zápěstí, přitiskla hlaveň malé šedé pistole k Bulově dlani a vystřelila.

Jeho jekot zněl žensky. Z ruky se mu odtrhla tkáň a spolu s krví se rozprskla do tvaru vějíře. Z prostředních dvou prstů zůstaly jen bílé pahýly kostí. Žena zvedla botu z jeho zápěstí a o pár kroků ustoupila. Bula zůstal ležet a šokovaně zíral na svou zničenou ruku.

Žena si zamyšleně olízla rty. Oči měla stále přivřené a nebyly na ní patrny žádné emoce. Podívala se směrem ke dveřím dílny, jako by se ujišťovala, že žádní chodci z Mutton Lane neslyšeli výstřel. Potom si znovu nabila pistoli a zastrčila ji do kapsy vesty.

„Zdá se, že ses rozhodl," oznámila Bulovi. „Ta ruka bude muset pryč. Takže máš svým způsobem štěstí. Lepší přijít o ruku než o svůj *azzakari*."

Strčila ruce pod jeho potem zbrocená podpaží a zvedla ho. Byl veliký, ale žena měla značnou sílu a on se ani nesnažil vzdorovat. Jakmile se jí podařilo vytáhnout ho polovinou hýždí zpátky na zakrvácenou pohovku, dokonce narovnal pravou nohu, aby bylo snazší ho zvednout do sedu.

Seděl na gauči a vypadal spíš jako obrovská ropucha než jako lidská bytost, navzdory havajské košili a šortkám s kapsami. Obličej měl šedý a leskl se mu potem, takže vypadal skoro stříbrný. Bulvy se mu valily z důlků, ústa měl zkroucená a místo mluvení podivně skřehotal, takže mu žena sotva rozuměla. Oči se mu každou chvíli protáčely a hlava klesala a pak se s trhnutím zase napřimovala, ale vědomí neztratil. Bolest v koleni a ruce byla příliš velká.

Žena přešla do rohu dílny a přitáhla kotoučovou pilu. Postavila ji přímo před Bulu. Chytila ho za ruce a položila je na stůl. Dlouhý kabel visící od stroje strčila do zásuvky ve zdi. Sejmula plastový kryt čepele a třikrát pilu krátce spustila. Kruhový kotouč se s vysokým zapištěním roztočil. Bula mezitím seděl otupěle na pohovce, zíral na svou zničenou ruku a tu a tam sebou škubl.

„Tak, Bulo!" ozvala se žena konečně. „Slyšíš mě?"

Bula se na ni podíval a přikývl.

„Rozumíš tomu, co máš teď udělat? Teď si uřízneš ruku."

Bula znovu přikývl.

„Já ti tu cirkulárku zapnu. Ty už budeš muset jenom dotlačit zápěstí k čepeli. Udělej to pomalu, jinak se ti kosti zachytí o zuby pily, ruka ti odlétne zpátky a bouchne tě do obličeje."

„Ta ruka je odepsaná, ať už s ní udělám cokoli, viď?" řekl Bula otupěle, ale věcně.

„Ano," přitakala žena. „I kdybys šel do nemocnice, žádný doktor ti ji nezachrání. Jen se na ni podívej. Sotva tam zbylo něco, co by šlo zachránit."

„Když si ji uříznu, přestane to tak strašně bolet? Mělo by."

„Budeš to muset vyzkoušet, abys to zjistil."

„Ty jsi pěkně zkurvená čarodějnice, víš to? Jsi jako nejhorší noční můra."

„Můžeš mi říkat, jak chceš."

„Ale nestřelíš mě do koulí."

„Slibuju."

„Přísaháš na bibli?"

„Přísahám."

„Proč se mi to děje?" zeptal se jí.

„Týral jsi Nwahu. Bohové ti nemohou zapomenout, co jsi jí udělal. A já taky ne. Jsem *Rama Mala'ika*."

„Ty že jsi anděl? Anděl čeho? Ty kurva nejsi žádnej anděl. Řek' jsem ti to. Ty jsi *mayya*. Čarodějnice."

„Nemám ti víc co říct, Bulo. Přišel čas tvého trestu."

Spustila ruku a zapnula pilu. Vysoký kvílivý zvuk přehlušil Bulovu odpověď. Možná ji proklínal, možná se modlil. Když se jeho rty přestaly pohybovat, zůstal na točící se stříbrný kotouč zírat téměř deset vteřin. Jazykem bloudil v žabích ústech, jako by se snažil najít zbytky hamburgeru.

Potom s velkým váháním položil pravé předloktí na kovovou desku stolu. Loket přitiskl k vodicí liště na kraji. Popadl předloktí levou rukou a pomalu ho posouval k čepeli. Jeho rozdrcená ruka už jako ruka vůbec nevypadala, spíše jako holub, kterého přejelo auto.

Žena o tři čtyři kroky ustoupila a poprvé od chvíle, kdy Bulu zajala a přivedla do této dílny, trochu zaklonila hlavu, oči se jí rozšířily a rty rozevřely. Tajila dech, ale toho si Bula nevšiml. Soustředil se na pomalé posunování zápěstí směrem ke kotouči pily, která zpívala vysokým hlasem kovovou píseň o frekvenci vyšší než tři kilohertzy.

Ozval se zvuk, jako by mixér drtil zvadlou zeleninu. Bulova ruka odlétla ze stolu a dopadla na zem. Bula se překotil na pohovku a mával pahýlem pravé ruky, ze kterého stříkala krev.

Žena udělala pár kroků zpátky k pile a rychle ji vypnula. Bylo už slyšet jenom šoupání nohou chodců po Mutton Lane, tlumené zvuky houslí z hospody a Bulovo sebelítostivé kňučení.

„Podívej se, cos mi udělala!" skučel. „Jen se podívej, cos mi kurva udělala." Byl celý od krve. I na obličeji měl spršku drobných kapiček. Držel před sebou pravou ruku, která vypadala jako krvavá fontána.

„Ne, Bula-Bulane Yaro," řekla žena. Její hlas byl najednou napjatý, jako by ji sledování toho, jak si odřízl ruku, vzrušilo. „Jen se podívej, co sis udělal sám."

18

Jakmile se Katie vrátila do kanceláře, zaklepali na její dveře detektivové Horgan a Ryan.

„Kdo první?" zeptala se a upustila Gerretyho složku na pracovní stůl. „Ryane, mohl byste mi přinést lehkou kolu, prosím? Jsem úplně vyprahlá. Vy si dejte kávu nebo cokoli budete chtít."

„Žádný problém," řekl detektiv Ryan.

Detektiv Horgan začal: „Ten chlapík na Ballyhooly Road — zúžili jsme jeho identifikaci na tři možnosti a myslím, že vím, kdo to je. Nebo tedy byl, než mu ustřelili hlavu."

„Dobře. Už se vám ozval doktor O'Brien?"

„Volal asi před dvaceti minutami a říkal, že se za vámi později zastaví, před pátou, jestli to stihne. Dokončil pitvu toho černocha, kromě DNA testů. Ty budou ještě pár dnů trvat. Začal i s tím bělochem. Je si jistý, že nám řekne, kdo ty oběti jsou. Tedy jejich národnost. Totožnost nám nepoví."

„Ale co se týče toho bělocha, vy si myslíte, že víte, kdo to je?"

„Podíval jsem se na jeho tetování. Ty lebky v hvězdách, to je tetování z rumunského vězení. Znamená to něco jako ,Nezahrávej si se mnou, jinak ti hvězdy předpoví smrť. V této chvíli jsou v Corku nezvěstní pouze tři rumunští pasáci. Slyšel jsem, že Cornel Petrescu je pravděpodobně v Limericku, nabízí tam nějaké svoje holky po klubech. Takže nám zůstává jenom Radu Vasilescu a Mânios Dumitrescu. Ledaže by tu byl nějaký jiný rumunský pasák, o kterém nevíme."

„A vám se nedaří sehnat ani jednoho?"

„Ne tam, kde obvykle bývají. Vasilescu je skoro pořád v The Ovens a Dumitrescu tráví odpoledne ve Zbytečném čase. Barman v The Ovens si myslí, že se Vasilescu vrátil do Rumunska, ale přísahat na to nemůže. Volal jsem k Dumitrescovým do Grawnu, ale nikdo nebyl doma. Sousedi říkali, že za posledních dvacet čtyři hodin nikoho z rodiny neviděli. A taky jsou za to vděční, to můžu říct. Ta žena odvedle na ně byla alergická, obzvlášť na Mâniose."

Katie téměř řekla nahlas: *Bože, dej, ať je to Dumitrescu!* Ale na poslední chvíli se ovládla. Jestli to je Dumitrescu, bude mít malá Corina daleko větší šanci zůstat u nových pěstounů a Katie nebude muset obvinit a zatknout jednoho z nejodpornějších a nejsadističtějších obchodníků s bílým masem v Corku.

Detektiv Ryan se vrátil s lahví lehké koly a redbullem pro sebe. „Potřebuju kofein," vysvětlil a otevřel plechovku. „Prošel jsem už čtrnáct a tři čtvrtě hodiny kamerových záznamů. Ježíši, to by uspalo i uspávače hadů."

„Ale vypadá to, že jste dosáhl nějakého výsledku," zajímala se Katie a kývla na plastové desky na svém stole.

„To ano, rozhodně. Chtěla jste vědět, kudy šel ten chlápek ve fialovém obleku, když opustil Amber's, a jestli za ním šla nějaká mladá černoška."

Otevřel složku, vytáhl víc než tucet velkých fotografií a zamával jimi před Katie.

„Těchhle prvních pět fotek je z kamery na Mercer Street. Vidíte — tady je ten chlapík ve fialovém obleku, jak zahýbá do Winthrop Street, což je trasa, kudy by šel, kdyby mířil na Lower Shandon Street. A koukněte, jakmile mine vchod do Long Valley, tak vyjde tahle mladá černoška a vydá se za ním, jen v pětimetrovém odstupu. Je celá v černém s černou šálou kolem hlavy, přesně jak ji popsal ten kluk z řeznictví."

Katie zvedla fotografie a zblízka si je prohlížela. Žena na sobě měla černé triko, černou vestu bez rukávů, černé džíny a vysoké kožené černé boty pod kolena. Několik kudrlin se jí vydralo zpod černé šály jako kořínky nějaké exotické rostliny. Katie tipovala, že měří zhruba sto šedesát pět centimetrů. Byla velmi štíhlá, nemohla vážit víc než pětapadesát kilogramů.

Detektiv Ryan vedle vyložil dalších sedm fotografií. „Tyhle byly pořízeny kamerou nahoře na obchodě A-Wear na Patrick Street naproti Debenham's. Jsou nejpodrobnější a je na nich vidět obličej té ženy. Také potvrzují, že toho muže ve fialovém obleku skutečně sleduje, nejde za ním jen náhodou — protože koukněte, tady on přejde ulici a ona jde hned za ním. Když se ten chlap dostane na protější chodník, na chvíli zaváhá a něco hledá v kapsách, třeba se ujišťuje, že si nezapomněl peněženku nebo klíče. Ona se zastaví několik metrů za ním a čeká, až bude pokračovat."

„Je opravdu hezká," poznamenala Katie.

„Myslím, že je nádherná," řekl detektiv Horgan a naklonil se k fotografiím přes stůl. „Jenom se modlím, aby nebyla pachatel, protože bych si s ní nemohl domluvit rande."

Katie se musela usmát. „To je problém téhle práce. Někteří z těch největších padouchů jsou atraktivní. Přiznávám, že Michael Gerrety vypadá dobře a je okouzlující. Úplný svatoušek. Ale když pomyslím na to, co má na svědomí a jak se chová k ženám, naskakuje mi z něj husí kůže."

Detektiv Ryan jí podal další dvě fotografie. „Tady je pár dalších fotek, které byly zaznamenány z AIB banky na severním břehu řeky na rohu Bridge Street. Nejsou moc kvalitní, ale vidíte na nich toho chlapíka ve fialovém obleku, jak přechází přes most a zahýbá doleva do Camden Place. Ta žena jde nedaleko za ním."

Katie otevřela šuplík ve stole a vytáhla velkou lupu. Podržela ji nad jedním z obrázků mladé ženy procházející kolem vitrín obchodního domu Debenham's. Měla na krku velice nápadný náhrdelník s korálky, trojúhelníkovými bílými útvary a něčím, co vypadalo jako zvířecí drápy.

„Co si o tom myslíte?" zeptala se a postrčila obrázek k detektivu Ryanovi a Horganovi, aby se také podívali.

„Tohle jsou lastury, ty kónické tvary," řekl detektiv Ryan. „*Conus betulinus*." Zarděl se ještě víc než obvykle a dodal: „Dřív jsem choval exotické ryby. Teda než mi všechny pošly na bakteriální rozpad ploutví."

„Hádal bych, že ten náhrdelník bude z Afriky," poznamenal detektiv Horgan. „V Irsku neseženete moc zvířat s tak velkými drápy."

„Souhlasím s vámi," přikývla Katie. Nikdy si nebyla úplně jistá, zda kolega mluví vážně, nebo ne. „Ale Afrika je docela široký pojem a já bych ráda věděla, z jaké konkrétní části Afriky to je a jestli to má nějaký zvláštní význam. Víte, co myslím, kmenový nebo náboženský. Na těch dvou vraždách je něco rituálního. Uříznuté ruce, znetvořené obličeje. Doktor O'Brien si myslí, že pachatel oběti nejen trestá, ale zároveň se tím i snaží něco říct."

„Ale to, že je naše podezřelá černoška a nosí africký náhrdelník, nemusí nutně znamenat, že jsou ty vraždy nějakým způsobem etnické," oponoval detektiv Ryan. „První oběť mohla být z Afriky, ale jestli má Horgan pravdu, druhou obětí je Rumun."

„Samozřejmě," řekla Katie. „Nedělám žádné závěry. Dokud nebudeme mít víc důkazů, neříkám s jistotou, že pachatel je žena afrického původu. Ale ukážu tyhle fotky těm dvěma Afričankám z Cois Tine, které poslal otec Dominic, aby si popovídaly s mladou Isabelle. Jedna je Nigerijka, druhá Somálka.

Možná budou vědět, jestli má ten náhrdelník nějaký zvláštní význam. Kdo ví, třeba by tu ženu mohly i poznat."

Znovu se pohodlně usadila a vrátila se k prohlížení fotografií.

„Dobrá práce, Ryane. Začínám mít pocit, že se opravdu někam dostáváme." Zvedla ze stolu jeden obrázek a řekla: „Tohle je nejlepší fotka jejího obličeje, neřekli byste? Vyčistěte ji, jak to půjde, a pošleme ji dnes všem jednotkám. Kolik je hodin? Promluvím si s tiskovým oddělením. Mohli bychom to dostat do zpráv v šest."

Otočila se na detektiva Horgana a řekla „I vy jste odvedl dobrou práci. Jestli se ukáže, že je to opravdu Mânios Dumitrescu, máte u mě v Suas sklenici šampaňského na oslavu. Vlastně vám koupím celou lahev."

19

Zatelefonovala otci Dominicovi do Cois Tine, ale jeho sekretářka jí sdělila, že už z kanceláře odešel a vrátí se až ráno. Poté se pokusila dovolat doktoru O'Brienovi, aby zjistila, kdy má v plánu dorazit do Anglesea Street, ale měl vypnutý telefon. Pomyslela si, že by toho pro dnešek mohla nechat a jít domů. Před odchodem se ale rozhodla podívat za inspektorem Fennessym a zeptat se, jaký udělal pokrok s drogovým případem v Ringaskiddy.

Inspektor seděl v košili za stolem a kolem něj se kupily složky a papíry. Vlasy mu stály, takže vypadal jako James Joyce vystresovaný po další zničující kritice *Plaček nad Finneganem*.

„Jak to vypadá, Liame?"

„Myslím, že se tomu dostávám na kloub. Tři z pěti už přiznali, že jsou v tom zapojení, ale celníci a protidrogové udávají odlišné množství drog. V tuhle chvíli mi to nesedí o kilo. Buď za tím stojí někdo, kdo neumí obsluhovat váhu, nebo se něco náhodou ‚ztratilo'."

„Dejte mi vědět, jestli se vám to nepodaří dopočítat, aby to vycházelo. Nechci přiznat soudci, že nevíme, kam zmizel heroin za sto tisíc eur."

Inspektor Fennessy si sundal brýle a unaveně si promnul kořen nosu. „Nebojte se... Já to najdu, ať už se to podělo kamkoli. Jenom doufám, že je v tom pouze neschopnost, ne korupce."

„Jak to jde s Caitlin?" zeptala se Katie.

Fennessy si zase nasadil brýle, ale nepodíval se na ni. „Máme teď jeden od druhého takovou trochu přestávku."

„Ach, to mě mrzí. Na jak dlouho?"

„To ještě nevím. Asi dokud se nerozhodne, jestli mi může odpustit, nebo už mě nechce ani vidět."

„Mluvil jste s psychiatričkou? Pomohla vám nějak?"

„Ano i ne. Řekla mi, že rozhodně nejsem bipolární. Skoro si přeju, abych byl. Na to můžete brát léky. Tvrdí, že si veškerý pracovní stres vybíjím na Caitlin, ačkoli ji miluju. Nebo možná je to proto, že ji miluju. Prý očekávám, že pochopí, jak se cítím, a začnu být naštvaný a frustrovaný, když to tak nedopadne. Já nevím..."

„No... Hodně štěstí," popřála mu Katie.

Fennessy odhodil přes stůl jednu složku a otevřel další. „Děkuju," řekl. Katie chvíli stála a dívala se na něj. Chtěla by vědět, co říct, aby ho to utěšilo. Nebo aby si aspoň nemyslel, že je celý jeho život jenom stres a zklamání. Její život byl ale také takový. Stres a zklamání byly součástí popisu jejich práce, spolu s nudou, strachem a nevděkem.

Procházela zrovna kolem recepce na parkoviště, když dovnitř vtrhl doktor O'Brien, rozcuchaný a zadýchaný, s velkým vybledlým plátěným batohem přes rameno.

„Jsem moc rád, že jsem vás zastihl," vyhrkl. „Vždycky si zapomenu nabít telefon. Mohla byste mi prosím půjčit dvacet eur na taxi? Zasekl jsem se na celý den v nemocnici a nestihl jsem si zajít do bankomatu."

Katie otevřela tašku a podala mu dvě desetieurové bankovky. Vyběhl ven a o pár vteřin později se vrátil. Vypadal ještě nervózněji než předtím.

„Moc se za to omlouvám. Omlouvám se. Chcete ty drobné?"

„Vrátíte mi to, až si zajdete do bankomatu. Tak co máte? Bude to na dlouho?" Podívala se na hodinky. „Víte, pro dnešek už jsem tak nějak skončila."

„Ach jistě, omlouvám se, že jdu o něco později. Musel jsem čekat na výsledky krevních testů. Pokusím se to shrnout rychle. Ale myslím, že vás bude zajímat, co jsem zatím zjistil."

„Dobře. Pojďme do bufetu. Vypadáte, že se potřebujete napít."

Vešli do bufetu a posadili se k oknu. Venku bylo slunečno a dole na parkovišti umýval nějaký mladý mechanik v bílém tričku a džínech hlídkovací toyotu. Doktor O'Brien se vysoukal z popruhů plátěného batohu a objednal si ledový čaj.

„Vy si nic nedáte?" zeptal se Katie, ale ona myslela jen na to, jak tohle co nejrychleji vyřídit a odjet domů. Věděla, jak důležité výsledky někdy pitvy přinesou. Klidně jí můžou odpovědět na všechny otázky. Navzdory tomu se cítila vyčerpaná, unavená a napjatá. Jediné, co měla teď chuť udělat, bylo jet domů, vzít Barneyho na procházku a potom před televizí odpočívat s Johnem. Někdy tiše souhlasila se všemi těmi šovinistickými důstojníky, podle kterých nejsou ženy na policejní práci stavěné.

Doktor O'Brien otevřel batoh a vytáhl z něj fotografie, rentgenové snímky a svazek neuspořádaných poznámek.

Nejprve po stole rozprostřel zvětšeniny odříznutého levého zápěstí Afričana, kterého našli na Lower Shandon Street, jménem Mawakiya, Zpěvák.

„Všimněte si, že toto byla velice neumělá amputace. Na kůži je několik odřenin z váhavých řezů. Vypadá to, že člověk, který to dělal, byl buď nezkušený, nebo se mu do toho nechtělo. Nebo obojí."

„Jste schopný říct, jakým nástrojem to bylo provedeno?"

„Ale ano. Když se podíváte na tyto velice jemné vroubky na okraji kosti vřetenní a loketní, uvidíte, že řez byl prováděn téměř jistě malou ruční pilkou na železo. Prvních několik řezů bylo opravdu váhavých, sotva se dostaly skrze kůži, a zdá se, jako by ten, kdo řezal, nevěděl přesně, kde jsou kosti. Přeřízl všechny vazy a poslední tři nebo čtyři řezy byly velmi energické, jako by ten člověk nabyl jistoty — ale je také možné, že chtěl amputaci co nejrychleji dokončit."

„Říkáte ,on'. Vy si nemyslíte, že to udělala žena?"

„Ne, nemyslím. Není to stoprocentní, ale soudě podle úhlu a váhavých řezů bych řekl, že si oběť uřízla ruku sama."

„Panenko Maria. Myslíte to vážně?"

„Vypadá to tak podle způsobu, jak byla ruka oddělena. Řezalo se zleva doprava, v ostrém úhlu, téměř čtyřicet pět stupňů. Nevylučuji možnost, že mu tu ruku upiloval někdo jiný, ale bylo by to opravdu neohrabané, řezat v takovém úhlu. Někdo jiný by to zřejmě vzal kolmo přes zápěstí. Také by se daly čekat nějaké modřiny na předloktí, protože by bylo nutné ruku pevně držet, nebo otlaky na místech, kde byla oběť svázaná, aby se nebránila, ale ne — tady není vůbec žádná stopa."

Doktor O'Brien usrkl ze sklenice ledového čaje a sledoval, jak si Katie zblízka prohlíží fotografie. Jednu z nich položila na stůl, přiložila na ni vlastní zápěstí a tupou stranou příborového nože naznačila řezání. Musela s doktorem souhlasit: Bylo pravděpodobné, že si Mawakiya odřízl ruku sám.

„Mohlo by to tak být," připustila. „Ale proč by si to proboha dělal? A navíc měl amputované obě ruce. Tu druhou už si uříznout nemohl."

Doktor O'Brien se chvilku přehraboval ve svém plátěném batohu a potom vytáhl další fotografie, tentokrát Mawakiyova pravého předloktí.

„Ano, jakmile přišel o levou ruku, ať už ji uřízl kdokoli, nemohl si uříznout i tu druhou. Možná ani nebyl při vědomí. Ale provedení amputace jeho pravé ruky jen potvrzuje moje podezření, že si levou ruku uřízl sám. Podívejte se tady — pravé zápěstí bylo přeříznuto v pravém úhlu, přímo zleva doprava. Náš muž by nic takového udělat nemohl, i kdyby si amputoval pravou ruku jako první, tedy dřív než tu levou. Musel by stát sám vedle sebe, jestli mi rozumíte. Nejsou tady žádné stopy váhání a ten, kdo řezal, se dostal přes vazy a sotva se dotkl kosti vřetenní a loketní nebo karpálních kůstek. Z toho vyplývá, že věděl, co dělá. Neřekl bych, že to byl chirurg, ale určitě někdo, kdo už předtím ruku uřízl, nebo to alespoň viděl dělat někoho jiného."

„Jsou na pravém předloktí nějaké modřiny?"

Doktor O'Brien zavrtěl hlavou. „Jak říkám, mohl být v bezvědomí poté, co přišel o levou ruku. Šok, ztráta krve."

„Možná ho pachatel předtím střelil do hlavy."

„Ze zprávy techniků to nevyplývá. Levá strana matrace byla nasáklá krví, což znamená velké krvácení poté, co byla ruka odříznuta. Jeho srdce stále bilo."

Katie se narovnala. Mladý mechanik dole na parkovišti skončil s mytím auta. Než vypnul vodu, obrátil hadici proti sobě, umyl si obličej a promáčel bílé tričko. Vzhlédl nahoru a Katie rychle odvrátila pohled.

„Detektiv Horgan tvrdil, že máte nějaké poznatky o národnostech našich obětí."

„Ano," řekl doktor. „Především jsou oba potetovaní. Ten Afričan má na těle rozsáhlá tetování, od genitálií až k hrudní kosti, ale vzhledem k barvám a složení inkoustu bych řekl, že si ho pořídil spíše v Evropě než ve své rodné zemi. Možná si to dokonce nechal udělat tady v Irsku. Detektiv Horgan mi řekl, že už identifikoval tetování na ramenou druhé oběti, ale u našeho afrického přítele to bude komplikovanější, protože taková se moc nevídají."

„Přesto si ale myslíte, že víte, odkud pochází?"

„Ach ano. Kromě jiného měl v žaludku velké množství částečně stráveného jídla. Cassava fufu."

„Aha. A co přesně je cassava fufu?"

„Většinou se vaří v Nigérii. Fufu je typické nigerijské jídlo. Smícháte tapiokovou mouku s teplou vodou a vymodelujete z toho malou kuličku. Tu potom namočíte do polévky nebo omáčky a spolknete ji celou. Nežvýká se. Také se vyrábí z jamů, zelených banánů a semoliny. Dalo by se říct, že je to africká varianta bramborové kaše."

„To ale jednoznačně nedokazuje, že naše oběť je Nigerijec," namítla Katie. „Kdybych si těsně před smrtí dala u Zlatých hůlek čou mein, nedokazovalo by to, že jsem Číňan."

„To je pravda," připustil doktor O'Brien. „Navíc moc Číňanů s vaší barvou vlasů nenajdete, že? Nebo s tak zelenýma očima. Ani s pihami."

Katie to zaskočilo, ale než ji napadlo, co má odpovědět, doktor O'Brien pokračoval:

„Obsah žaludku je jen částí celkového obrazu. Nejvíce nám odhalily různé krevní testy. Ten muž užíval heroin a před smrtí kouřil marihuanu. Navíc jsem zjistil zvýšené hodnoty tříslovin, saponinů, alkaloidů, flavonoidů, srdečních glykosidů a sterolů."

„To mi říká asi tolik jako cassava fufu."

„Mně to říká, že to byl pravidelný uživatel agbo jedi-jedi. Je to bylinný lék, který je velice oblíbený v Lagosu. Je velmi hořký, po pravdě chutná odporně. Ale kromě jiného má léčit hemoroidy a zlepšovat erekci. Ve skutečnosti někdy způsobuje takovou erekci, že uživatel musí jít k doktorovi a nechat si z penisu upustit trochu krve. Je to něco jako nigerijská viagra."

Doktor O'Brien listoval papíry, dokud nenašel zprávu, kterou hledal. „Když se bere ve větším množství dlouhodobě, způsobuje poškození ledvin a jater, což pitva prokázala."

„Přesto to ale není stoprocentní důkaz, že to byl Nigerijec, nebo ano?"

„Ne, není. Ale zrekonstruoval jsem jeho obličej, jak to jen šlo. Chcete to vidět?"

„Do toho. Ještě jsem nejedla."

Doktor O'Brien podal Katie fotografii mrtvého Afričana s rekonstruovanými rysy. Velmi pečlivě sešil všechny kousky kůže a poskládal je na průhlednou plastovou masku. Výsledkem byla hrbolatá skládačka Afričanova obličeje. Neměl oči a nosní dírky byly groteskně velké. Polovina horního rtu chyběla, takže to vypadalo, jako když se ušklíbá.

„Obávám se, že lépe to nešlo," řekl patolog. „Měl tak rozmašírovanou lebku, že nejde s jistotou říci, jak opravdu vypadal."

„Tenhle obrázek tedy určitě nemůžeme poskytnout médiím," poznamenala Katie. „Ještě by z toho měl někdo noční můry. Pošlu kopii policejní kreslířce, Maureen Quinnové, a uvidíme, co z toho dostane. Co se týče rekonstrukce obličejů z fotografií po pitvě, je Maureen výborná. Jedna mladá žena se tři dny máčela v řece a byla nafouklá jako balon, ale Maureen z ní na obrázku udělala krasavici, na kterou se na ulici hvízdá."

„Ach tak. Ale podívejte se tady a tady!" přerušil ji doktor O'Brien vítězoslavně. „Tohle je nejdůležitější věc, kterou nám rekonstrukce ukázala. Zjizvení na tvářích oběti. To jsou kmenové značky, které mu udělali, když byl ještě dítě. Nejpravděpodobněji jde o kmen Joruba ze severozápadní Nigérie. Dneska už to moc nedělají, jen na vesnicích, ale v místech, kde se náš přítel narodil, to musel být přijímaný zvyk. Kněžka udělá tyhle řezy rituálním nožem a dřevěným uhlím zastaví krvácení. Nigerijec, bezpochyby."

„Bod pro vás," kývla Katie uznale. „Neměl tedy jenom nigerijskou přezdívku. Nyní můžeme myslím s jistotou říct, že Mawakiya byl Nigerijec. To nám opravdu moc pomůže, protože můžeme zúžit pátrání na nigerijskou komunitu a zapomenout na Somálce a Ghaňany a ty ostatní. V Corku žije méně než sedm set Nigerijců — alespoň jeden z nich ho musí poznat. Jakmile budeme znát jeho totožnost, mnohem snáz zjistíme, kdo na něj měl takovou pifku, aby ho donutil uříznout si vlastní ruku a vystřelil mu mozek z hlavy."

„Ještě jsem nedokončil všechny krevní testy toho Rumuna," řekl doktor O'Brien. „Opět si jsem ale téměř naprosto jistý, že se jedná o Rumuna — nejen kvůli jeho tetování. Největší nápověda jsou jeho zuby. Měl rozdrcenou čelist, ale začal jsem skládat jeho zuby zase dohromady a zjistil jsem, že měl šest implantátů, všechny velmi kvalitní. Bezpochyby byly udělané v Rumunsku. Glazura je téměř jistě rumunská a zubní ordinace v Bukurešti jsou jedny z nejlepších na světě — kvalitou srovnatelné s americkými, jenom mnohem levnější. Ve Velké Británii nebo ve Státech by šest takových implantátů stálo aspoň dvacet tisíc eur. V Rumunsku zhruba třetinu, takže tam by si je mohl dovolit i propuštěný trestanec. Samozřejmě v tuto chvíli jen teoretizuji, ale byl bych opravdu překvapený, kdyby se ukázalo, že to není Rumun."

„Dobře," řekla Katie. „Možná předbíhám, ale poptám se také mezi Rumuny. Ohromně jste nám pomohl, doktore. Hned zavolám naší kreslířce a uvidíme, jestli by do rána zvládla vytvořit nějaký Mawakiyův portrét. Myslím, že jsme pokročili i v identifikaci našeho pachatele. Máme záběry z kamer, na kterých

Afričana ve fialovém obleku sleduje černoška, a nahrávka pochází z toho rána, kdy byl zavražděn. Měli by je ukázat ve zprávách v šest a zítra budou v novinách."

„To je povzbuzující," řekl doktor O'Brien a uložil fotografie i papíry zpátky do tašky. Potom stydlivě dodal: „Nemusíte mi říkat doktore, víte? Nikdo mi tak neříká. Ani obávaný doktor Reidy. Jmenuju se Ailbe."

„Ailbe. Svatý patron rybářů."

„Přesně tak. Táta mi to jméno vybral, protože byl vášnivý rybář. Já ale ne. Rybaření mi vždycky připadalo strašně nudné, a když už jsem nějakou rybu chytil, bylo mi jí líto. Vždyť si představte, jaké by to bylo, kdybyste se jen tak procházela a hleděla si svého a najednou by z nebe přiletěl obrovský hák, zachytil vás za ústa a vytáhl do vzduchu."

„To si radši ani představovat nechci," odvětila Katie.

„No jo, já jsem už takový," poznamenal doktor O'Brien. „Asi je to tou prací. Často se dívám na lidi na pitevním stole a snažím se představit si, čím si museli před smrtí projít. Ta bolest, víte? A ta otázka: *Proč já?* Měl bych si držet větší odstup, ale lidská bytost je koneckonců lidská bytost."

Katie sebrala fotografii Mawakiyova rekonstruovaného obličeje. „Můžu si ji nechat? Stejně mi ji ale pošlete i elektronicky. A také obrázek jeho předloktí."

„Samozřejmě."

„Takže zítra se uslyšíme. Teď musím kontaktovat Maureen Quinnovou a informovat tiskové oddělení." Na chvíli se odmlčela a pak řekla: „Děkuju, Ailbe. Jste dobrý."

20

Domů dorazila až o půl desáté. Nepršelo, ale byla mlha a kolem rozsvícených pouličních lamp se vytvářely světelné kruhy připomínající svatozáře nebo chmýří pampelišek.

Když vešla dovnitř, přiběhl jí naproti Barney, ale John ne. Našla ho v obývacím pokoji před televizí, jak sleduje večerní zprávy. Na konferenčním stolku vedle něj byla vínová složka s dokumenty a napůl prázdná sklenice whisky.

„Tak už jsi konečně zpátky," řekl, aniž by k ní vzhlédl nebo vstal z křesla.

Přišla k němu a dala mu pusu na čelo, ale on ji nepolíbil. „Poslala jsem ti zprávu," řekla. „Už jsem odcházela ze stanice, ale přišel doktor O'Brien s pitevními zprávami o těch dvou obětech vraždy."

„Ti chlapi jsou mrtví. Nemohli počkat do zítra?"

„Podívej — mrzí mě, že jdu tak pozdě, ale nemohlo to počkat. Někde tam venku se toulá mladá žena, která znetvořuje lidi a pak jim střílí hlavy, a já ji musím najít, než to udělá někomu dalšímu."

„Pokud se to chystá někomu dalšímu udělat. To nevíš jistě."

„Nemůžu riskovat. Vypadá to, že k těm dvěma obětem chovala velkou zášť, a je možné, že ji rozčílil ještě někdo další. Ti dva ale neměli nic společného — nebyli dokonce ani stejné rasy. Jde jí o něco jiného."

„Teď jsem ve zprávách viděl její fotku," řekl John. „Na mě nepůsobí jako pomstychtivý typ. Vlastně, nerad to říkám, ale je docela kus."

Zvedl k ní ruku. „Poslouchej, Katie, nechci být nedůtklivý, ale myslím jenom na tebe. V poslední době jsi v práci pořád. Myslím taky na nás. Poslední dobou se sotva vidíme. Vstáváš v šest a nevracíš se domů dřív než v devět nebo v deset. Už jsem skoro zapomněl, jak vypadáš."

„Ty taky začneš v pondělí pracovat," připomněla mu Katie.

„A to je jeden z důvodů, proč jsem doufal, že se vrátíš brzo. Načrtnul jsem si plány online marketingu pro ErinChem a rád bych, abys na ně mrkla a řekla mi, co si o tom myslíš."

„Podívám se na to, slibuju. Jen mě nech se převléknout a trochu se vzpamatovat. Už byl Barney venku?"

„Ano, vyvenčil jsem ho asi před hodinou. A ano, udělal, co měl."

„A co ty? Nemáš hlad?"

„Měl jsem, ale teď už ani ne."

„Koupila jsem dušené jehněčí, můžu ti to ohřát."

„Ne, to ne. Jehněčí už je na mě moc. Mohli bychom si dát třeba jenom pizzu nebo sendvič."

Katie odešla do pokoje, kterému stále říkala dětský, a zamkla revolver v horním šuplíku komody. Poté se vydala do hlavní ložnice, kde se svlékla, a odešla se vysprchovat. Když se znovu objevila, zabalená ve svém růžovém županu, John na ni čekal usazený na posteli.

„Promiň, zapomněl jsem ti to říct. Asi před hodinou volala tvoje sestra Moirin."

„Moirin? A co chtěla?" Moirin byla o pět let mladší než Katie, pátá ze sedmičlenné rodiny, kde se narodilo pět dcer. Byla malá a pohledná, ale nenapravitelně panovačná. Žila v pobřežním městečku Youghal, padesát kilometrů východně od Corku, s realitním makléřem jménem Kevin, který neustále vypadal posmutněle a velice špatně hrál golf. Katie a Moirin spolu nikdy nevycházely dobře a od minulých Vánoc se neviděly.

„Zůstává na pár dní u tvého otce, spolu se Siobhan. Chtěla vědět, jestli bychom tam v neděli mohli přijít na oběd. Tvůj táta nám prý chce říct něco důležitého."

„Ježíši, doufám, že Moirin nebude vařit. Vaří fakt příšerně. Proč mi nezavolala na stanici?"

„Já jí to navrhoval, ale prý tě nechce vyrušovat, když děláš na důležitých věcech."

Katie zavrtěla hlavou. „Moirin se nezměnila. Neustále sarkastická."

„Potřebovala bys klidný den volna. Nemusíme tam chodit."

„Ale měli bychom. Co nám chce táta tak důležitého? Řekla k tomu něco?"

„Ne."

„Ty ses jí nezeptal?"

„Nejsem detektiv. A koneckonců je to tvoje rodina."

„Ježíši, klidně ses jí mohl zeptat."

„Na mně si to nevylívej. Nechce se ti tam o nic víc než mně."

„Jde o Moirin, to je všechno. Nemám na ni náladu."

„No tak tam nechoď."

„Musím."

John vstal z postele. „Vážně by se mi líbilo, kdyby ses aspoň jednou v životě přestala cítit zodpovědná za všechny kolem."

„Tobě vadí, že jsem ti sehnala tu práci. O tom tohle všechno je, co?"

„Nevadí mi to. Jistěže mi to nevadí. Je to skvělá práce a znamená to, že tady s tebou můžu zůstat. Ale jsem chlap jako každý jiný. Potřebuju si věci zařizovat sám. Nemám rád pocit, že se se mnou manipuluje."

„Já jsem ti sehnala práci, protože tě miluju, ne proto, že bych tebou chtěla manipulovat!"

„Tak proč si sakra připadám jak nějaká loutka?"

Katie stála před ním a nevěřícně se na něj dívala, unavená a v šoku. Zvedl obě ruce na znamení, že se omlouvá a že něco takového nechtěl říct, ale ve skutečnosti jeho gesta připomínala právě loutku.

„Potřebuju se napít," řekla Katie.

„Omlouvám se," řekl John. „Ne, neomlouvám. Proč se pořád musím omlouvat?"

Katie odešla do obývacího pokoje a nalila si velkého panáka Smirnoff Black Label. Lokla si a otřásla se. John vešel do pokoje za ní a zastavil se za jejími zády. Položil jí ruku na rameno, ona se k němu ale neotočila. „Jsem v pořádku," řekla. „Jsem teď trochu vyřízená, to je všechno. Pročtu si tvoje plány později, slibuju."

Posadila se. Barney k ní přiběhl a položil jí hlavu do klína. Zatahala ho za uši. John zůstal stát a kousal se do rtu.

„Co kdybys zapnul troubu?" navrhla Katie po chvíli. „Myslím, že nám ani jednomu neuškodí, když si dáme něco k jídlu."

„Jasně," řekl John.

„Ale není to rozkaz," doplnila. „Nechci, aby sis myslel, že tady tahám za drátky."

John se nadechl, jako by chtěl něco poznamenat, nakonec se ale otočil a beze slova odešel do kuchyně.

„Na dvě stě!" zavolala za ním.

Později večer, když Katie usnula, se John natáhl přes postel a vytáhl jí svou složku s dokumenty z podpaží. Dočetla ji až na stranu tři k nadpisu Jak získat podporu profesionálů pro léky nabízené online.

21

Než další ráno vyrazila z domova, zavolala otci Dominicovi do Cois Tine. Obloha se zbarvila do tmavě šedé a silně pršelo. John stál v kuchyni s miskou müsli a zíral na kapky stékající po okenních tabulích.

„Jsem moc rád, že jste zavolala, Katie," řekl otec Dominic. „Faith Adeyemiová a Amal Galaidová včera zašly do nemocnice. Faith je Nigerijka a Amal Somálka. Brzy zjistily, že vaše dívka Isabelle je Nigerijka."

„To je pro začátek dobré."

„Faith se za ní znovu staví dnes asi v deset hodin, než půjde do práce. Faith se vám bude líbit. Také byla sexuální pracovnicí, ale pomohli jí lidé z organizace Ruhama, bůh jim žehnej za to, co dělají, a ona jim teď pomáhá zachraňovat před prostitucí další ženy. Řekla mi, že včera s Isabelle nedosáhla velkého pokroku, ale podařilo se jí získat si dívčinu důvěru. Říkala, že ta dívka je velmi vystrašená, ale nebojí se jen fyzického trestu."

„A čeho se ještě bojí?"

„Zjevně je velmi pověrčivá. Faith vám o tom řekne víc. Můžu ji požádat, aby se dnes odpoledne zastavila na policejní stanici, až skončí v Dunne's. Přes obědy pracuje v kavárně."

„Ne — kolik je hodin? Můžu se s ní sejít v nemocnici, jestli tam bude kolem desáté. Stejně bych znovu ráda viděla tu dívku. Má Faith mobilní telefon?"

„Zavolám jí, Katie, pokud chcete, a řeknu, že se stavíte."

John dojedl müsli a misku odložil do myčky. „Máš nějakou představu, kdy dneska přijdeš domů? Nebo se to nedá říct? Chtěl jsem tě vzít na večeři, i kdyby to bylo jenom do Gilbert's."

Katie k němu přistoupila, dala mu ruce kolem pasu a podívala se mu do očí. „Nezlob se na mě. Přijedu domů, jakmile to půjde. Zavolám ti. A přísahám na bibli svatou, že ty tvoje plány dneska dočtu."

John ji políbil a přejel jí rukou po měděných vlasech. „Mrzí mě to o té loutce. My Meagherové jsme vždycky byli nedůtkliví. Vlastně to mám po mámě. Myslela si, že ji chce každý využít — včetně boha."

Už přestávalo pršet, když Katie dorazila do nemocnice. Vešla do Isabellina pokoje, do nějž už se oknem prodíraly sluneční paprsky. Isabelle byla v posteli a vedle ní seděla na židli statná Afričanka v pestrých červeno-oranžových šatech. Na hlavě se jí skvěla červená hedvábná šála smotaná do vysokého a složitého turbanu a v uších se houpaly obrovské kruhové náušnice. Měla široký, příjemný obličej a mezi předními zuby mezeru.

Když Katie vešla, vstala žena ze židle a podala jí ruku.

„Dobrý den, jmenuju se Faith," řekla. „Vy musíte být Katie. Otec Dominic mi volal, že se zastavíte. Omlouvám se, vím, že vaše hodnost je komisařka, ale otec Dominic mi řekl, že vám nebude vadit, když vám budu říkat křestním jménem."

„Katie je v pořádku, Faith, s tím si nedělejte hlavu. Jak se dneska ráno máš, Isabelle? Vypadáš mnohem lépe."

Isabelle se usmála a Faith řekla: „Je jí daleko líp. Teď už ví, že je v bezpečí. Už víš, že jsi v bezpečí, že jo, Lolade?"

„Tak se jmenuješ? Lolade?" zeptala se Katie. „Tak to bych ti měla přestat říkat Isabelle."

Dívka se usmála ještě víc a promluvila: „Řekla jsem Faith, že vy moc milá paní."

„Chvilku to trvalo, ale Lolade už se nebojí mluvit o tom, co se jí stalo, že ne, Lolade? Dneska ráno už mi hodně vyprávěla," řekla Faith.

„Otec Dominic říkal něco o pověrách," začala Katie.

„To je pravda. Lolade věřila tomu, že je prokletá. Odvezli ji z rodné vesnice blízko města Ibadan v jihozápadní Nigérii. Bylo to asi před osmi měsíci, jestli si to pamatuje správně."

„Jak ji odvezli?"

„Teta jí řekla, že jí najde práci uklízečky v jedné bohaté rodině v Lagosu a že bude moci posílat domů každý měsíc peníze. Ale její teta se podílí na obchodování s lidmi, takže dívku místo toho poslali sem. Je pravděpodobné, že dostala falešné doklady. V Nigérii je spousta úředníků, kteří vám za určitou sumu vystaví falešné cestovní doklady."

„Panenko Maria. Pokaždé je to stejné. Člověka by to rozplakalo."

„Je to ještě horší. Než ji sem poslali, teta ji vzala ke kněžce juju. Ta provedla speciální obřad, ustřihla Lolade nehty a vlasy a zabalila je. Varovala ji, že jestli se pokusí utéct nebo někomu řekne, že ji nutí k prostituci, zasáhne ji blesk a celá její rodina onemocní."

Katie kývla. „O tom mi nedávno říkali na imigračním. Prý je u obchodníků s lidmi časté, že si pojišťují, aby se dívky nesnažily utéct. Ale není to o moc divnější, než když si my katolíci myslíme, že naše duše zemřou, budeme-li mít styk s kozou, podvádět při pokeru nebo spácháme nějaký jiný smrtelný hřích. Tak proto se mnou ta ubohá dívka nechtěla mluvit."

„Přesně tak," řekla Faith. Natáhla se přes postel a chytila Lolade za ruku. „Řekla jsem jí, že mě taky hrozila kněžka juju, než mě poslali do Irska. Dva roky mě nutili pracovat v nevěstinci na Pope's Quay a můžu vám říct, že to bylo peklo. Věznili mě tam, neměla jsem s kým mluvit. Připadala jsem si k ničemu, bez významu, byla jsem bezmocná a ztratila jsem naději. Měla jsem pocit, že musím dělat, co mi moji věznitelé říkali, protože jsem měla hrozný strach, tak jako Lolade. Kněžka juju mě varovala, že na místě shořím, seschne mi kůže a můj otec, matka a všechny sestry a bratři se najednou udusí.

Z nevěstince mě vysvobodila organizace Ruhama a nigerijská sestra z Cois Tine mi vysvětlila, že kletba juju mě nepostihne. Nakonec jsem policii řekla všechno, *všechno*. A neshořela jsem. Otci Dominicovi se podařilo kontaktovat moji rodinu skrze římskokatolickou diecézi v Oyo a nikomu z nich se nic nestalo, i když jsem promluvila.“

„A jak to dopadlo s vašimi vězniteli?“

„Některé zatkli a myslím, že jednoho z nich deportovali. Samozřejmě nikdo nebyl potrestán přiměřeně tomu, co všechno mi provedli, ale snažím se na to nemyslet. Nejdůležitější je, že mám zpátky svůj život a svobodu a zase v sebe jako v člověka věřím.“

Katie se otočila k Lolade a řekla: „Slyšíš to, beruško? Odteď budeš mít krásný život. Jsou teď kolem tebe lidi, kteří ti pomůžou a budou se k tobě chovat s úctou — ne jako bys byla k ničemu.“

Lolade kývla. „Teď jsem šťastná. Už dlouho jsem nebyla šťastná.“

„Chtěla jsem se tě zeptat na něco, co jsi mi řekla v sanitce. Znělo to jako *Rama Ma-la-jíka*, jestli si to pamatuju správně. Nevěděla jsem, co to znamená.“

Lolade se úzkostlivě podívala na Faith a sevřela jí ruku. Ať už to znamenalo cokoli, zjevně ji to rozrušilo.

„Znamená to anděl pomsty,“ řekla Faith. „Ta žena, která zavraždila Mawakiyu, se tak nazývala. Řekla Lolade, že ji zastřelí jako Mawakiyu, jestli se pokusí z místnosti utéct. Lolade si byla jistá, že je to juju čarodějnice."

Lolade rychle udělala dvakrát po sobě stejné gesto — dotkla se hrudníku na jedné straně a poté na druhé. „Měla na sobě juju náhrdelník. Jako ta žena, která mě proklela," řekla. „Myslela jsem, že ona mě z dálky zabít, i když bude pryč."

Katie otevřela aktovku a vytáhla zvětšenou fotografii, kterou jí dal detektiv Ryan. Byla na ní podezřelá pronásledující muže ve fialovém obleku na Patrick Street.

„To je ta žena," přitakala Lolade a zuřivě kývala hlavou. „To je *Rama Mala'ika*."

Katie jí ukázala další fotografii, tentokrát na ní byla podezřelá i muž ve fialovém obleku.

„Ten muž tady, to je Mawakiya. Měl na sobě tohle oblečení, když za mnou přišel pro peníze. Chodí pro ně každý den. Taky říkal, že večer mají přijít dva muži. Chtějí si mě vzít zároveň, zepředu i zezadu. Mám prý být moc milá, protože to jsou jeho dobří kamarádi."

„Ale potom se objevila ta žena?"

„Ano! Vtrhla dovnitř a dveře prásk! Jako hrom. Potom namířila pistoli na Mawakiyu. A Mawakiya má velký, velký strach. Klekne si na podlahu a říká: ‚Prosím, nezabíjej mě, neubližuj mi!', ale ona na to: ‚Já tě zabiju, když neuděláš, co budu chtít.'"

Lolade vypadala stále více rozrušeně. Faith ji pohladila po vlasech a řekla: „Ššš, ššš, je po všem. Teď už ti nikdo nemůže ublížit."

„Jestli už nechceš mluvit, Lolade, můžu přijít později," ujistila ji Katie.

„Já vám to chci říct," trvala na svém Lolade. „Moc jsem se té ženy bála, ale ona mi nic neudělala. A já nenáviděla Mawakiyu. Bylo hrozné, jak ho zabila, ale jsem ráda, že je mrtvý. Mohla bych zpívat radostí, že Mawakiya je mrtvý."

„Viděla jsi, jak mu odřízla ruce?"

Lolade zavrtěla hlavou. „Ta žena mi řekla, že mám sedět v koutě, otočit se zády a přikrýt se dekou. Neviděla jsem. Jenom slyšela. Slyšela jsem, jak ona říká Mawakiyovi, aby se svlékl. Pak ji slyším říkat, že ona ho střelí mezi nohy a udělá z něj ženu, aby věděl, jaké to je, když se k člověku chovají jako k otrokovi. Slyšela jsem, jak Mawakiya pláče. Nikdy jsem muže takhle plakat neslyšela, jenom dědečka, když zemřela babička. Neslyšela jsem všechno, co mu ta žena potom řekla. Pak dlouho ticho a potom jsem ho slyšela plakat znovu, ale tentokrát to bylo jiné. Říkal pořád dokola: ‚Á, á, á!' Jako by ho něco moc bolelo.

Potom uteklo hodně času a slyším zvuky jako ‚ší ší ší', ale nevím, co se děje. Sundám deku a otočím se. Chci vidět, jestli tam ta žena ještě je. Mawakiya leží na posteli a je tam spousta krve. Už nemá žádné ruce. Ta žena stojí nad ním s pistolí. Míří Mawakiyovi na obličej."

„Viděla, že se na ni díváš, ale nezastavilo ji to?"

„Ne, ona se ničeho nebála. Střelila Mawakiyu mezi oči. Její pistole velmi malá, ale dělá hlasité bum a jeho čelo zmizí. Nabije znovu, střelí ho do nosu a zmizí celý obličej.

Bylo mi špatně, co ta žena udělala. On už nemá žádný obličej, jenom velkou červenou díru. Ona mi něco říká, ale já nevím co. Zpočátku jsem hluchá od té rány pistolí. Zvedne deku a zabalí do ní Mawakiyovo oblečení, oblek, špinavé trenýrky, a když odejde, nejsou tam jeho ruce."

„Ale varovala tě, že když se pokusíš odejít, zabije tě stejně jako Mawakiyu?"

„Ano," přikývla Lolade. „A já jsem si myslela, že by to mohla udělat, i kdyby tam nebyla. Myslela jsem si, že je to juju čarodějnice kvůli tomu náhrdelníku a tomu, jak zabila Mawakiyu.

Teď Mawakiya nemůže do nebe, nemá ruce, kterýma by držel štít a kopí. Taky nemůže mít válečnické barvy, protože nemá obličej. Musí zůstat mezi tímto a tím dalším světem. Je to, jako když vás topí v pytli, nemůžete dýchat, ale nikdy neumřít."

„Řekni mi něco o Mawakiyovi. Jaké je jeho skutečné jméno?" zeptala se Katie.

„Já nevím. Všichni mu říkali Mawakiya, protože pořád zpíval. Zpíval dokola tu samou písničku. Kdysi jsem slyšela, jak mu nějaká žena řekla Kola, ale to bylo jen jednou. První den, co jsem byla v Corku, jsem potkala jenom bílé muže. Donutili mě být ve velmi chladné ložnici celé dva dny a sledoval mě jeden velký tlustý muž, i když jsem šla na záchod. Jmenoval se Bula-Bulan Yaro."

„To znamená ‚Tlusťoch'," poznamenala Faith. „Známe ho. Je to ilegál, který dělá různé práce pro obchodníky s lidmi."

„Bula, ano, toho také známe," řekla Katie. „Lepí v nevěstincích tapety, vozí dívky na vyšetření a tak dál. Nejsou to všechno trestné činy, ale morální to rozhodně není. Naše imigrační oddělení se ho alespoň dvakrát pokusilo deportovat, jenom co si pamatuju. Argumentuje myslím tím, že tady má dítě s nějakou rozvedenou ženou z Farranree. Je to otázka lidských práv. Bula pro nás nemá moc vysokou prioritu, ale jednoho dne ho dostaneme."

Katie otevřela aktovku a vytáhla papírovou obálku s fotografiemi. „Neprozradím ti, kdo tihle lidé jsou, Lolade, ale chci, aby ses na ně pozorně podívala a řekla mi, jestli jsi někoho z nich někdy viděla nebo potkala. Jestli ano, budu ráda, když mi povíš jejich jména, pokud si na to vzpomeneš, nebo jak si mezi sebou říkali. Nebo cokoli z toho, o čem se bavili, pokud ti něco utkvělo v paměti. Nezáleží na tom, jestli ti to dávalo nějaký smysl, když to řekli."

Vyndala šest fotografií a po jedné je podala Lolade. Na tu první se dívka zamračila a pak ji vrátila zpátky. „Tyhle dva muže jsem nikdy neviděla."

„To je úleva. Jeden z nich je vrchní inspektor Dermot O'Driscoll a ten druhý je primátor Charles Clancy. Byla to jenom zkouška, omlouvám se."

Druhou fotografii si Lolade prohlížela déle. Nakonec na ni poklepala nehtem. „Tenhle muž se na mě přišel podívat, když mě přivezli do Corku. Byla jsem v bytě s ostatními dívkami. Nevím, jak se jmenuje, ale než přišel, holky pořád říkaly: ‚Velkej tady bude každou chvíli.'"

„A nikdo ho nenazval jménem, když tam byl?"

„Myslím, že ne. Ale měla jsem hrozný strach a nevěděla jsem, co se se mnou stane. Moc jsem neposlouchala ostatní."

„A pamatuješ si, co říkal, když tam byl?"

„Podíval se na mě, usmál se a řekl, že jsem hezká. Zeptala jsem se ho, co mám udělat, a on byl překvapený, že mluvím docela dobře anglicky. Řekla jsem mu, že jsem měla nejlepšího učitele ve škole, pana Akindeleho. Řekl, že mi to v práci pomůže a že mám být příjemná na zákazníky. Pak mi přikázal, abych se svlékla."

„A cos odpověděla?"

„Já říct ne! Ale prý to je důležitá zdravotní prohlídka. Prý nemůžu pracovat, dokud není jistý, že já zdravá, nemám nějakou chorobu nebo tak. Jedna z těch žen tam byla v pokoji s námi a řekla, že to je v pořádku, že tam zůstane. Tak jsem se svlékla. Bylo to divné před cizím mužem, připadala jsem si… Neznám pro to slovo. Jako ostuda."

„Styděla ses, samozřejmě," řekla Katie. „A co ten muž řekl pak?"

„Byl hodně naštvaný, když mě viděl bez oblečení. Zeptal se té ženy, kolik je mi let. Řekl: ‚Podívej se na ni, je to jenom dítě!

Chceš mě vyřídit.' Nevím, jak to myslel. Pořád opakoval: ,Ty mě zničíš, ty huso!' Chtěla jsem, aby se tolik nerozčiloval, tak jsem mu řekla, že je mi už třináct. Ale to ho naštvat ještě víc. Já neznám zákony v Irsku — myslela jsem, že on naštvaný, protože si myslí, že lžu. Kamarádku doma provdali, když jí bylo jedenáct a jejímu manželovi čtyřicet devět. Já myslela, že to bude v pořádku. Ale on je pořád naštvaný. A já tam jsem nahá."

Vzpomínka na tu scénu Lolade stále víc rozrušovala. Kývala se na posteli dopředu a dozadu a rukama si objímala kolena. Katie ji nechala, ať se uklidní.

„Beruško, nedala by sis sklenici vody?" zeptala se jí. „Možná bychom si mohly dát na půl hodiny přestávku. Dovedu si představit, jak je to stresující."

„Ne, já vám to povím! Já vám to musím říct!"

„Dobře. Ššš, nerozrušuj se. Chápu to. A co se stalo pak, když se ten muž tak rozčílil?"

„Někam telefonoval a za chvilku do bytu přišel Mawakiya. Nemám ho ráda, vypadá jako ďábel s jedním okem celým červeným a špatnými zuby, vždycky je z něj cítit parfém. A Velkej říká Mawakiyovi: ,Vem tuhle holku pryč a nauč ji všechny fígle. Za pět let ji přiveď zpátky.'"

„Takže takhle jsi skončila v té díře na Lower Shandon Street, kde tě Mawakiya prodával?"

„Ano," zašeptala Lolade.

Faith se nadechla: „Nemáme tušení, jak se před námi mohl Mawakiya tak dlouho schovávat. Když je teď mrtvý, začínají k nám přicházet dívky, které měl na starosti. Chodí také do centra Ruhama a na sociálku a zoufale potřebují pomoc. Samozřejmě u sebe nemají vůbec žádné peníze, některé z nich ani oblečení a bez toho jsou ztracené. A všechny jsou hrozně mladé, patnáct, šestnáct. Láme mi to srdce."

„Asi chápete, proč se jich neujal Velkej," poznamenala Katie. „Mohli bychom ho obvinit z obchodování s dětmi a ze sexuálního zneužívání dětí pod patnáct let — za obojí by mu hrozil doživotní trest. Také mohl být obviněn z obecného ohrožení a za to mohl dostat deset let navíc."

Podala Lolade další fotografii. Dívka se na ni podívala a hlesla: „Ano, to je ten samý muž. Tu ženu neznám."

„A co tenhle muž? Poznáváš ho?"

Lolade pohlédla na čtvrtou fotografii a přikývla. „Znám ho, ano. Šestkrát nebo sedmkrát za mnou přišel pro sex, ale nikdy nezaplatil. Myslím, že pracuje pro Velkýho. Třikrát nebo čtyřikrát jsem ho viděla, jak dívky bije." Sevřela ruku v pěst a pomalu jí otočila. „Jednu holku takhle tahal za vlasy, tahal za ně a tahal, až křičela. Potom jí udeřil hlavou o zeď."

Katie ukázala fotografii Faith, která se pokřižovala a řekla: „Dessie O'Leary. Mistr Dessie, jak mu všechny dívky říkají. Není slovo, kterým bych ho mohla popsat, abych pak nemusela odříkat pětkrát zdrávas a vyčistit si zuby."

Katie vybrala fotografie muže, kterému Lolade říkala „Velkej".

„Michael Gerrety," řekla Katie s odporem. „Tady je se svojí ženou Carole."

„Michael Gerrety!" vykřikla Faith a znechuceně nakrčila nos. „Další zdrávasy a další čištění zubů!"

„Ano, ano. Ale Lolade nám právě řekla, že ji Gerrety předal třetí straně, Mawakiyovi, aby jí dělal pasáka — jak je jinak možné chápat větu ,Vem tuhle holku pryč a nauč ji všechny fígle.'? A Lolade je jenom třináct. Jinými slovy teď máme přímou svědeckou výpověď o tom, že je Gerrety vinný z obchodování s lidmi a obecného ohrožení. Teď zrovna vám nemůžu říct žádné detaily, Faith, ale sháníme proti němu další důkazy. A tohle našemu případu ohromně pomůže."

Katie vrátila fotografie do obálky. „Lolade, byla jsi naprosto úžasná. Vím, jak těžké to pro tebe muselo být, ale věř mi, odteď už bude jenom líp. Po víkendu se na tebe přijdu podívat. Možná na tebe budu mít pár dalších otázek, ale úplně nejdůležitější je, aby ses uzdravila."

Než Katie odešla, objala Faith a řekla: „Co se vás týče, Faith, jste anděl. Mockrát vám děkuju za to, co jste pro Lolade udělala."

„Anděl?" řekla Faith a Katie v jejích očích zahlédla bolest. „Bývala jsem *padlý* anděl. Ale víte, Katie, i padlý anděl se může znovu dostat na oblohu a zářit. Možná ne tak čistě a ryze jako předtím, ale aspoň stejně silně!"

22

Před odchodem z nemocnice se Katie stavila v patologické laboratoři. Uvnitř se mladý lékař s rezavými vlasy zádumčivě díval na šedavý snímek nádoru ve střevech, ale doktor O'Brien ještě nedorazil. Katie se svým způsobem ulevilo. O'Brien by trval na tom, že jí ukáže zohavené oběti vraždy a jak znovu poskládal kousky jejich obličejové tkáně. Cítila, že nemá dost silný žaludek, aby se dívala na chrupavky, pojivovou tkáň a cítila vše prostupující sladký zápach rozkladu. Už tak měla potíže udržet v sobě ananasový džus, který rychle vypila místo snídaně. Nechala doktoru O'Brienovi vzkaz, aby se jí ozval.

Než vyjela z nemocničního parkoviště, zkontrolovala telefon. Dostala celkem patnáct zpráv. Vrchní inspektor O'Driscoll se s ní chtěl sejít, jakmile dorazí na Anglesea Street. Strážmistryně ó Nuallánová našla salon, kde se Mawakiya nechal potetovat, ale byly tu „komplikace", které nerozebírala, ale potřebovala je co nejdříve probrat.

Detektiv O'Donovan napsal, že po včerejším odvysílání fotografie té mladé Afričanky ve zprávách RTÉ volalo třicet osm lidí a jeden z nich nabízel neznámé sňatek. Nikdo ale nevěděl, kdo ta žena je nebo odkud pochází, nemluvě o tom, kde by se teď mohla nacházet.

Policejní kreslířka Maureen Quinnová dokončila předběžný náčrt Mawakiyova rekonstruovaného obličeje. Naskenovala ho a poslala Katie, aby se na něj podívala, ale se svým ztvárněním nebyla vůbec spokojená. „Na tom obrázku vypadá jako troll! Musím to zkusit ještě jednou!"

Tiskový mluvčí policie Declan O'Donoghue Katie oznámil, že obdržel žádost od Branny MacSuibhneové z *Echa* o podrobný rozhovor, který by se měl týkat policejního boje proti sexuálnímu otrokářství a neřesti — „což mi komisařka Maguirová osobně slíbila". *Matko boží*, pomyslela si Katie. *Copak ona si nedá nikdy pokoj?*

Od Johna dostala zprávu, že na půl osmé objednal stůl v bistru The Rising Tide v Glounthaune. „Doufám, že se spolu konečně dostaneme na večeři!!"

Katie probrala zbylé zprávy, aby zjistila, kdo se jí ozval, ale většina z nich byly rutinní informace z policejního ústředí v Dublinu. Například o tom, že hledají nové způsoby, jak snížit počet obětí na silnicích o „černém pátku" — nejhorším dni z hlediska počtu autonehod. Rozhodla se, že na to se může podívat později. Přečetla si také pozvánku na lékařský kongres v Kinsale, kde by měla po večeři přednést řeč na téma „Drogy a zákon". Jedné z takových konferencí se zúčastnila před dvěma roky a od té doby si nedovedla představit nic horšího než strávit večer se dvěma sty připopilými lékaři ve fracích, kteří jsou přesvědčeni, že jim jejich kvalifikace dává právo svádět každou hezkou ženu v místnosti.

V bufetu si koupila latté a sendvič se sýrem a rajčetem. Zrovna vcházela do své kanceláře, když na ni vrchní inspektor O'Driscoll zavolal: „Katie, tady jste! Čekal jsem vás dřív!"

„Omlouvám se, pane. Byla jsem v nemocnici, abych si promluvila s Isabelle. Ukázalo se, že se jmenuje Lolade. Už začala mluvit díky jedné skvělé nigerijské dámě z Cois Tine. Příjemně vás překvapí, že mi podala usvědčující důkazy proti Michaelu Gerretymu a Desmondu O'Learymu."

„No výborně. Koukněte, o tom mi můžete říct později. Je tady moje náhrada a chtěl bych vás představit. Tedy moje dočasná náhrada."

Katie se chystala říct: *Dejte mi chvilku, Dermote.* Ale vrchní inspektor už otevřel dveře do kanceláře dokořán. Za jeho stolem seděl malý muž s širokým krkem a v uniformě. Okamžitě vstal a podával jí ruku.

Vešla do kanceláře, nemotorně položila aktovku na podlahu vedle knihovny a sendvič na poličku vedle koženého svazku *Trestné činy proti fyzické osobě.*

„Tohle je komisař Bryan Molloy z policejní stanice na Henry Street v Limericku," představil ho vrchní inspektor O'Driscoll. „Bude to tady mít na starost, zatímco se budu léčit."

Katie si s komisařem Molloyem potřásla rukou a řekla: „Už jsme se setkali. Bylo to na semináři v Tip, kde se řešila problematika kočovníků."

„Ano, to je pravda," přikývl komisař Molloy. „Myslím, že si vybavuji, jak komisařka Maguirová navrhovala zaujmout k těm trhanům nějaký mírný přístup. Získat si jejich důvěru, poznat jejich jazyk, ujistit se, že jejich děti budou chodit do školy a zůstanou v ní déle než pět minut."

„Obvykle se o nich nevyjadřuji jako o trhanech," poznamenala Katie. „Myslím, že situace mezi komunitou kočovníků a ostatními občany je už tak dost napjatá. Ale nad ničím nepřivírám oči. Když nějaký kočovník poruší zákon, došlápneme si na něj stejně jako na kohokoli jiného."

Komisař Molloy vydal zvuk jako balónek, ze kterého utíká vzduch. „Miluju, když policejní důstojnice začnou být takhle autoritativní! Padesát odstínů modré!"

Katie si na komisaře Molloye pamatovala velice dobře. Nejenže oponoval všem jejím návrhům na vylepšení vztahů s kočovníky, ale navíc celý večer stál na baru a nahlas kritizoval, že byla na vyššího policejního důstojníka povýšena žena. A to všechno co nejblíže Katie, aby ho slyšela.

Pamatovala si téměř všechno, co tehdy řekl. „Každá policejní stanice potřebuje někoho, kdo bude vařit čaj, uklízet, utírat nosy všem těm zbitým manželkám, které přijdou žalovat na své opilé manžílky. Na to taky ženy jsou! Co budeme dělat, jestli je všechny povýší? To si sakra budeme ten čaj vařit sami?"

Katie zřídkakdy dělala o člověku závěry na základě jeho vzhledu. Michael Gerrety byl možná pohledný, ale zdaleka ne příjemný. Komisař Molloy však vypadal jako tyran, a také jím byl. Ježaté vlasy měl ostříhané nakrátko, po stranách šedé a nahoře černé. Modré oči měl vykulené, i když nebyl rozčílený. Při rozhovorech na lidi útočně zíral, jako by se nemohl dočkat, až domluví, aby s nimi mohl nesouhlasit.

Měl krátký nos, z jehož dírek vyrůstaly černé chlupy, a pořádnou vyřídilku. Uši měl velké a nezvykle rudé. Když s ním Katie mluvila, nemohla z nich spustit oči. Napadlo ji, že se na googlu podívá, jestli rudé uši neznamenají vysoký krevní tlak.

„Dermot mě seznámil s těmi dvěma vraždami, které vyšetřujete, ti chlapi s chybějícíma rukama a rozstřelenými hlavami. Jak to pokračuje?" zeptal se komisař Molloy.

„Už se nám to začíná skládat dohromady," řekla Katie. „Máme podezřelou, ale ještě jsme ji neidentifikovali. Myslím také, že už jsme blíže motivu."

„A co si myslíte, že by to mohlo být? Podezřelá je Afričanka, že?"

„Ano. To by snad mohlo vysvětlovat ta zohavení, ale domnívám se, že to moc nevypovídá o důvodech, které k vraždám vedly. Zatím jsme zjistili, že ten černoch, první oběť, byl místní pasák a pouliční živel s přezdívkou Mawakiya. Ten běloch byl zřejmě rumunský pasák Mânios Dumitrescu."

Komisař Molloy tázavě pozvedl obočí. „Aha, takže vy si myslíte, že ta Afričanka by mohla být štětka, která se pomstila dvěma pasákům, co ji podvedli? To se stává. Přesně takový případ jsme měli v Limericku minulé léto. Tři tamní prostitutky už unavovalo platit ze svých těžce vydělaných peněz svému pasákovi. Na jeho vlastním dvorku mu skříply hlavu do nějaké staré ledničky a potom do ní najely autem. Málem mu urazily hlavu, chybělo jen málo."

„Nemáme žádné důkazy, že podezřelá je nebo byla prostitutka."

„Ale no tak, co jiného? Afričanka, která jde po pasácích? To by byl logický závěr."

„Je to jen domněnka a já nespekuluju. Kvůli domněnkám případy často u soudu vyhoří. Podívejte se na obvinění proti provozovatelům toho veřejného domu — loni v County Louth. Policisté se neohlásili, předtím než vtrhli dovnitř, protože se *domnívali*, že provozovatelé toho nevěstince budou vědět, o koho se jedná. A soudce souhlasil, že tím zneplatnili svoje povolení k prohlídce."

„Hm, to byla jenom právní klička!" vyhrkl komisař Molloy a mávl rukou. „U tohohle případu je motiv tak zřejmý, že byste musela mít zavřené oči a hlavu přikrytou dekou, abyste si toho nevšimla. Vy musíte udělat jen to, že najdete dívky, které pro ty dva hajzly pracovaly — a to by vám nemělo moc zamotat hlavinku. Podívejte se na webové stránky, jejich inzeráty v místním tisku a už to skoro máte."

„To samozřejmě děláme," odvětila Katie. „S Mawakiyou je to o něco složitější, protože se držel mimo náš hledáček."

„Co tím přesně chcete říct?"

„Tím chci říct, že se z nějakého důvodu nevyskytoval na našich seznamech. V jedné z afrických restaurací na Lower Shandon Street ho vídali poměrně často, zjevně s ním vždycky byly nějaké hodně mladé dívky. Také ho znalo pár méně významných drogových dealerů a nějací nezletilí pachatelé, kteří byli přistiženi při krádeži pneumatik ze Smiley's. To byla jeho úroveň. Pásl v malém, v malém dělal v drogách a v malém kradl, to je všechno. Zdá se mi nepřiměřené, a to je mírně řečeno, že by ho jedna z jeho dívek donutila uříznout si vlastní ruku, potom mu amputovala tu druhou a rozstřelila mu obličej patronou do brokovnice."

Odmlčela se, ale než ji mohl komisař Molloy přerušit, dodala: „A to je další věc: střelila je úplně novým typem brokového náboje Winchester z nějaké zřejmě poměrně nové zbraně. Malá zbraň pro osobní ochranu, spíš než nějaká dlouhá brokovnice, se kterou se střílí na holuby. Musíme se sami sebe zeptat, kde k ní přišla — nebo jak se vůbec dozvěděla, že taková zbraň existuje."

Komisař Molloy zavrtěl hlavou. „Tak to vidíte, Dermote. Co jsem vám pořád říkal? Dejte ženě úplně jasný případ, a než se nadějete, bude zašmodrchaný jako její pletení!"

„No, Bryane, můžeme to probrat později, budete-li chtít. Můžu vám ukázat zprávy z patologie, které máme k dispozici, stejně jako výpovědi svědků a forenzní důkazy z technického," řekla Katie.

„Možná bychom si o tom mohli promluvit dneska u večeře."

„Prosím?"

„Říkal jsem, že bychom si o tom možná mohli popovídat u večeře. Teď zrovna přespávám v Jury's, než mi najdou něco dlouhodobějšího. Měli bychom tak šanci se lépe poznat a vy byste mě mohla informovat o všem, co zatím máte v rukou."

„Omlouvám se, Bryane, na dnešní večer už mám něco domluveného."

„Ale!" vyhrkl komisař Molloy a otočil se na patě, jako by byl advokát a chtěl přesvědčit obzvláště skeptickou porotu.

„A je to něco urgentnějšího, než že se my dva pokusíme rozplést dvě tiskem ostře sledované vraždy, jejichž pachatel je stále na svobodě? A to ani nemluvím o dalších zločineckých aktivitách v tomto ne zrovna krásném městě!"

„Jak jsem říkala, omlouvám se, Bryane, ale tuhle schůzku opravdu nemohu zrušit. Zítra bych měla mít volno, ale jestli chcete, přijdu kolem jedenácté a udělám, co bude možné, abych vás se vším seznámila."

Komisař Molloy zklamaně vydechl. „To je poprvé v životě, co mě nějaká žena odmítla. Jsem úplně otřesený! Otřesený!"

„Uvidíme se zítra dopoledne," uzavřela to Katie.

Zvedla aktovku a sendvič a vrchní inspektor O'Driscoll jí otevřel dveře.

Venku na chodbě se ho Katie zeptala: „Jak se cítíte, Dermote? Vypadáte trochu pobledle, jestli to tak můžu říct."

Vrchní inspektor O'Driscoll na ni unaveně pohlédl. „Držím se, Katie. Už jsem si do nemocnice sbalil pyžamo. Pokusil jsem se Bryana do všeho zasvětit a vím, že vy ho podpoříte."

„Samozřejmě, Dermote. Je to moje práce."

Vrchní inspektor O'Driscoll se natáhl za sebe a zavřel dveře, aby ho komisař Molloy neslyšel.

„Vím, že pro vás nebude snadné s ním vyjít. U policie je pořád spousta takových jako on. Ale jeden z důvodů, proč tuhle práci dostal tak rychle, je, že má vlivné přátele ve Phoenix Parku. Jedno vám řeknu, Katie: Jestli se chcete někam dostat, snažte se s ním být zadobře. Mohl by vám hodně pomoci. Když to na zástupkyni policejního prezidenta dotáhla Noirin O'Sullivanová, vy to zvládnete také. Nebo byste mohla být dokonce policejní prezidentkou."

„Já Bryana Molloye zvládnu," řekla Katie. „Byla jsem vdaná za Paula, nezapomeňte, a ten si myslel, že ženy jsou dobré jen ke dvěma věcem, z nichž jedna je mytí nádobí. Starosti si dělám o vás, Dermote. Slibte mi, že se ozvete, jak se vám daří. Přijdu vás navštívit do Bon Secours a přinesu vám vánočku od Ailish."

Vrchní inspektor O'Driscoll k ní natáhl ruce, objal ji a políbil. Když se zase odtáhl, měl v očích slzy.

„Víte, Katie," řekl, „za svých pětatřicet let u policie mám teď poprvé strach."

23

Dopila kávu a právě se dohadovala sama se sebou, jestli potřebuje ještě jeden šálek, když na dveře její kanceláře zaklepala strážmistryně ó Nuallánová. Měla na sobě vybledlou džínovou bundu a džínovou sukni, ale blonďatý drdol se jí leskl a byl dokonale uhlazený.

„Ach, Kyno," řekla Katie. „Dostala jsem vaši zprávu o tom tetovacím salonu. Jenom ještě musím připravit všechny technické zprávy pro komisaře Molloye. Už jste se s ním setkala?"

„Ještě ne. Všem se představí dnes odpoledne. Ve tři hodiny je v bufetu zvláštní schůzka. Ale — vím, jakou má pověst."

„A?"

„Vím, jakou má pověst, to je všechno. Je to výborný důstojník, to se o něm říká. Je jedním z důvodů, proč už se Limericku neříká město hrdlořezů."

Strážmistryně ó Nuallánová vypadala, jako by chtěla ještě něco dodat, ale nakonec zůstala zticha. Katie se na ni podívala a řekla: „A to je všechno?"

„Ano, komisařko."

„Víte, že když pracujete pro mě, můžete říct, co si myslíte. Nebudu po nikom šlapat jenom proto, že má názor."

„Ne, komisařko."

Katie byla v pokušení říct strážmistryni ó Nuallánové všechno, co si o komisaři Molloyovi myslí ona, ale už dávno se naučila být co nejobezřetnější, zvláště když se jednalo o politiku povýšení. Bylo velmi pravděpodobné, že vrchní inspektor O'Driscoll se už do služby nikdy nevrátí a že komisař Molloy po něm převezme místo natrvalo. Také bylo jasné, že se strážmistryně ó Nuallánová bude snažit dostat na pracovním žebříčku výš. Lepší tedy bude mlčet.

„Dobrá," řekla nakonec. „Jak je to s tím Mawakiyovým tetováním?"

„No, je to hodně citlivé. Už jsem to skoro vzdala, abych řekla pravdu. Potom jsem se stavila v tetovacím salonu na French Church Street a jeden z tatérů mi řekl, že slyšel o nějakém Thajci, který pracuje v masážním salonu na Grafton Street. Prý viděl nějaké jeho práce a byly hodně podobné tomu, co měl Mawakiya. Tomu drakovi nebo hadovi, který začínal na genitáliích a potom se obtáčel kolem celého těla."

Vyndala si z kapsy poznámkový blok a otevřela ho. „Ten masážní salon se jmenuje Zlaté prsty a má inzerát na stránkách Michaela Gerretyho. Pracují tam dívky z Thajska. Ten tatér se mnou nejdřív nechtěl mluvit, ale řekla jsem mu, že jsem z imigračního, a pak už ho nešlo zastavit. Jmenuje se prý Nok. Ukázala jsem mu fotografie Mawakiyova tetování a říkal, že to dělal on asi před osmnácti měsíci. Znal ho pod jménem Kola."

„To sedí. Malá Lolade také slyšela, že mu říkají Kola. Lolade, mimochodem, je pravé jméno Isabelle."

„Nok říkal, že Kolu přivedli do tetovacího salonu tři kamarádi. Byli to všichni pravidelní zákazníci, to znamená, že chodí aspoň dvakrát třikrát měsíčně a občas přivedou nějakého kamaráda. Pár z nich mělo tetování, ale většinou chodili na masáže. Na kompletní masáže, jestli mi rozumíte."

„A věděl tenhle Nok, kdo jsou Kolovi přátelé?"

„Ti tři, co ho přivedli? Ano. Znal je dobře. Jednomu z nich říkal Mistr Dessie, ten zastupoval majitele masážního salonu. Chodil tam každý den vybírat tržby. Ti další dva se jmenovali Ronan a Billy. Nok to věděl, protože se k němu přišli nechat tetovat, zatímco byl jejich kamarád na masáži. Vlastně si oba nechali udělat stejné tetování, přímo mezi lopatky. Uhodnete, co to bylo?"

„Nevím," řekla Katie. „Drak? Portrét Bona?"

Strážmistryně ó Nuallánová jí podala otevřený poznámkový blok. „Tady — Nok mi to nakreslil."

Katie si ho od ní vzala a podívala se zblízka. Na nákresu byl keltský kříž s kruhem uprostřed a se dvěma propojenými písmeny ve středu — G a S. Z vnější strany kříže byla slova *Garda Síochána na hÉireann.*

„Odznak Gardy," řekla Katie. Byla v šoku. „Neříkejte mi, že jsou to oba policisté."

Strážmistryně ó Nuallánová si vzala blok zpátky. „Proto jsme o Mawakiyovi tak dlouho neslyšeli. Ne že by si ho nikdo nevšiml. Ronan a Billy nad ním drželi ochrannou ruku. Nok mi řekl, že to určitě jsou policisté, protože je na ulici dvakrát viděl v uniformě."

Katie se zamračila. „Jestli jsou Ronan a Billy kamarádi Dessieho O'Learyho, museli vědět, že Michael Gerrety využívá Mawakiyu a dává mu na starost dívky, které jsou ještě pod zákonem. Vsadím se, že jim Gerrety platil, aby byli zticha — jestli ne přímo, tak nějak jinak. Splatil jim hypotéky nebo jejich dětem školné."

„Ronana a Billyho nebude problém identifikovat," řekla strážmistryně ó Nuallánová. „Jen jsem si myslela, že byste to měla vědět jako první."

„Udělala jste dobře," přitakala Katie. „Nechceme, aby Michael Gerrety zjistil, že jsme našli spojení mezi ním a Mawakiyou nebo Kolou nebo jak se jmenoval. To by mohlo Ronana a Billyho ohrozit a já nechci, aby skončili v řece, ať už udělali cokoli."

„Ještě jedna věc," řekla strážmistryně ó Nuallánová. „Dnes ráno jsem se byla znovu podívat u Dumitrescových. Všichni opustili hnízdo. Nepřekvapilo by mě, kdyby už byli všichni pryč ze země."

„Tak to rozhodně posiluje moje podezření, že náš mrtvý je Mânios Dumitrescu. A Mânios Dumitrescu samozřejmě spolupracoval s Michaelem Gerretym. Většinou dělal opak toho, co Mawakiya — bral od něj starší prostitutky," řekla Katie.

„To nám ale moc nepomůže v odhalení pachatele, že ne?"

„Mohlo by." Katie strážmistryni řekla, co jí Lolade vyprávěla o praktikách juju a proč Mawakiyovi chyběly ruce a obličej.

Strážmistryně ó Nuallánová vypadala zamyšleně a po chvíli řekla: „Naše pachatelka udělala totéž i bílé oběti, že? To by mohlo potvrdit, že je to Nigerijka a věří v juju."

„Jak jste na to přišla?"

„Je to logické. Kdyby tak potrestala Mawakiyu jenom proto, že tomu věřil on, tak by toho bělocha potrestala tak, aby to odpovídalo zase jeho víře. Protože to byl nejspíš Rumun, byl zřejmě pravoslavný a ti věří, že hřích je sám o sobě trestem, takže by jí stačilo ho prostě zabít a on by šel do pekla tak jako tak. Nebylo by potřeba mu řezat ruce a ustřelit mu obličej."

„Vy se vyznáte," pochválila ji Katie.

„Já se jenom vždycky snažím pochopit pachatelovo uvažování. Když porozumím tomu, jak přemýšlel, obvykle mi to pomůže dobrat se k tomu, kdo to je."

Katie vstala a nakupila na hromádku papíry, které si připravovala pro komisaře Molloye. „Zjistěte mi prosím identitu toho Ronana a Billyho. Ale diskrétně. Pak se sejdeme a probereme další postup. Ten váš tatér se zmínil, že přivedli i jiné přátele, takže tam možná bylo policistů více. Dokud nezjistíme, jaký to má rozsah, musíme s tím zacházet jako s nevybuchlou bombou, věřte mi."

Strážmistryně ó Nuallánová se zvedla k odchodu, když Katie zazvonil mobilní telefon. *A už ne, ne, nikdy — ne, nikdy, nikdy víc...*

„Patricku?"

„Ano, komisařko. Našel se další. Afričan s oběma rukama uříznutýma a hlavou napadrť."

„Marie, matko boží. Kde?"

„Je v nábytkářské dílně v Mutton Lane, mezi hospodou a Anglickým tržištěm."

„Kdy ho objevili?"

„Asi před dvaceti minutami. Majitel přijel z dovolené o pár dní dřív a našel ho tam. Vezměte si nejsilnější voňavku, co máte. Smrdí to tam tak, že by se z toho udělalo zle i červům."

„Dejte mi deset minut," řekla Katie. Pak se otočila ke strážmistryni ó Nuallánové. „Doufám, že můžete změnit své dnešní plány. Máme teď nové."

24

Přestalo pršet a ulice se leskly ve slunečním svitu. Tři policejní auta, sanitka a dodávkové auto z technického oddělení už parkovaly na jižním konci Patrick Street. Policisté uzavřeli ulici pro dopravu směřující na západ a zatarasili chodník mezi Princes Street a Market Lane. Na obou koncích se mačkaly davy lidí, tiše čekajících jako pohřební hosté na to, až vynesou zemřelého z domu.

Když Katie a strážmistryně ó Nuallánová zaparkovaly, přišel jim naproti detektiv O'Donovan a otevřel Katie dveře. Byl zpocený a vypadal unaveně. Oči mu slzely. Měl kolem krku chirurgickou roušku a byl cítit mentolovou mastí.

„Omlouvám se, že vám komplikujeme den, komisařko."

S tím si nedělej starosti, pomyslela si Katie. *Den už mi zničilo to, že se objevil Bryan Molloy.* Při vystupování z auta se nervózně usmála, ale neřekla nic.

Detektiv O'Donovan je vedl po Mutton Lane. Hospoda byla zavřená, ačkoli uvnitř stále ještě hořely svíčky a personál vyhlížel z oken. Na konci uličky byl průchod na Anglické tržiště uzavřený zástěnou. Čtyři nebo pět uniformovaných policistů stálo před otevřenými dveřmi do nábytkářské dílny, stejně jako jeden z techniků, který na sobě měl oblek ze světle zeleného tyveku a kouřil. Vedle nich stál ustaraně vyhlížející muž středního věku ve vybledlém růžovém tričku s límečkem. Měl řídnoucí přehazovačku a brýle, které mu pohromadě držela lepicí páska. Opálený nos se mu loupal.

„Tohle je majitel dílny, Gerry O'Farrell," řekl detektiv O'Donovan. „Pane O'Farrelle, tohle je komisařka Maguirová."

„Já ty prostory nevlastním, jenom si je pronajímám," uvedl informaci na pravou míru Gerry O'Farrell. „Jsem v šoku. Nechápu, proč by někdo chtěl použít moji dílnu k něčemu takovému."

„Znal jste zesnulého?"

„Jistěže ne! V životě jsem ho neviděl! Ten je ale velký! Neznám nikoho tak tlustého!"

„Jak si myslíte, že se sem pachatel dostal?" zeptala se Katie.

„Není tu žádná známka násilného vniknutí," řekl detektiv O'Donovan. „Pan O'Farrell se domnívá, že si pachatel musel nějak pořídit kopii klíčů."

„A jak by k tomu mohlo dojít?"

„Věším si bundu u dveří, klíče nechávám v kapse. Když je teplo, někdy dveře nezavírám. Nic jiného mě nenapadá."

„Měla bych se podívat na zesnulého," řekla Katie. Vyndala z tašky modrou bavlněnou šálu, postříkala ji parfémem a uvázala si ji kolem krku. Potom si navlékla žluté lékařské rukavice.

„Byl to strašlivý šok," řekl Gerry O'Farrell a žmoulal si ruce. „Nevím, jaký to bude mít dopad na moji práci."

„Vrátil jste se z dovolené dřív," řekla Katie. „Měl jste k tomu nějaký zvláštní důvod?"

„Byli jsme na ostrově Gran Canaria, první dovolená za pět let, ale z nějakého důvodu jsem měl pocit, že tady doma něco není v pořádku. Kromě toho tam bylo velmi podprůměrné jídlo a byla tam spousta hostů, s nimiž nám s Maeve nebylo moc příjemně."

„Prosím?"

Gerry O'Farrell se rozhlédl a poté téměř neslyšně zašeptal: „Gayové." Na chvíli se zarazil a pak dodal: „Víte, jako… Teplouši."

„Aha," řekla Katie. „Pojďme, Patricku, půjdeme se podívat na oběť."

Vytáhla si šálu, aby jí zakrývala nos i ústa, a detektiv O'Donovan si nasadil roušku. Vešli do dílny, která byla tak ostře nasvícena čtyřmi halogenovými lampami, že veškerý nábytek vypadal dvojrozměrně, jako by byl vystřižen z kartonu.

Katie a strážmistryně ó Nuallánová se propletly bludištěm napůl vypolstrovaných pohovek, stolů a dřevěných židlí. Hlavní technik jim vyrazil naproti a energicky si mnul ruce, jako by měl radost, že může pracovat na tak fascinujícím místě činu.

„Ahoj, Bille," pozdravila ho Katie. „Tak co se tu děje?"

„Velmi podobné tomu vašemu muži na Ballyhooly Road. Obě ruce uříznuté, obličej rozstřelený alespoň dvěma výstřely z brokovnice, možná třemi, z lebky toho moc nezbylo. Také ho z nějakého důvodu střelili do kolene. Máme tu zajímavý vývoj modu operandi. Tentokrát byly obě ruce uříznuty na cirkulárce."

Dovedl Katie k pohovce, kde leželo tělo. Oběť byla afrického původu, ačkoli měla poměrně světlou pleť. Byl to velmi obézní muž s obrovským břichem a téměř ženskými prsy. Trpěl ekzémem, na loktech měl ložiska, která si zjevně škrabal. Ruce měl zkřížené stejně jako oběť na Ballyhooly Road, jen mu nepřikrývaly genitálie. Penis měl velmi malý a obřezaný.

„Zajímalo by mě, proč ho střelili do nohy," řekla Katie. „Možná se snažil utéct."

Podívala se zblízka na jeho koleno, které tvořila spleť potrhaného červeného vaziva a tkáně, jako by na ně někdo vylil plechovku nasekaných rajčat. Technik řekl: „Tady, vidíte? Tibiální artérie byla zavázána provázkem. Pachatelka ho pravděpodobně střelila do kolene, aby tady neposkakoval, ale zároveň ho nechtěla nechat vykrvácet nebo ztratit vědomí, než došlo na amputaci rukou. Říkám pachatelka záměrně, samozřejmě."

„Souhlasím s vámi," řekla Katie. „U všech těch vražd je velmi silný prvek trestu a nemá smysl oběť trestat, když neví, že ji trestáte a za co."

„Jinak bičujete mrtvého koně," řekl Bill uvážlivě, jako by nad tím příměrem už přemýšlel.

Katie si prohlédla zbytek těla. Bylo celé zvrásněné celulitidou a pokrývaly ho drobné červené modřiny, které byly podle Katie zřejmě důsledkem nemoci jater. Nakonec se podívala na to, co zbývalo z hlavy. Napadlo ji, že technik má s těmi třemi výstřely zřejmě pravdu, protože lebka se rozletěla do všech stran a kosti, mozek a tkáně byly rozstříknuty na černých žíních vyčuhujících z pohovky. Mezi všemi těmi zbytky svítily dva nebo tři zlaté zuby.

Strážmistryně ó Nuallánová si prohlížela pilu zkropenou krví. „Napadá mě, že si pachatelka záměrně vybrala tuhle dílnu, protože věděla, že je tady pila. Proč by jinak brala oběť právě sem, doprostřed města?"

„Souhlasím s vámi," řekla Katie. „Nemůže být pochyb o tom, že to plánovala dopředu. Například musela vědět, že pan O'Farrell bude na dovolené a jeho dílna bude prázdná. A další věc: první dvě vraždy se staly na domácím hřišti obětí, mohu-li to tak říct. Jestli se nemýlíme ohledně jejich totožnosti, šlo o místa, kde by se nacházeli tak jako tak. Ale tahle dílna... Musela sem oběť nalákat nebo ji sem donutit přijít. Je ozbrojená, takže mu za zády mohla držet pistoli a přiměla ho vejít. V tom případě už musela mít kopii klíčů. Je to pravděpodobnější, než že použila paklíč."

„Mohla mít komplice," poznamenala strážmistryně ó Nuallánová.

„To je vždycky možnost, ale my víme, že s sebou nikoho neměla, když zabila Mawakiyu. Řeknu Billovi, aby se podíval na zámky, jestli si s nimi někdo nehrál. Jen abychom si byli jisti. Patricku, zjistěte prosím, kdo tuhle dílnu pronajímá. Budou od ní mít klíče a možná se pachatelka nějak dostala právě k nim.

Než to uděláte, zavolejte prosím Ryanovi, ano? Ať začne prohlížet kamerové záznamy z Patrick Street za posledních... kolik hodin? Jak dlouho si myslíte, že je tenhle chlapík mrtvý, Bille?"

Technik se zamyšleně podíval na tělo a potom odvětil: „Ne tak dlouho, jak by se zdálo podle zápachu. Méně než třicet šest hodin, řekl bych. Nevím, co jedl, ale ten strašný zápach dělá rozkládající se obsah žaludku a fekálie."

„Tak pro začátek tedy dejme tomu třicet šest hodin," řekla Katie. „Zkontaktujte také Stalwart Security a požádejte je, aby prohlédli záznamy z Anglického tržiště. Mohli klidně přijít i odtamtud."

Chvíli stála u těla a potom se rozhlédla po dílně. Snažila se představit si, co se tady muselo odehrát — jaká slova padla mezi pachatelkou a její obětí. *Kdyby tak stoly a židle mohly mluvit.*

Detektiv O'Donovan se vrátil do místnosti a hřbetem ruky si otřel zpocené čelo. V dílně bylo nepříjemné horko, téměř třicet stupňů, a příšerný zápach. Řekl Katie, že zavolal detektivu Ryanovi a také do soukromé bezpečnostní agentury, která spravuje jedenáct bezpečnostních kamer pokrývajících Anglické tržiště. „A určitě ráda uslyšíte, že venku se už seběhli šakalové a prahnou po vašem vyjádření."

„No to je skvělé," zavrčela Katie. „Tak to bych jim asi měla jít hodit nějakou kost." Otočila se ke strážmistryni ó Nuallánové. „Zůstanete tady chvilku, že ano? Promluvte si s personálem hospody a s kýmkoli, koho potkáte na tržišti. Znáte svědky. Mohli vidět něco důležitého, ale nemají tušení, na co se to dívali."

Chystala se vyrazit ven, když se ozval tlumený výkřik mladého technika z druhé strany dílny. „Mobil!" zavolal. „Mobil!"

Přišel k nim a telefon jim podával. Bill se na něj podíval. „Běž se zeptat pana O'Farrella, jestli není jeho nebo jestli netuší, kdo by ho tu mohl ztratit."

Mladý technik se vrátil o pár vteřin později. Zavrtěl hlavou: „Prý ho v životě neviděl."

Znovu podal telefon Billovi, který jej předal Katie. Byl to černý iPhone 4. Displej měl popraskaný, ale byl pořád funkční.

„Vida," usmála se Katie. „Jestli tohle patří pachatelce nebo oběti, usmálo se na nás samo nebe." Vrátila přístroj Billovi, který ho uložil do plastového sáčku na důkazy.

„Dejte nám pár hodin a dekódujeme ho," řekl. „Možná to bude i dříve. Jedete teď zpátky na stanici?"

Katie přikývla. „Budu tam dneska dlouho." Neměla na výběr. Bude muset tuto vraždu ohlásit vrchnímu inspektoru O'Driscollovi a komisaři Molloyovi a potom si promluví s tiskovým oddělením o tom, jak případ podají médiím. Tou dobou se už některý z techniků dostane do telefonu. Jestli se ukáže, že patří pachatelce nebo oběti, stráví Katie a její tým několik dalších hodin hodnocením veškerých informací, které jim přístroj poskytne — adresy, telefonní čísla, e-maily, zprávy, aplikace.

Vrátila se k ústí ulice Mutton Lane a setkala se s Fionnualou Sweenyovou z RTÉ, Danem Keanem z *Examineru* a Brannou MacSuibhneovou z *Echa*.

„Dobré odpoledne, komisařko!" zahlaholil Dan Keane vesele. „Další mrtvý bez rukou, viďte?"

„Kdo vám to řekl, Dane?"

Muž si poklepal na nos. „To víte, mám na to čich."

„Dnes později odpoledne budeme v Anglesea Street pořádat tiskovou konferenci. Tou dobou bych vám toho měla být schopná říct víc než teď. Zatím vám mohu sdělit jen to, že pan Gerry O'Farrell našel v tomto čalounictví tělo muže. Tělo bylo znetvořeno podobným způsobem jako oběti vražd nalezené tento týden na adresách Lower Shandon Street a Ballyhooly Road."

„Zveřejnili jste fotografie mladé černošky," řekla Fionnuala. „Už se vám podařilo zjistit její totožnost?"

„Ne, ještě ne. Stále je ale naší hlavní podezřelou."

„Myslíte, že má na svědomí i tuhle vraždu?"

„Obávám se, že na taková tvrzení je ještě moc brzy. Technický tým má stále spoustu práce a budeme muset stanovit dobu úmrtí."

„Ale pátráte v souvislosti s těmito vraždami ještě po někom jiném?"

„Ne, Fionnualo, nepátráme. Ale máme oči otevřené. Pořád si nejsme úplně jisti motivem ani tím, proč byly všechny oběti takto zohaveny."

„Stále se domníváte, že jsou ty vraždy spojené se sexuálním podnikáním?" zeptala se Branna.

„Nevzpomínám si, že bych něco takového někdy řekla."

„Ale zavraždění byli pasáci a ta dívka, kterou našli s tělem na Lower Shandon Street, byla prostitutka. Ten dům na Ballyhooly Road používaly dvě prostitutky."

„Branno, nepopírám možnost, že motiv nějakým způsobem souvisí se sexuálním průmyslem. Jak říkám, připouštíme více možností. Navzdory tomu, jak to na první pohled vypadá, mohou za vraždami stát například drogy, peníze nebo stará dobrá pomsta za nějakou urážku."

„Myslíte si, že jsou ty vraždy nějakým způsobem rituální?" zeptal se Dan. „Trochu jsem se na to díval a v západní Africe jsou kmeny, u kterých se lidi trestají tak, že se jim usekávají kousky těla. Stejné je to v některých muslimských zemích."

„Nechci říkat nic dalšího, dokud neposbíráme více důkazů," uzavřela Katie. „Tiskové oddělení se s vámi spojí, jakmile to bude možné."

Branna následovala Katie až k autu, blonďaté vlasy v účesu à la buvol jí při chůzi poskakovaly. „Opravdu si s vámi potřebuji promluvit," řekla.

„Později, Branno. Bůh ví, že teď toho mám až po uši."

„Ale já mám skvělý nápad, jak rozdrtit sexuální průmysl tohoto města."

„Branno, je mi líto, ale bude to muset počkat. Mě prostituce v Corku trápí, to víte. Vlastně je to má priorita. Ale zrovna teď mám tři extrémně sledované vraždy, které musím vyřešit, a víc případů krádeží, překupnictví drog a obchodování s lidmi, než si dovedete představit."

„Až uslyšíte, co vám chci říct, budete litovat, že jste si mě nevyslechla dříve," řekla Branna, když se Katie usazovala za volant.

„Jestli ano, tak se omlouvám. Teď už budu muset vážně jet."

Zabouchla dveře auta a nastartovala motor. Koutkem oka zahlédla, jak Branna něco říká. Stáhla okno a zeptala se: „Cože?"

„Řekla jsem, že v tom budu pokračovat, i když mě nechcete vyslechnout."

Katie neměla tušení, o čem to mluví, a v tu chvíli ji to ani moc nezajímalo. S mladými nadšenými reportéry se setkala již několikrát a většinou zjistila, že své příběhy divoce zveličují a obvykle se jim všechna fakta popletou. Vrchní inspektor O'Driscoll vždycky říkal, že má Katie nos citlivý na „snůšky lží".

Přesto ráda vedla vyšetřování nenápadně a důkazy vyhodnocovala s puntičkářskou přesností. Proto se také mohla chlubit vysokým procentem úspěšně vyřešených případů.

Z kanceláře zavolala Johnovi. Hovor ale nepřijal, a tak mu nechala zprávu.

„Moc se omlouvám, Johne! Moc a moc a moc! Stala se další vražda a já tu musím zůstat. Nevím, v kolik přijdu domů. Možná tady budu muset dokonce zůstat přes noc. Mrzí mě to."

Stiskla „ukončit hovor" a na okamžik se nepřítomně zahleděla na displej telefonu. Od té chvíle, kdy dostala Johnovu zprávu o večeři v Rising Tide, si představovala, jak spolu sedí v restauraci v patře a dívají se na řeku, nad níž zapadá slunce. Teď měla úzkostný pocit, že tohle „omlouvám se" už možná bylo přes míru. Jak jí John řekl v noci před dvěma dny: „Vztah můžeš nazývat opravdovým vztahem, Katie, jen tehdy, pokud v něm lidé, kteří v něm mají být, opravdu jsou."

25

Vešla do kanceláře vrchního inspektora O'Driscolla a našla ho, jak si balí věci z šuplíků.

„Kde je Bryan?" zeptala se.

„Stále ještě se seznamuje s personálem. Jako kdyby pětačtyřicetiminutová řeč nebyla sama o sobě dost. Člověk by si myslel, že kriminalita v Limericku klesla jenom díky němu."

„Je dobrý, Dermote. Udělal toho hodně, a navíc si došlápnul na ta napadení nožem."

„To asi jo," připustil Dermot. „Jen bych byl rád, kdyby nebyl tak nafoukaný." Prohrábl věci v jednom z šuplíků a vytáhl otvírák s lakovaným symbolem Garda Síochána. „Tohle byl dárek, který jsem dostal na rozloučenou ve Phoenix Parku. Víte, co mi řekli? ‚V Corku stejně nebudete mít co na práci, budete jenom jíst vepřové nožičky, pít pivo a honit zaběhlé krávy.' Dali mi tohle a zelené holinky. Ježíši, kdybych tak věděl, jak to doopravdy bude."

„Máme třetího mrtvého s uříznutýma rukama," začala Katie a řekla mu všechno o zavražděném v čalounické dílně. Dermot jí s vážnou tváří naslouchal, ačkoli si u toho balil další věci ze stolu do kartonové krabice. Kartáč na vlasy, elektrický holicí strojek, lepicí pásku, tužkové baterie a krabičku svorek.

„Ten mobil zní nadějně," řekl nakonec. „Ale tohle všechno musíte zopakovat Bryanovi. Ten je tu teď šéf."

Katie nemohla odtrhnout oči od symbolu na otvíráku.

„Ještě něco s vámi potřebuju probrat, Dermote, a nejsem si jistá, jak to řešit s Bryanem."

„Jak říkáte sama, Katie, je to dobrý důstojník, i když na něj máme alergii. No tak, už jste se vypořádala se spoustou sexistických čuňat. Tu a tam je prostě musíte nakrmit kyblíkem pomyjí. Vaše pověst mluví sama za sebe."

„Já jen nevím, jak bude Bryan reagovat, to je vše. Nechci, aby sem pak vpadnul jako povodeň a rozdmýchal tady nenávist. Nechci z toho vyjít jako práskačka."

Vrchní inspektor O'Driscoll přestal balit a sundal si brýle.

„O co jde, Katie?"

Řekla mu všechno, co se strážmistryně ó Nuallánová dozvěděla od thajského tatéra Noka — že byli dva policisté spatřeni ve Zlatých prstech ve společnosti Mistra Dessieho O'Learyho a Mawakiyi nebo Koly nebo jak se vlastně jmenoval.

„Nikdy neohlásili, co Mawakiya a další padouši dělají, jako prodávání drog a kradeného majetku. Navíc ho nikdy nenahlásili jako pasáka nezletilých dívek. Jejich pochybení je tím vážnější, že tyto dívky Mawakiyovi přenechával Michael Gerrety. Odmítl se jimi zabývat sám, protože byly moc mladé a mohlo by to ohrozit jeho kampaň Zelená lucerna."

„A oni nic neřekli, ani když byl Mawakiya zavražděn?"

Katie zavrtěla hlavou. „Ani slovo. Kdyby promluvili a prozradili jeho totožnost, ušetřili by nám hodiny práce. Mohli jsme dokonce zatknout tohohle anděla pomsty dřív, než zavraždil Mâniose Dumitresca."

„Víte, kdo to je?"

„Jenom křestní jména. Ronan a Billy."

„A popis?"

„Nok zjevně řekl něco takového, jako že mu všichni Irové připadají stejní. Ale oba policisty viděl v uniformě v centru města na obchůzce."

Vrchní inspektor O'Driscoll se pomalu posadil. „Jsem si celkem jistý, že vím, o koho jde," řekl. „Ronan Kelly a Billy Daly. Oba už měli za roky u policie potíže kvůli různým přestupkům. Párkrát se na veřejných demonstracích až příliš nadšeně oháněli obuškem. Jindy nabídli opilému řidiči, že ho nechají odjet, když jim na místě dá dvě stě eur. Taky tam byly nějaké nevhodné sexuální návrhy ženám, které měly muže ve vězení nebo čelily obvinění z krádeže nebo prostituce."

Opřel se a lítostivě se na Katie podíval.

„Nepopsal bych je jako skrz naskrz prohnilé, Katie. To vůbec ne. Oba odvedli skvělou práci, zvlášť co se týče služby veřejnosti a jednání s mladými delikventy. Řekněme, že mají tendenci příliš využívat privilegií souvisejících s prací policisty. Považují je za zaměstnanecké výhody. Občas využijí něčí pohostinnosti nebo si vezmou něco do kapsy za to, že přehlédnou, když nějaký radní překročí rychlostní limit — prostě nechápou, proč by to někomu mělo vadit. Udržet si kolečka pěkně naolejovaná, to je jejich přístup."

„Ale věděli o Mawakiyovi a o tom, že pásl nezletilé dívky, a neudělali nic."

„Dovedeme si oba představit proč. Jestli se poflakují s Mistrem Dessiem O'Learym, ten, kdo jim platí, musí být Michael Gerrety."

Katie řekla: „Zeptám se Kyny, jestli ví o Ronanovi a Billym něco víc, a pak si s nimi asi budu muset pohovořit sama. Jakékoli svědectví, že si byl Gerrety vědom toho, že postupuje nezletilé dívky k prostituci, bude neocenitelné. Přišijeme mu obecné ohrožení, minimálně."

„Tohle je smutný den, Katie," řekl vrchní inspektor O'Driscoll a Katie věděla, že nemluví o Ronanu Kellym a Billym Dalym.

„Chtěla jsem se s vámi poradit, jak to mám přednést Bryanovi."

Vrchní inspektor O'Driscoll znovu vstal a začal balit. Chvíli mlčel, ale Katie trpělivě čekala na odpověď.

Nakonec k ní zvedl hlavu. „Promluvte si s Kellym a Dalym, než Bryanovi cokoli prozradíte. Řekněte jim, co víte, a trvejte na tom, aby vám pomohli usvědčit Michaela Gerretyho. Jestli nebudou chtít, postarejte se, aby se to pořádně rozmázlo a oni mohli přijít o daleko víc než jenom o práci. Řekněte jim, že jste zvědavá, jak si takoví dva policajtíci s tetováním Gardy povedou mezi obyvateli vězení na Rathmore Road."

„A když budou stále odmítat?"

„Pak jděte za Bryanem. Ale ne dřív."

„Dermote, já vím, že ho nemáte rád. Ani já ne. Ale vy mu nevěříte?"

„Jak jsem říkal, Katie. Je to slušný důstojník, který pro Limerick udělal hodně. Má také dobré konexe a byla byste blázen, kdybyste se s ním chtěla hádat."

„Ale…"

„Nejdřív si promluvte s Kellym a Dalym a dejte jim čas, ať si to promyslí. Myslím, že Michaela Gerretyho nikdy nedostaneme za mříže, ale chci se ujistit, že bude odsouzen."

V tu chvíli Katiin mobil zahrál *A už ne, ne, nikdy — ne, nikdy, nikdy víc…*

„Ten váš telefon je pěkně škodolibý," pousmál se vrchní inspektor O'Driscoll.

Katie doufala, že jí volá John, ale byl to Bill z technického oddělení.

„Odemkli jsme ten telefon, co jsme našli v dílně," řekl. „Dáte mi vánoční prémie o něco dříve?"

„Je teprve červenec, Bille."

„Já vím, ale počkejte, až zjistíte, co jsme tady našli. Telefon je hlášený na Owoyeho Danjumu, Oliver Plunkett Street číslo 33. Nebojte se, už jsme to prověřili, ve skutečnosti tam nebydlí. Vlastně tam teď nebydlí nikdo. Stačilo projít pár Owoyeho zpráv, aby se ukázalo, že se mu obvykle říká Bula."

„Takže tenhle to je. Bula-Bulan Yaro, anglicky Tlusťoch."

„Vy ho znáte?"

„Ale ano, známe ho dobře. Pracuje pro Dessieho O'Learyho jako poskok a člověk na podezřelou práci."

„Tak to dává smysl. V telefonu má asi milion zpráv od někoho, koho má uloženého pod písmenem ‚D'. Ten člověk mu pořád píše — udělej tohle, udělej tamhleto, zajeď na letiště a vyzvedni něčí šaty z čistírny, sprav dveře a já nevím co ještě. Přinesu vám ho, můžete si to projít sama. Je tam tolik usvědčujících důkazů a tolik jmen, že zatknete polovinu Corku."

Katie se obrátila na vrchního inspektora O'Driscolla: „Ten mobilní telefon v dílně patřil Bulovi, tomu tlustému Nigerijci, který dělal holku pro všechno Dessiemu O'Learymu."

„Já vím, toho jsme se nemohli zbavit. Drží se jako smrad, tenhle člověk."

„Teď každopádně, to vám povím. Ten mrtvý v dílně je celkem určitě on. Ale víte, co z toho vyplývá, že?"

„Úplně ne, kromě toho, že to byli všechno pěkní šmejdi."

„Vyplývá z toho vzorec. Všichni tři byli šmejdi, ano, ale všichni tři byli také přímo napojeni na Michaela Gerretyho. Ta mladá dívka, Lolade, tvrdila, že pachatelka si říká anděl pomsty. Mám silný pocit, že tady provádí vendetu a jde po Gerretyho lidech. Vraždí je jednoho po druhém."

„Možná je sama prostitutka," navrhl vrchní inspektor O'Driscoll. „Možná si připadá zneužívaná nebo podvedená."

„Je to pravděpodobně Nigerijka, protože si říká *Rama Ma-la'ika*, což v haúštině znamená právě anděl pomsty — takhle mi to vysvětlila Faith. To ale nutně neznamená, že je to prostitutka. Dívala jsem se na její nahrávky pořád dokola a něco na ní je. Úplně se nese. Je nesmírně atraktivní a chodí velmi sebejistě. Nosí juju náhrdelník, což by mohlo naznačovat, že juju sama praktikuje, ne jen následuje. Jinými slovy je to někdo, kdo ovládá, ne někdo, kdo je ovládaný."

„Tomu teda říkám dalekosáhlá interpretace rovných zad a náhrdelníku z lastur. Měla byste být detektiv."

„Jde o celkovou řeč těla, Dermote. Je odhodlaná, je ostražitá, ví, co má v plánu udělat, a ví, jak to provede. Podařilo se jí dostat Bulu do té nábytkářské dílny a uříznout mu cirkulárkou ruce. To neudělala žádná zlomená žena."

„Mravenčí mi z toho v zápěstích, jen když na to pomyslím," ušklíbl se Dermot O'Driscoll.

„A ještě jedna věc: používá opravdu nezvyklou zbraň. Podle toho, jak mi ji Lolade popsala, je velmi malá a po každém výstřelu je třeba ji znovu nabít. Existuje několik pistolí, které mohou vypálit patrony do brokovnice, třeba Taurus Judge nebo Smith & Wesson Governor, ale z nich lze vypálit víc než jednu ránu bez dobití a jen těžko je jde popsat jako malé. Takže by mě zajímalo, o jakou zbraň se jedná a kde ji naše pachatelka sehnala.

Také používá moderní munici, jak jste se dočetl v první zprávě doktora O'Briena. Takže se možná pletu a špatně ji odhaduji, ale nemyslím si, že to je nebo byla prostitutka. Stejně tak nemám pochybnosti o tom, že jde po Michaelu Gerretym a jeho lidech. Začala nejnižšími pohůnky a propracovává se směrem nahoru. Co byste si vsadil na to, že Dessie O'Leary je další na jejím seznamu?"

„Ta zbraň by mohla být velice dobré vodítko. Už jste se informovala u překupníků?"

„U každého odsud až po Dungarvon. Vůbec žádný výsledek. Zítra se mám sejít s Eugenem Ó Béarou, ale pochybuju, že z něj něco dostanu."

„Každopádně není na škodu udržovat kontakty s kluky ze staré brigády," řekl vrchní inspektor O'Driscoll, zamyslel se a dodal: „A co uděláte s Dessiem O'Learym? Budete ho varovat, že po něm možná půjde tenhle anděl pomsty? A co Michael Gerrety? Toho také budete varovat?"

„Já nevím," přiznala Katie. Opravdu si nebyla jistá. „Po pravdě si myslím, že by nám udělala laskavost, kdyby nás těch dvou zbavila, co říkáte?"

„My jsme strážci míru, Katie, ne soudci. Pamatujte na svou přísahu."

„Pamatuju. Ještě bych ji odrecitovala slovo od slova. Ale moje přísaha neříká nic o tom, že se mám přetrhnout, abych zachránila bezohledné a sadistické parchanty od důsledků jejich vlastních zločinů. No tak, Dermote, přísaha byla vždycky otevřená různým interpretacím. Přísaháme bohu, že nejsme členy žádné tajné organizace, nebo ne? Přitom polovina vyšších důstojníků z Phoenix Parku patří do spolku dole na Molesworth Street."

Vrchní inspektor O'Driscoll pokrčil rameny. „Nechám to na vašem uvážení, Katie. Buďte ale moc opatrná na to, jak s tím naložíte. Dávejte si pořádného bacha. Začíná to vypadat jako dva vlaky, které jedou proti sobě, tak se nenechte chytit mezi nimi."

Sledovala ho, jak si balí své poslední věci, včetně stříbrných hodin, které mu darovali rodiče, když promoval na Templemore.

„Budete mi chybět, Dermote O'Driscolle," řekla mu. „Bez vás bych se pořád ještě snažila zjistit, kdo zpronevěřil peníze z kasičky kostela svaté Rodiny nebo kdo kradl kalhotky z prádelní šňůry paní O'Gallagherové."

Přikývl. „Taky mi budete chybět, Katie Maguirová. Bojoval jsem za to, aby vás povýšili, protože jsem věřil, že ženy mají lepší čich na lži a podvody. Ha! Nevím, kolik jste se toho ode mě naučila, ale můžu vám říct, že já jsem se toho od vás naučil spoustu — zvlášť o opačném pohlaví. Moje žena říká, že jsem od té doby, co vás povýšili, daleko lepší manžel. Prý ji dokonce poslouchám, když mluví. Musím přiznat, že tím není o nic zajímavější, než byla — vlastně mi to připomnělo, proč jsem ji přestal poslouchat. No jo, člověk nemůže mít všechno."

„Vrátíte se," řekla Katie.

Vrchní inspektor O'Driscoll se rozhlédl po své kanceláři. Na zdech nebylo nic než obdélníkové stopy na místech, kde visely fotografie.

Neodpověděl jí, ale ústa se mu stáhla a oči se zaleskly. Oba věděli, že v téhle kanceláři už sedět nebude, *ne, nikdy, nikdy víc.*

243

26

Když se strážmistryně ó Nuallánová vrátila na stanici, bylo téměř jedenáct hodin večer. Vypadala vyčerpaně. Ztěžka dosedla na židli v Katiině kanceláři a hlesla: „Ježíši, já jsem vyřízená."

„Měla jste štěstí na svědky?"

„Ne. Mluvila jsem určitě s víc než čtyřiceti lidmi, ale nic. Vyslechla jsem veškerý personál v hospodě na Mutton Lane, většinu stánkařů na Anglickém tržišti a několik nakupujících. Nikdo z nich si nevybavoval, že by viděl obézního Afričana doprovázeného štíhlou Afričankou. Jeden z řezníků říkal, že viděl opravdu tlustou černošku se třemi hubenými dětmi, jestli mi to prý pomůže. Ty děti prý byly tak hubené, že té ženě nabídl nějaké párky zdarma, aby trošku přibraly jako ona. Potom na něj asi pět minut ječela, že ji uráží."

„Udělám nám kafe," řekla Katie. „Myslím, že nutně potřebuju kofein."

„Já tam dojdu," nabídla se strážmistryně.

„Ne, ne. Vy jste celý den na nohách. Chci se navíc podívat, jak je na tom Horgan."

Cestou zpátky z bufetu s tácem s pěti kávami se Katie zastavila v zasedací místnosti. Bill z technického oddělení přinesl Bulův telefon a detektivové Horgan a Nolan se nad ním hrbili, zaznamenávali si každou zprávu a e-mail a opisovali seznam kontaktů.

Katie k nim přišla a před každého postavila kelímek s kávou. „Jak to jde?" zeptala se.

„Sakra," zaklel detektiv Horgan a opřel se. „Je tam toho strašně moc, komisařko, bude nám to trvat celou noc a půlku zítřka."

„Našli jste něco zajímavého?"

„Zatím nic, co by se dalo označit za přímý důkaz. Na druhou stranu by se nám mohlo podařit propojit data a časy odeslání či přijetí některých zpráv s případy, které jsme nedokázali uzavřít. Bula měl jít například v pět večer pátého června do čtvrti Spur Cross, aby vyzvedl zásilku počítačů. A co je ve Spur Cross? Jenom soukromé domy, to je všechno. Ale my víme, že třetího června bylo z Lee Electronics ukradeno pětapadesát počítačů Acer a od té doby se po nich slehla zem. Takže by nás to mohlo dovést k tomu, kdo je ukradl, kdo je přeprodal a kam šly."

„Nějaká zmínka o Michaelovi Gerretym?"

„Zatím ne. Ale je tam spousta zpráv od muže označeného písmenem ‚D', který Bulovi píše, že po něm ‚M' něco chce. Tady, podívejte se — dvanáctého května D píše, že M chce, aby Bula jel na letiště a vyzvedl R a další dva pasažéry letu KLM 3173. To je večerní let z Bruselu, a jak víme, Brusel je obvyklá zastávka při obchodování s dívkami ze západní Afriky. Když je vyzvedl, měl je náš muž vzít do Washington Street. M se tam prý později staví, aby se na ně mrknul."

Detektiv Horgan se narovnal a protáhl. „Je to všechno jenom domněnka, ale mohla by to být instrukce od Michaela Gerretyho, aby Bula vyzvedl kurýra a dvě mladé dívky, které Gerrety později přijde zhodnotit."

„Máte pravdu. Je to domněnka. Ale držte se jí. Čím víc nepřímých důkazů budeme mít, tím lépe. A jestli je v tom telefonu něco, co dokazuje, že M je Michael Gerrety, máte u mě koblihu."

„Tak jo, díky moc za kávu. Úplně jsem po ní prahnul."

Detektiv O'Donovan dorazil ve chvíli, kdy se Katie vrátila do své kanceláře. Na velkém bočním stole, kde obvykle rozkládala mapy, rozmístil se strážmistryní ó Nuallánovou přes třicet velkých fotografií. Všechny dohromady pak panoramaticky zobrazovaly dílnu i s Bulovým bezrukým a téměř bezhlavým tělem, které leželo na pohovce uprostřed jako obrovský béžový slimák.

„To je skvělé," řekla Katie. Fotografie pořídili technici, aby zaznamenali všechny forenzní důkazy — jakékoli stopy krve, otisky prstů, šmouhy nebo škrábance —, ale Katie je ráda používala pro rekonstrukci místa činu. Připomínaly jí prázdné jeviště, když představení skončí a všichni herci odejdou domů. Tedy až na Bulu, samozřejmě.

Zjistila, že je často možné se dobrat k průběhu událostí tím, že si prohlédne přesnou pozici nábytku, krvavých skvrn a všimne si dalších detailů, jako je převržená váza nebo rozbitá okenní tabulka. Podle úhlu, v němž byl Bula střelen do kolene, a podle toho, jak krev vystříkla z rány, usuzovala, že pachatelka musela stát tam, kde nakonec skončila stolní pila, když byl Bula zastřelen. To znamená, že ji musela přitáhnout blízko k němu až poté, co si pojistila, že nemůže utéct.

Stále zblízka studovala fotografie, když jí na dveře zaklepal detektiv Ryan. Ještě víc než obvykle vypadal jako školák, který právě dokončil domácí úkol. V rukou držel půl tuctu vytištěných obrázků.

„Máme ji," vyhrkl.

Rozložil fotografie na Katiin stůl. Zachycovaly jižní konec Patrick Street mezi Burger Kingem a obchodním domem Oasis. Na prvním snímku Bula v žluté květované košili vychází z Burger Kingu a v rukou drží krabičku s jídlem. Na dalším snímku s ním mluví jeptiška, ale u výlohy butiku Claire's stojí mladá

Nigerijka, pouze pár metrů od nich, a dívá se zjevně jen na něho. Je oblečená do stejného modelu — černé tričko, černá kožená vesta a džíny —, který na sobě měla, když sledovala Mawakiyu.

Když Bula došel na roh Mutton Lane, mladá žena k němu zezadu přistoupila. Otočil se a vypadalo to, že se spolu krátce baví. Ačkoli byl obraz neostrý, bylo zjevné, že se Bula mračí. Z Mutton Lane se vynořil muž, promluvil s ním a odešel. Bula poté zahnul do Mutton Lane a mladá žena ho následovala.

„Myslím, že už není pochyb o tom, po kom jdeme," řekla Katie. Ukázala na nejostřejší snímek a dodala: „Dejte tohle do oběhu, jakmile to půjde, ano? Já se postarám, aby to dostalo tiskové oddělení. Někdo tuhle ženu musí znát a vědět, kde bydlí. Vždyť je nápadně krásná. Takovou byste nepřehlédl ani v davu, že ne?"

„Záleží, kdo by tvořil ten dav," poznamenal detektiv O'Donovan. „Kdyby to byl dav afrických krasavic, tak možná jo. Mimochodem, když je řeč o afrických krasavicích, kontaktoval jsem realitní agenturu, která pronajímá dílnu Gerrymu O'Farrellovi — je to agentura Carbery's, sídlí na Grand Parade. Pracuje tam jedna černoška a je opravdu krásná. Má rudé vlasy skoro jako vy. Říkala, že ke klíčům do dílny se nemohl dostat nikdo, protože všechny klíče uchovávají v sejfu v kanceláři. Takže měl O'Farrell možná pravdu — podezřelá mu klíče vzala z bundy a nechala si udělat kopie. Později zajdu do zámečnictví Cunneen's."

John už tvrdě spal, když se Katie konečně dostala do postele. Digitální budík na nočním stolku ukazoval 2.52. Naklepala si polštář a snažila se nějak pohodlně si lehnout, ale bylo jí horko a cítila neklid. Připadalo jí, jako by v hlavě měla lunapark a všechno, co se za ten den přihodilo, se tam točilo pořád dokola a pískalo, zvonilo a bušilo jako autíčka na autodromu.

Už téměř spala, když kolem ní John ovinul ruku a přes noční košili chytil jedno její ňadro do dlaně.

„Tak už ses vrátila," zamručel. Hlas měl tak hluboký, že cítila jeho vibrace přes matraci.

„Ano. Omlouvám se, měli jsme další vraždu."

„Řekneš mi o tom až ráno. Nechci teď myslet na vraždy."

„Mrzí mě ta večeře. Vážně jsem se na ni těšila."

„Půjdeme tam příští týden. Teda pokud se nenechá oddělat někdo další. Ale zítra bychom mohli zajít na oběd."

„To bychom mohli. Ráno musím jít na hodinu nebo dvě do práce. Budeme mluvit do médií, a navíc dorazila náhrada za Dermota a já ho do všeho uvádím."

„Vážně? A jaký je, tenhle náhradník?"

„Kdyby byl ještě trochu samolibější, už by musel vybouchnout. Bryan Molloy, tak se jmenuje. Je z Limericku. Má o ženách velice špatné mínění, zvlášť o ženách u policie, a o komisařkách úplně nejhorší."

John jí jemně stiskl ňadro a ukazováčkem a palcem jí začal mnout bradavku. Cítila, jak ji jeho penis tlačí do zad.

„Tak to ten chlap zjevně nemá vůbec žádný vkus. Nebo je to teplouš."

„Johne..." začala Katie. Chytila ho za zápěstí a odtáhla mu ruku ze svého ňadra. „Víš, že nemůžu, ne dneska večer. Dej mi pár dní a slibuju, že uspořádáme orgie."

John ji políbil na rameno, odhrnul jí vlasy a políbil ji na šíji. „Tak jo," vydechl. „Tomu, kdo čeká, asi nic neuteče. Nebo tak nějak."

Převalil se na záda. Začínalo pomalu svítat a Katie ze zahrady zaslechla střízlíky. Vzpomněla si, jak se ve škole učili, že střízlíci jsou zrádní ptáci. Zradili irské vojáky v boji proti skandinávským dobyvatelům tím, že křídly tloukli o jejich štíty.

Myšlenka na zradu jí připomněla Ronana Kellyho a Billyho Dalyho, dva policisty, se kterými si bude muset zítra promluvit. Ani trochu se na to netěšila.

John jí položil ruku na bok a jemně s ní zatřásl. „Najdeš si zítra čas, aby sis přečetla můj návrh pro ErinChem?"

„Budu se snažit, Johne."

Dlouho bylo ticho, které narušovalo jen cvrlikání střízlíků za oknem. Pak John řekl: „Víš, jak moc tě miluju, viď, Katie?"

Otočila se k němu, pevně ho objala a políbila. Tvář měl pichlavou a voněl nějakou dřevitou vodou po holení. „Já tě taky miluju, Johne Meaghere. *Tá mo chroi istigh ionat.*"

27

Našla je ve služebním autě na Parnell Place před hospodou Mulligan, jak se ládují slaninovým sendvičem a pijí čaj. Na centrálním dispečinku jí řekli, kde je najde. Bylo to jen kousek od Anglesea Street.

Otevřela zadní dveře a nastoupila do auta, než si uvědomili, co to vlastně dělá. Řidič se otočil a vyprskl: „Co si prokrista myslíš, že děláš, holka?" Z úst mu vylétla sprška drobků. Téměř okamžitě ji ale poznal a uklidnil se. „Jé. Promiňte, komisařko. Jenom jste mě překvapila, to je všechno."

„Ještě že nejsem ozbrojená a nebezpečná," neodpustila si Katie.

„My si jenom dáváme snídani, víte?" řekl policista na sedadle spolujezdce. „Směna nám začala v šest a sporák v kantýně je rozbitý."

„To je v pořádku," řekla Katie. „Nečekám, že vyrazíte o hladu. Teda ne že bych si myslela, že se to někdy děje."

Než se některý z nich zmohl na odpověď, otočila se k řidiči a zeptala se: „Vy jste Billy, že?"

„Ano, komisařko," přitakal Billy a zamračil se na svého parťáka, jako by se ho chtěl zeptat: *Co tohle všechno znamená?*

Billy Daly byl černovlasý muž s hustým černým obočím, modrýma očima a nosem připomínajícím knoflík uhnětený z modelíny. Dvojitá brada mu přetékala přes límeček a zdálo se, že uniforma je mu příliš těsná a každé ráno musí zápasit se zapínáním knoflíků.

Naproti tomu Ronan Kelly byl světlovlasý a hubený, měl bledé oči, vystoupilé lícní kosti a ostrý trojúhelníkový nos. Zdálo se, že mu téměř chybí rty, a když mluvil, sotva otvíral ústa, podobně jako břichomluvec.

Katie pokračovala: „Víte o tom Nigerijci, kterého našli zavražděného na Mutton Lane včera odpoledne? Obě ruce uříznuté a hlava rozstřelená na kaši brokovnicí."

„Jasně, jo, dneska ráno na schůzi nám to všechno řekli," odpověděl Billy. „A o co teda jde?"

„Oběť byl ilegální imigrant jménem Owoye Danjuma, více známý jako Bula. Pracoval jako holka pro všechno pro Desmonda O'Learyho, známého jako Mistr Dessie."

„Jo... jasně," řekl Billy. Jeho tón byl slovo od slova podezřívavější.

„Jak víte, máme docela dobrou představu o pachatelce vzhledem k tomu, že se nijak nesnaží se schovávat. Už dvakrát jsme ji zachytili na bezpečnostních kamerách. Patolog si myslí, že existuje důvod, proč ta žena jedná takhle otevřeně. Prý se chce na těch hajzlech pomstít a zároveň ukázat, že policie je neschopná předvést je před soud."

„No, to je jedna teorie," řekl Ronan Kelly. „Mohlo by to být taky tak, že je prostě blbá jako většina vrahů a neuvědomuje si, jak je nápadná. Kdyby většina lidí věděla, kolik je v Corku bezpečnostních kamer, nikdy byste je neviděla, jak jdou po ulici a drbou se přitom na zadku."

„Máme její fotku a koukáme po ní," řekl Billy Daly. „Vo moc víc toho dělat nemůžem', nebo jo?"

„Mohli byste sledovat, co dělá váš kamarád Mistr Dessie," řekla Katie. „Zatím tenhle anděl pomsty zabil tři lidi od Michaela Gerretyho, a jestli s tím bude pokračovat, je velká šance, že Mistr Dessie bude další. Možná jí jde dokonce o Michaela Gerretyho."

„Co tím myslíte, sledovat?" zeptal se Ronan Kelly.

„Chci, abyste věděli, kde je, dvacet čtyři hodin denně. A postarejte se, abych to věděla i já. Je to sice pěknej hajzl, ale pořád je naší povinností ho chránit, když si myslíme, že ho někdo chce zabít."

„Tak z toho teda nebude mít radost," poznamenal Ronan Kelly.

„Nebude mít radost z čeho? Že ho budete sledovat, nebo že ho někdo chce zabít?"

„Není moc rád, když lidi věděj', kde nebo s kým zrovna je."

„A proč? Protože celou dobu dělá špinavosti pro Michaela Gerretyho a ten si nerad maže ruce?"

Oba muži mlčeli, ale obezřetně se na sebe podívali.

Katie se naklonila dopředu a opřela se lokty o jejich sedadla. „Já od vás nečekám, že Mistru Dessiemu řeknete, že ho sledujete. Chci, abyste to udělali diskrétně. Od dnešního rána, a tím myslím odteď, chci vědět, kde přesně se nachází, a pokud to bude jen trochu možné, tak i co tam dělá."

„Nechtěl bych být nezdvořilý, komisařko, ale jak to prokrista máme udělat?"

„Nehrajte si na neviňátko, Kelly. Když jsem řekla, že je Mistr Dessie váš kamarád, nedělala jsem si legraci. Mistr Dessie vám dvěma dává peníze a ženy, když si nevšímáte, že obchoduje s nezletilými dívkami a vede takzvané masážní salony Michaela Gerretyho. Vy dva jste věděli o Mawakiyových aktivitách a taky jste okamžitě věděli, že to byl on, koho na Lower Shandon Street zavraždili. Asi znáte i druhou oběť, Mâniose Dumitresca."

Ronan Kelly a Billy Daly zaraženě mlčeli, ale zírali jeden na druhého, jako by se snažili telepaticky dohodnout, jak postupovat dál.

„Nemá smysl něco z toho popírat," řekla Katie. „Mám hodně svědků i důkazů. Později o tom budu muset podat hlášení, ale mezitím byste mohli zmírnit obvinění proti vám tím, že pro mě budete hlídat Mistra Dessieho. Taky od vás očekávám, že mi nahlásíte, cokoli komukoli řekne. Ať už si budete myslet, že je to legální, nebo ne."

„A co když si bude objednávat pizzu?" zeptal se Ronan hořce.

„Nejste v pozici, kdy byste mohl žertovat, Kelly," řekla Katie. „Mluvím o situacích, kdy si zavolá taxíka, aby vozil ženy po městě, kdy bude domlouvat, kdo bude jezdit na letiště, dojednávat vyšetření u doktora, takovéhle věci. A samozřejmě mi budete hlásit cokoli, co se přímo vztahuje k obchodu s lidmi nebo prostituci. A o všem, co souvisí s Michaelem Gerretym."

„No páni, věřili byste tomu?" řekl Ronan Kelly. „Úplně mě z vás přešla chuť na ten sendvič."

„Tak to je mi líto, ale je to jen vaše vina. Co uděláte teď, je čistě na vás. Když mi pomůžete, postarám se, aby vám to bylo přičteno k dobru, až dojde na disciplinární řízení. A na něj určitě dojde. Mohlo by to vést i k trestnímu stíhání."

„My ale nejsme jediní!" protestoval Billy Daly.

„Zavři kurva hubu!" vyštěkl na něj Ronan Kelly.

„Toho jsem si vědoma," řekla Katie. „Tak co budete dělat? Pomůžete mi s tím, nebo ne? Jestli řeknete, že ne, jdu přímo za zastupujícím vrchním inspektorem Molloyem a nahlásím vás."

Oba policisté byli chvíli zticha a pak se ozval Ronan Kelly: „Proč prostě nevarovat Dessieho, že po něm tahle vrána jde?"

253

„Protože začne dělat preventivní kroky — začne chodit s bodyguardem, změní svoje denní návyky, a možná si dokonce pořídí pistoli."

„No a? Aspoň mu neuříznou ruce a neustřelej' kebuli."

„O co si myslíte, že se snažím, strážníku Kelly? Já se snažím chytit toho anděla pomsty. Jestli dá Mistr Dessie najevo, že ví, že je na jejím seznamu, bude se od něj držet dál, ne? Na to, co dělá svým obětem, potřebuje čas. Čas a soukromí. Sleduje své oběti velmi zblízka. Nepokusí se jít po Mistru Dessiem, když s sebou bude mít vždycky nějakou gorilu."

„Jak si můžete být jistá, že je další na seznamu?" zeptal se Billy Daly. „Ve městě jsou tucty pasáků, nebo ne? Ježíši, spočítal bych je na prstech tří rukou."

„Jistěže si nemůžu být stoprocentně jistá," připustila Katie. „Ale smrt Buly mě přesvědčila, že je to velmi pravděpodobné. Mawakiya a Dumitrescu byli oba pasáci, to ano, ale Bula byl jenom poskok. Jediné, co měli všichni tři společného, je, že pracovali pro Michaela Gerretyho a starali se o jeho dívky. Naživu už je jen jeden člověk, který pro něj tohle dělá, a to je Mistr Dessie."

„Michael vyskočí z kůže, jestli se tohle provalí," řekl Ronan Kelly a zavrtěl hlavou. „Upřímně si nejsem jistej, čeho se bojím víc, jestli toho, že přijdu vo práci, nebo toho, že se na mě Michael nasere."

Katie otevřela dveře od auta a dovnitř zavál vlahý větřík prosycený pachem řeky. „Jdu teď za zastupujícím vrchním inspektorem Molloyem. Napište mi, jakmile zjistíte, kde Mistr Dessie je a co dělá. Kopii zprávy pošlete strážmistryni ó Nuallánové. Ona o tomhle ví, takže kdybych měla moc práce, zvládne jakoukoli krizi."

28

Zastupující vrchní inspektor Molloy zrovna telefonoval, když mu Katie zaklepala na dveře. Naznačil jí, že má jít dál, a zakryl sluchátko rukou. „Dveře. Zavřete je, Katie."

Pomyslela si, že „Zavřete je, Katie, prosím" by znělo líp, přesto je zavřela a posadila se k jeho stolu. Rozhlédla se po kanceláři a všimla si, že ji už inspektor Molloy stihl vyzdobit svými oceněními, certifikáty a fotografiemi, na nichž si podává ruku s různými politiky — byl tu ministr spravedlnosti Alan Shatter, poslankyně Kathleen Lynchová a z místních politiků starosta Limericku.

V rohu stála kožená taška s golfovými holemi opřená o knihovnu.

„Pate, tak to prostě uděláme, ať se ti to líbí, nebo ne," říkal inspektor Molloy do sluchátka. „Ne, Pate. Ne, panáčku! Rozhodně ne. Už jsem ti to říkal dřív. Tak dobře. Dobře. Zavoláme si později."

Zavěsil a do bločku před sebou si napsal nějakou poznámku. Až poté vzhlédl ke Katie a tázavě se na ni podíval, jako by nechápal, proč za ním přišla.

„Dobré ráno, Bryane," řekla Katie. „Vidím, že už se tu zabydlujete."

Zastupující vrchní inspektor Molloy její poznámku ignoroval. „Viděl jsem tu výzvu, kterou jste dnes ráno dali do televize. Škoda že mi nebyl dopřán ten luxus, abych ji osobně vetoval, než se dostane ven."

„Aha, tak to mě mrzí. Žádala jsem Declana O'Donoghuea, aby vám to ukázal."

„Nejspíš tedy došlo k chybě v komunikaci. Nebyl jsem moc nadšený z vyjádření domněnky, že všechny vraždy souvisí se sexuálním průmyslem. Je to velmi ožehavé téma, z hlediska zákona i politiky, a není naším úkolem, abychom v něm vynášeli soudy. Jsme policisté, ne nějací hlasatelé evangelia zpívající náboženské písně."

Katie mu na stůl položila modrou složku. „Doktor O'Brien mi řekl, že zprávu z pitvy třetí oběti bude mít až dnes večer, ne-li zítra, a technické oddělení zatím neposlalo závěrečnou zprávu z místa činu na Mutton Lane. Ale z tohohle si uděláte obraz o všech třech vraždách — jsou tam forenzní zprávy, výsledky pitev, výpovědi svědků a fotografie z bezpečnostních kamer. Na základě toho jistě zjistíte, že spojení se sexuálním průmyslem je nepopiratelné."

Zastupující vrchní inspektor Molloy se natáhl přes stůl a složku si vzal, ale neotevřel ji. „Dermot mi říkal, že neděláte ukvapené závěry. Puntičkářská, taková prý jste."

„Dva zavraždění byli pasáci a třetí byl poskok v největším organizovaném obchodu s prostitucí v Corku. Neřekla bych, že dělám ukvapené závěry."

„Je to otázka přístupu, Katie. Nechceme přece vypadat, že jsme předpojatí."

„Nerozumím, co tím chcete říct. Já nejsem ani trochu předpojatá. Jenom dělám logický závěr z důkazů. Když budou zavražděni dva řezníci a řeznický asistent, budete mít podezření, že jsou vraždy spojené s obchodem s masem, nebo ne?"

Zastupující vrchní inspektor Molloy vstal a přešel k oknu. „Časy se mění, Katie. Veřejné mínění se mění. Policie na to musí reagovat."

Katie neodpověděla a čekala, co přijde dál. Cítila, že si inspektor připravuje nějaké důležité prohlášení, o němž předpokládal, že se jí nebude líbit. Stál zády k ní, obě ruce měl zastrčené v kapsách a pohrával si s drobnými.

„Můžu vám to říct vlastně už teď. Ruším operaci Šutr," řekl.

„*Cože?*"

„Ruším operaci Šutr. Podle mého názoru je překonaná, pošetilá a je to plýtvání cennými zdroji. Šance na úspěšné trestní řízení jsou takřka nulové a já myslím, že vážně poškodí naše vztahy s komunitou sexuálních pracovníků."

Katie vypadala, jako by jí jeho slova vyrazila dech. „Bryane, víte, kolik měsíců práce už tahle operace stála? Víte, kolik žen riskovalo, když nám dalo svědecké výpovědi? Mluvíte o komunitě sexuálních pracovníků, ale máte tušení, s kolika z těchto žen někdo ilegálně obchodoval, kolik jich násilím zdrogovali nebo jim vyhrožovali, nebo obojí? Víte, kolik z nich je tak mladých, že by měly být ještě ve škole, a ne pracovat jako prostitutky?"

Zastupující vrchní inspektor Molloy se otočil a ruce nechal v kapsách. „Jsem velice dobře obeznámen se statistikami, Katie. Prošel jsem si všechny zprávy s Dermotem, než včera odešel. Ano, jsou ženy, které nepracují v sexuálním průmyslu dobrovolně, ale jaké mají možnosti? Když nebudou dělat tohle, zůstanou bez prostředků a my je budeme muset buď poslat zpátky do Afriky nebo východní Evropy do ještě větší bídy, nebo jim budeme muset poskytnout dávky, což je velká zátěž pro daňové poplatníky, kteří už tak platí hodně."

„Nemůžu uvěřit, že tohle říkáte," pronesla Katie strnule.

„To proto, že se na to díváte z ženského úhlu pohledu. Jste pořád *bangharda*, Katie. Je úkolem církve se starat o morálku, ne nás. Naším úkolem je chránit lidi, nehledě na to, kým jsou a co mají na svědomí. Nejlepší způsob, jak ochránit ženy v sexuálním průmyslu, je vynést všechno na povrch. Když mají prostitutky zodpovědné organizátory, kteří jim zajistí bezpečné bydlení a postarají se o jejich blaho, je to určitě lepší než je vídat na ulicích."

„Zodpovědní organizátoři? Děláte si legraci? Jací zodpovědní organizátoři? Muži jako Mânios Dumitrescu, Johnny-G, Terence Chokwu a Charlie O'Reilly? Muži jako Michael Gerrety?"

„Tak zrovna Michael Gerrety si zasluhuje mnohem větší manévrovací prostor. Jeho kampaň Zelená lucerna podpořila značná část dobročinných organizací, sociálních pracovníků i sexuálních pracovníků samotných. Usilovně se snaží sejmout z této oblasti podnikání stigma a z našeho pohledu to může být jen ku prospěchu věci. Znamená to, že do prostituce bude nuceno méně žen. Znamená to méně násilí a pohlavně přenosných chorob. Lidé budou vždycky prodávat i kupovat sex, ať uděláme cokoli. Když budeme pronásledovat muže jako Michael Gerrety, dosáhneme jen toho, že se sexuální průmysl vrátí zase zpátky do podzemí, kde je na něj daleko složitější dohlížet."

Katie na nového nadřízeného nevěřícně zírala. „Vy tomu opravdu věříte?"

„Ano, věřím. A také proto ruším operaci Šutr."

Katie vstala. „Stejně vám tady nechám tu složku. Mám aspoň dvacet dalších velkých případů, které s vámi musím projít, ale myslím, že je můžeme nechat až na pondělí."

„Já jsem připraven se na ně podívat hned. Čím dřív se do toho dostanu, tím lépe."

„To ano, ale právě jste mě úplně vykolejil. Musím jít a popřemýšlet o tom."

„Neříkejte mi, že vás to rozrušilo! Je to čistě politické rozhodnutí, Katie, nemá to nic společného s osobními sympatiemi."

„Je to politické rozhodnutí, se kterým kategoricky nesouhlasím, Bryane. Michael Gerrety je vychytralý manipulativní tyran a podvodník, a jestli otevřeně mluvíte o tom, že ho necháte nerušeně provozovat jeho sexuální byznys, jste ještě větší šovinistické prase, než jsem si myslela."

Zastupující vrchní inspektor Molloy zůstal stát s otevřenými ústy a v obličeji pomalu rudl. Chvíli si Katie myslela, že na ni začne křičet. Potom si ale vyndal ruce z kapes a začal jí pomalu, výsměšně tleskat.

„Hodná holka! Výborně! Jestli mám něco rád, tak jsou to ženy dostatečně odvážné na to, aby řekly svůj názor, i když je úplně pitomý!"

Přestal tleskat a popošel k ní. Chytil ji za loket a ona mu ho téměř okamžitě vytrhla.

„Chápu, že jste naštvaná a zklamaná, Katie. Také bych na vašem místě byl. Takže ano, nechme to ostatní na pondělí. Teď běžte domů a vypusťte ten splín při nějakém luxování, praní záclon nebo tak. Uvidíme se, až si promyslíte, co jsem vám právě řekl, a dojde vám, že to dává smysl."

Katie se zhluboka nadechla, otevřela dveře a beze slova vyšla z kanceláře. Byla tak rozčílená, že měla chuť kopnout do zdi nebo se rozplakat. Neudělala ale ani jedno. Molloy jí řekl, že je *bangharda*, což je zastaralý výraz pro policistku. A ona mu rozhodně nechtěla dopřát zadostiučinění z toho, že dostojí jeho představě o hysterických ženách.

V Oliver Plunkett Street se v podniku Ovens setkala s Eugenem Ó Béarou. Seděl v boxu v nejvzdálenějším rohu místnosti, před sebou napůl vypitou pintu Guinnessu, a mluvil s mladíkem s vyholenou hlavou v zeleném tričku s límečkem. Eugene Ó Béara se od doby, kdy ho Katie viděla naposledy, vůbec nezměnil, i když jeho kudrnaté — dříve kaštanové — vlasy zešedivěly a nutně potřebovaly zastřihnout. Katie připomínal básníka Dylana Thomase, protože měl stejně jako on i ve čtyřiceti letech obličej rozmazleného dítěte.

Měl na sobě černou košili s krátkým rukávem, která už měla to nejlepší za sebou, a kravatu s logem hurlingového klubu Blackpool. Když Katie obešla bar, zvedl levou ruku a podíval se na své velké rolexky.

„Promiňte, že jdu trochu pozdě," řekla Katie.

„Posuň se, Micky," řekl Eugene, „ať si dáma může sednout."

Mladík s oholenou hlavou se na lavici pošoupl dál a Katie se posadila vedle něj.

„Komisařko Maguirová, tohle je Micky Corcoran. Micky, tohle je slavná Katie Maguirová, prokletí všech darebáků. Dáte si s námi něco dobrého, komisařko, zvlášť když nás zvete?"

„Já si dám jenom limonádu Finches," řekla Katie. Z peněženky vytáhla dvacetieurovou bankovku a podala mu ji. „Vy dva si dejte, co budete chtít."

Micky Corcoran vzal dvacetieurovou bankovku a vstal. Měl tváře zjizvené od akné, dlouhý špičatý nos a v levém uchu dvě stříbrné náušnice. Když šel k baru pro pití, podíval se úkosem na Katie a ušklíbl se, jako by ho na ní něco pobavilo.

„Jak to, že vždycky když poliši chtěj' vědět něco o ilegálně nabytých zbraních, přijdou za mnou?" zeptal se Eugene. „Poslední věc, která mi vybouchla, byl balónek na narozeninách mojí dcery. Naše kalašnikovy jsme překovali na pluhy a minomety na roubovací nože."

„No jistě a policajti můžou poděkovat bohu."

Eugene přimhouřil oči. „Mám takovej neodbytnej pocit, že jste dneska nějaká divná."

„Váš neodbytný pocit je správný, ale s tím, co tu budeme řešit, to nesouvisí."

„Jestli vás někdo rozčílil, komisařko, mám spoustu kamarádů, kteří by to mohli spravit."

„Jak jsem vám řekla po telefonu, zajímá mě jen jedna pistole. Je to malá jednoruční střelná zbraň, do níž se dávají brokové náboje. Podle toho, co nám o ní řekl svědek, vystřelí najednou jen jeden náboj."

Micky Corcoran se vrátil s pitím. Podal Katie sklenici se dvěma brčky a lahev malinové limonády. „Myslel jsem, že to budete chtít pít civilizovaně."

„Micky o té vaší pistoli bude vědět," řekl Eugene. „Micky, znáš jednoruční pistoli, do který můžeš dávat brokový náboje, ale je jen na jednu ránu?"

Micky do sebe obrátil lahev ležáku Satzenbrau. „Jo, jasně," řekl a otřel si hřbetem ruky ústa. „To bude kapesní brokovnice. Vyrábí ji Heizer Defence v Americe a do prodeje se dostala až na konci roku 2013, takže jich v oběhu ještě moc není. Vyrábí se z nerezové oceli nebo titanu a je tak zatraceně malá, že ji můžete nosit v kapse a nikdo si ani nevšimne, že ji máte u sebe. Jediný problém je zpětný ráz. Je tak malá, že kope jak vzteklej osel."

„Kde bych ji mohla sehnat?"

„To vás někdo tak namích'?" zazubil se Eugene.

„Ta zbraň byla použita při vraždě," řekla Katie. „Když budu vědět, kde ji pachatel sehnal, pomůže mi to zjistit jeho totožnost. A jestli je jich na trhu tak málo, jak říkáte…"

Micky si znovu přihnul z lahve a soustředěně se zašklebil. „To nevím," řekl. „Nechci nikoho dostat do sraček."

„Já nejdu po tom, kdo zbraň dodal," naléhala Katie. „Jen chci vědět, komu ji prodal."

Micky se otočil na Eugena. Eugene pokrčil rameny a řekl: „Ona drží slovo, Micky. To se jí musí nechat. Ale nechceš dát tak cennou informaci zadarmo, že ne?"

Katie znovu otevřela peněženku a vyndala dvě padesátieurové bankovky. Micky se podíval na Eugena, ale ten si skousl dolní ret a zavrtěl hlavou. Katie vyndala další dvě padesátky.

„Ještě jednu a dohodneme se," řekl Eugene.

Katie mu podala pět padesátieurových bankovek. Eugene se natáhl přes stůl a vzal si je. Dvě dal Mickymu a tři si zastrčil do náprsní kapsy košile. „Tak do toho, Micky," vyzval ho. „Řekni jí, kdo tyhle pistole prodává."

„Colin Cleary," prozradil Micky. „Asi před třemi měsíci mi jednu takovou ukázal. Ptal se, jestli nemám zájem, ale nechtěl jsem ji. Je to zbraň na sebeobranu, když máte strach, že na vás má někdo spadeno, nebo na nějakou osobní pomstu. Nevím, kde je Colin shání, ale znáte ho, sežene vám i tank, když ho budete chtít."

„Myslela jsem, že Colin Cleary v byznysu se zbraněmi už léta nejede," poznamenala Katie. „Šel na odpočinek, ne? A otevřel si to zahradnické centrum v Mallow, že?"

„Ale jo, to pořád dělá. Když potřebujete herbicid nebo rajčata, Colin je váš člověk. Ale nikdy nepřerušil kontakty s Amerikou ani Středním Východem."

„Colin je patriot jako já," řekl Eugene. „Navzdory všem těm sračkám jako Belfastská dohoda velký den Irska jednou přijde."

Katie zamířila do Anglesea Street pěšky, ale nevrátila se do kanceláře. Místo toho šla přímo na parkoviště a nastoupila do auta. Vyndala si mobil a vyťukala číslo informační služby, aby zjistila číslo na zahradnické centrum Colina Clearyho.

„Clearyho zahradnictví," ozval se ženský hlas, když ji přepojili.

„Je tam Colin Cleary?"

„A kdo se ptá?"

„Maguirovo hnojivo. Požádal mě, abych mu zavolala."

„Je pryč až do pondělí. Někde v Británii. Birmingham, myslím. Můžu vám na něj dát číslo na mobil."

„Děkuju."

Katie si poznamenala číslo na Colina Clearyho a hned mu zavolala. Zatímco čekala, až Colin přijme hovor, všimla si, že na střeše budovy nad parkovištěm sedí sedm nebo osm šedých vran. Věděla, že je to směšné, ale vždycky považovala slet těchto ptáků za znamení neštěstí.

Telefon Colina Clearyho zvonil a zvonil, ale nikdo ho nebral. Nakonec to Katie vzdala. Zkusí to znovu později, ale moc nevěřila tomu, že se dovolá. Muž jako Colin Cleary si bude vždycky dávat pozor na čísla, která nezná.

Nastartovala motor, vycouvala z parkoviště a zamířila domů.

29

Katie s Johnem dorazili k domu jejího otce a ke dveřím pro
ně přišla Moirin. Měla na sobě nápadné letní šaty se zelenými
a oranžovými geometrickými vzory, které byly o patnáct centi-
metrů kratší, než by se k ženě jejího věku hodilo.

„No teda, to jste vy!" řekla, jako by očekávala někoho jiného
a zklamalo ji, že vidí Katie a Johna.

„Jak se máš, Moirin?" zeptala se Katie a vešla do předsíně.
Vyměnily si letmé polibky na tvář. Moirin měla kratší a ježa-
tější vlasy, než když se viděly naposledy, a Katie si pomyslela,
že působí elegantněji. Bohužel však také vypadala staře, i když
jí bylo teprve kolem pětatřiceti.

„Ty jsi John, že ano?" zeptala se Moirin. „U Katie o tom ztrá-
cím přehled."

„Měla jsem jednoho manžela, který zemřel, a potom Johna,"
neodpustila si Katie. „Dá se to zapamatovat, nebo ti to mám
napsat?"

„Pojďte dál," řekla Moirin a zavřela vchodové dveře. Katiin
otec žil ve vysokém zeleném viktoriánském domě v Monks-
townu, na opačné straně přístavu než Katie. Matka zemře-
la před čtyřmi lety a Katie otce opakovaně nabádala, aby
dům prodal a přestěhoval se do menšího, s nímž nebude
taková práce. On jí vždy odpověděl, že v tom domě má
své vzpomínky. V zimě tu prý vidí její matku, jak sedí na
druhém schodu a obouvá se, a v létě nechává kuchyňské
dveře otevřené a představuje si ji, jak se na zahradě stará
o cesmíny.

Dům byl obvykle cítit stářím, ale přes léto se důkladně vyvětral a vzduch uvnitř už nebyl tak vlhký. Vydali se do obývacího pokoje a všimli si několika váz plných žlutých růží a gladiolů. Nábytek zářil leštěnkou. Nad krbem visela stará olejomalba zobrazující skupinu osob, které se snaží najít cestu v lese. Na Katie vždycky působil zlověstně, ale dnes měl i on sváteční nádech a lidé na něm vypadali spíše vesele než ztraceně. Z kuchyně se linula lákavá vůně pečeného kuřete a bylinek.

Katiin otec vešel do obývacího pokoje a držel za ruku Siobhan.

„Katie, drahoušku!" pozdravil ji. „Johne!"

Katie k němu přišla a políbila ho. S radostí si všimla, že vypadá o mnoho lépe. Bílé vlasy měl pečlivě zastřižené, a i když byl stále samá kost, zdálo se, že něco přibral. Na sobě měl čerstvě vyžehlenou košili.

„Siobhan, jak se máš, drahoušku?"

Siobhan byla třetí ze sedmi dětí McCarthyových a byla podobná svému otci, když býval mladší. Měla kulatý obličej, růžové tváře, zelené oči a spoustu zrzavých kudrnatých loken. Mívala nespočet mužů a flirtovala s každým, kdo na ni měl čas. Loni ji však jedna žárlivá manželka udeřila do hlavy kladivem a Siobhan z toho zůstalo trvalé poškození mozku. Stále byla roztomilá a vtipná, ale teď měla mentální kapacitu sedmiletého dítěte.

„Katie!" zavolala a objala ji. „Johne! To je jako na Vánoce!"

„Jak se máš, Siobhan? Máš krásné šaty!"

„Jsou růžové," usmála se Siobhan. „Koupila jsem je s Ailish v Penneys."

„A co jsi dělala, Siobhan? Bylas někde v poslední době? Vzala tě Moirin na pláž?"

„Jo," vyštěkla Moirin. „Moirin ji vzala na pláž, do Tarzan Landu v zábavním parku a každý den jsme zašly na procházku do Green parku, i když pršelo. Líbí se jí ty malby na zdech, že ano, Siobhan? Je tam její oblíbená."

„Mám ráda mořské panny," řekla Siobhan. „A taky rybáře. A ryby a kraby."

Z kuchyně k nim přišla i Ailish a Moirinin manžel Kevin. Katie našla Ailish skrze agenturu zprostředkovávající zaměstnání. Starala se Katiinu otci o dům, vařila mu a dělala společnost. Byla to pohledná žena při těle s šedými vlasy spletenými do copu, s nímž vypadala jako Němka.

Kevin vypadal sklíčeně jako obvykle. Měl svěšená ramena, silné brýle a řídly mu vlasy. Rysy jeho tváře jako by spolu vůbec neladily. Byl oblečený do nové modré košile s krátkým rukávem, na níž byly stále patrné sklady, jak ji teprve ráno poprvé rozbalil. *Moirin asi měla moc práce a nevyžehlila mu ji,* pomyslela si Katie.

Všichni se usadili v obývacím pokoji. Katiin otec a Ailish odešli do kuchyně, odkud se ozvalo tiché prasknutí. Krátce nato se Ailish vrátila do pokoje s tácem se sklenkami na šampaňské.

„No ne, dneska je nějaká zvláštní příležitost?" zeptal se John.

„Samozřejmě," řekl Katiin otec. „Našel sis práci v Corku, zůstaneš tady a děláš Katie šťastnou."

„Já jsem taky šťastný," usmál se John. „Katie je jedinečná. Jedna z milionu. A já ji moc miluju." Natáhl se k ní a vzal ji za ruku.

Katiin otec všem podal sklenici šampaňského a začal: „Ale je tu ještě jeden důvod, proč jsem vás sem všechny pozval. Chtěl bych vám něco oznámit."

„No konečně!" vyhrkla Moirin. „Prodáváš dům! Aleluja! Teda pokud se neplánuješ nastěhovat ke mně a Kevinovi.

Už tak máme dům plný, když je tam Nona a Tommy, nemluvě o Siobhan."

„Můžu vám ten prodej pomoct zařídit, pane McCarthy," nabídl Kevin nevýrazným hlasem. „Trh je dost pomalý, ale určitě vám dojednám slušnou cenu. O jaké částce přemýšlíte?"

Katiin otec se usmál a zavrtěl hlavou. „To jsem se nechystal oznámit. Neprodávám dům. Žiju tu příliš dlouho na to, abych přemýšlel o stěhování, a je tu spousta vzpomínek. Na vás, na vaši matku."

„Tak co?" neudržela se Moirin.

„Moirin," ozvala se Katie. „Nech tátu konečně mluvit!"

Katiin otec pozvedl sklenici a otočil se na Ailish. Položil jí ruku na rameno. „Chci vám oznámit — Ailish a já se budeme brát."

„No tati!" vyhrkla Katie. „To je skvělé! Nemůžu tomu uvěřit! Vy se opravdu budete brát? A kdy?"

„Výborně, pane," zahlaholil John a pozvedl sklenku. „Zasloužíte si jeden druhého."

Siobhan se rozhlédla kolem sebe. „Co se děje? Proč jsou všichni tak nadšení?"

„Tatínek si bude brát Ailish," řekla Moirin. „Budeš mít novou maminku."

„Ale já nechci novou maminku! Já chci svoji maminku!"

„Siobhan, drahoušku, já nebudu zabírat místo tvojí pravé maminky," řekla Ailish. „To by nemohl nikdo. Jde jen o to, že se s tvým tatínkem máme rádi a chceme strávit zbytek života spolu jako manželé."

Moirin objala Siobhan. „To je v pořádku, drahoušku," uklidňovala ji. „Nenech se tím rozrušit." Potom se otočila k otci a řekla: „Mohls jí to sdělit nějak jemně, pro lásku boží, ne to na ni takhle vybalit! Mohls to říct nějak jemně nám všem!"

„Myslel jsem, že za nás budete rádi, Moirin."

„No, je jasné, že vy s Ailish máte radost, ale co tvoje dcery? Dcery, které jsi měl se svou předchozí ženou, o které tvrdíš, že ti tak chybí."

„Moirin," řekla Katie. „Můžeš projednou zůstat zticha? Táta je šťastný a o to jde, ne o to, co si myslíš ty. Neopovažuj se mu to pokazit. No tak, připijme na Ailish a tátu a přejme jim všechno nejlepší."

„Ty vážně myslíš, že si připiju na to, že přicházíme o dědictví?"

„Cože? O jaké dědictví? O čem to mluvíš, Moirin? Táta si našel někoho, kdo se o něj bude starat, někoho, koho miluje a kvůli komu se znovu usmívá. Copak z toho nemáš radost?"

„Jak to myslíš, jaké dědictví?" zeptala se Moirin. Siobhan plakala, a kdykoli se nadechla, z hrdla se jí vydral vzlyk. „Co myslíš, že se stane, až táta umře? Komu asi připadne tenhle dům? My to teda nebudeme, to ne. Dům se neprodá a peníze se nerozdělí mezi dcery. To ne, protože tu bude nový majitel, tátova ne zas tak smutná vdova. Kdo ví, jak dlouho tu pak bude ona žít a komu to tu předá, až zemře."

Katiin otec položil sklenici se šampaňským na stůl. „Jak něco takového můžeš říct, Moirin? Ty opravdu věříš, že když umřu, nic vám nenechám? Pozval jsem vás sem, abyste si se mnou užívaly můj život, ne se hádaly o mojí smrti."

„Tak to popři, tati," vyzvala ho bojovně Moirin. „Popři, že necháš všechno Ailish, až umřeš. Jakou má tenhle dům hodnotu při dnešních cenách, Kevine?"

„Čtyři sta dvacet pět tisíc eur s přehledem," řekl Kevin.

Katie vstala a postavila se vedle otce. Zíral nevěřícně na Moirin a dolní čelist se mu hýbala, jako by nejdřív musel přežvýkat, co mu dcera vpálila do tváře.

„Tati," uklidňovala ho Katie a položila mu ruku kolem ramen. Pak se otočila na Moirin a řekla: „Myslím, že by ses měla omluvit, Moirin. Jak jsi mohla?"

„Mám se omlouvat za to, že říkám pravdu?" odsekla Moirin. „Jestli se vám ta pravda nelíbí, tak jo, omlouvám se."

„A ven," řekl Katiin otec.

„Co?"

„Řekl jsem: a ven! Ven z mého domu, který je pořád ještě můj a který si můžu dát, komu chci. No tak, vypadni a vezmi si toho svého neškodného manžílka s sebou."

„Tati, nemusí to dojít tak daleko," řekla Katie. „Pro lásku boží, Moirin, jak můžeš s tátou takhle mluvit?"

„Protože si chce vzít svoji uklízečku, proto. Ježíši! Co kdybych jednou přišla domů a řekla, že si chci vzít zametače chodníků? Jeho uklízečka! A ona všechno zdědí!"

Katiin otec se nadechl. „Vypadni, Moirin, než řeknu něco, čeho budu litovat."

„Tak jo, fajn, my jdeme," odsekla Moirin. „Pojď, Kevine. Jdeme, Siobhan. Poznáme, když někde nejsme vítaní."

Všichni tři vstali a odešli, Siobhan stále se vzlyky. Moirin za sebou pořádně práskla dveřmi.

Katiin otec se posadil. Třásl se po celém těle. Ailish si zástěrou otírala slzy.

Katie si klekla a chytila otce za ruce. Stále měl snubní prsten ze svatby s Katiinou matkou.

„Nebuď z toho smutný," řekla mu klidně. „Je skvělé, že si chceš vzít Ailish. Budete spolu mít krásný život. Moirin je prostě jedna z těch lidí, kteří se vždycky špatně rozhodnou a pak toho litují. Myslela si, že Kevin bude zábavný a bohatý, ale ukázalo se, že je bez peněz a nudný. Myslela si, že Nona bude krásná a Tommy geniální. A co se stalo? Noně odstávají uši a Tommy je dyslektik. Myslím, že celý život počítala s tím, že dědictví všechno změní. Nebuď na ni moc tvrdý. Je jenom hořce zklamaná. Až se uklidní, promluvím si s ní."

Katiin otec uznale pokýval hlavou. „Jsi velmi tolerantní žena, Kathleen, a chápavá. Nikdy jsem nepotkal komisaře, jako jsi ty, nikdy za celou svoji policejní kariéru. Děkuju ti."

Po obědě šel John do kuchyně pomoct Ailish s umýváním nádobí a úklidem, zatímco Katie s otcem v obývacím pokoji dopíjela lahev merlotu, který měli k obědu.

Katie otci řekla, že jde Dermot O'Driscoll do penze a že Bryan Molloy zrušil operaci Šutr. Také mu pověděla o andělovi pomsty a svém tušení, že Mistr Dessie bude další oběť.

„Ale nemáš žádný důkaz, že?" zeptal se jí.

„Ne, nemám. Možná pláču na špatném hrobě a pachatelce jde o něco úplně jiného. Možná o drogy nebo o peníze. Ale je to Nigerijka a už zavraždila tři prevíty, kteří pracovali pro Michaela Gerretyho. Zdá se logické, že půjde po dalším, a Mistr Dessie je z nich ten největší prevít. Její motiv samozřejmě neznám, ale když si říká anděl pomsty, určitě se jim za něco mstí."

„To, co jsi mi řekla o těch dvou policistech... Jakže se jmenují?"

„Ronan Kelly a Billy Daly. Myslím, že jsou spíš slabí a hamižní než zkorumpovaní. Nejsou zrovna nejchytřejší."

„No, na pár takových jsem ve své době narazil. Je to pochopitelné. Jsou mladí, nevydělávají zrovna moc a každý den se stýkají se zločinci, kteří mají skvělá auta, povolné ženy a peněz, že by jimi mohli zatápět. Ale... můžeš jim opravdu věřit, že ti pomůžou?"

„Kelly mi v jedenáct napsal, že Mistr Dessie je v Havana Brown's, a pak mi znovu napsal v půl jedné, že asi odjel domů.

S nějakou dívkou. Je pravda, že teď se mi chvíli neozval, ale možná je to proto, že je Mistr Dessie s tou dívkou pořád ještě doma."

Katiin otec zamyšleně otáčel víno ve sklenici. „Být tebou, Katie, dal bych si na tyhle dva dárečky pozor. Řeklas jim, že se za ně přimluvíš, když budou spolupracovat. Ale o práci přijdou, ať udělají cokoli, a to je bude sakra mrzet, ne?"

„Neboj se, tati," odpověděla Katie. „Mám oči pořád otevřené. Teď hlavně přemýšlím, jestli dělám dobře, když Mistru Dessiemu neřeknu, že je další na jejím seznamu."

„A nemyslíš, že k tomu možná došel sám? Vypadá jako blbec, ale žádný trouba to není. Znal jsem ho, když byl ještě kluk, a to už byl opravdu hodně mazaný, to mi věř."

„Ano," řekla Katie. „Ale předpokládejme, že mě Kelly a Daly o jeho pohybech informovat nebudou. Co když se andělovi pomsty podaří ho zavraždit? Já jsem v takovém případě neudělala nic, abych ho varovala."

„Proč by ses měla cítit provinile, jestli Mistra Dessieho opravdu zavraždí? Vybral si svůj způsob života ze své svobodné vůle a je si dobře vědom, jak to může být nebezpečné. Myslím, že morálně není nic špatného na tom, použít ho jako návnadu, zvlášť když se snažíš dostihnout několikanásobného vraha. Kromě toho by tady bez Mistra Dessieho nebylo o nic hůř, nebo jo?"

„V tom s tebou souhlasím," usmála se Katie. „Ale od nás se čeká, že budeme přistupovat ke všem lidem se stejným respektem, ať už jsou světci, nebo lumpové, nebo ne?"

„To se říká v přísaze, kterou jsme složili. Ale jak může někdo chtít, abychom respektovali lidi, kteří si neváží sami sebe ani kohokoli jiného? To prostě není možné, a kdybychom to dělali, znemožňovalo by to celou policejní práci. Ne, Katie, myslím, že bys měla věřit své intuici."

„A co bys mi radil, abych udělala s Michaelem Gerretym?"

„Zatím nic. Jestli Bryan Molloy nechce povolit operaci Šutr, nejvyšší státní zástupkyně se bude muset spokojit s důkazy, které jste jí dosud dali."

„Já si popravdě nemyslím, že máme dost důkazů na to, aby ho odsoudili — obzvlášť jestli se Gerrety dostane ke svědkům, což se mu podaří. My pak budeme vypadat, že jsme prudérní, staromódní, a co je nejhorší, nekompetentní."

„Pak bych to, holčičko, zatím nechal být a čekal na svou příležitost. A jestli Michael Gerrety získá přesvědčení, že stojí nad zákonem, jednou překročí hranici a ty ho dostaneš."

„Tím si nejsem tak jistá," ušklíbla se Katie. „Je to velice opatrný člověk. A rozumí veřejnému mínění. Pozná, jakým směrem vane vítr, zvlášť co se týká sexuálního průmyslu."

Katiin otec vzal dceru za ruku. „Já jsem možná nedosáhl na tak vysokou pozici jako ty, Katie, ale za celá ta léta služby jsem se naučil jednu věc. Spravedlnost má tendenci se prosadit tak či onak, někdy i takovým způsobem, který bys nikdy nečekala."

Do pokoje vešel John. „Jste připravení na další sklenici vína?"

„Ne, já ne," řekla Katie. „Řídím."

„To je fakt. A ještě máš dneska přečíst můj obchodní plán, že ano? No tak, zítra jdu do práce. Opravdu bych chtěl vědět, co si o tom myslíš."

„Slibuju, že si to večer přečtu. Ať se propadnu, jestli ne."

„Slib stačí, miláčku," řekl John. „Propadat se nemusíš." Otočil se ke Katiinu otci a usmál se: „Pracovní název mého plánu zní *Jak získat podporu profesionálů pro léky nabízené online*. Musím přiznat, že já bych to na jejím místě taky nechtěl číst."

30

Další ráno jely Katie a strážmistryně ó Nuallánová do pětatřicet kilometrů vzdáleného města Mallow. Celou cestu prudce pršelo, ale když zabočily ke Clearyho zahradnímu centru, začalo se vyjasňovat.

Zaparkovaly a vystoupaly po schodech ke kanceláři. Zahradnické centrum se skládalo z řady osmi skleníků a jedné cihlové budovy, kde se nacházela kavárna a obchod. Před ním stály zaparkované nové trakaře lesknoucí se kapkami deště a několik zelených trpaslíků. Bylo vlhko, ale teplo a ve vzduchu byl cítit kompost.

Colin Cleary seděl v recepci, popíjel čaj a kouřil. Byl to velký muž s ježatými šedými vlasy a obličejem, který vypadal, jako by se amatérský sochař pokusil vyřezat sochy, které jsou na Velikonočních ostrovech, z červené řepy a pak na ně narazil dvě šedá obočí. Měl na sobě kostkovanou košili se čtyřmi rozepnutými knoflíky a z rozhalenky mu vylézaly šedé chlupy.

„Můžu vám, dámy, nějak pomoct?" zeptala se uhrovitá recepční. Byla oblečená do zeleného svetru s nápisem „Jedině Clearyho centrum!".

„My jsme přišly za panem Clearym samotným," odpověděla jí Katie. Otočila se na Colina Clearyho a řekla: „Nějakou dobu jsme se neviděli, Coline. Tak jak je?"

Colin Cleary se na ni zamračil a vyfoukl koutkem úst cigaretový kouř. Pak se plácl do stehna a řekl: „No to mě poser! Myslel jsem si, že tenhle obličej už v životě neuvidím. Inspektorka Maguirová!"

„Dneska už komisařka, Coline. Je vidět, že už je to opravdu dlouho. Tohle je strážmistryně ó Nuallánová."

„Tak copak se děje?" zeptal se Colin Cleary. „Myslel jsem, že jste v Corku. Neříkejte mi, že vás odsunuli do Mallow."

„Ne, jsem pořád v Corku," odpověděla. „Poslouchejte, potřebovala bych vám soukromě položit několik otázek, pokud by vám to nevadilo."

„Hele, já tady nic nelegálního nepěstuju, inspektorko. Teda komisařko. Ze sušených hortenzií se do rauše nedostanete."

„Nejde o vaše zahradnické centrum, Coline," řekla Katie a pozvedla obočí, aby viděl, že to myslí vážně.

Colin Cleary se beze slova zvedl ze židle a pokynul Katie a strážmistryni ó Nuallánové, aby ho následovaly do soukromé kanceláře za recepcí. Když zavřel dveře, bylo tam tak málo místa, že se tam stěží všichni tři vešli. Většinu místa zabíral psací stůl s fakturami, vydáními časopisu *Racing post* a otevřenými obálkami, velká kožená pohovka a pinballový automat Star Galaxy. Stěny byly téměř beze zbytku pokryty zarámovanými fotografiemi Colina Clearyho s žokeji a závodními koňmi z mallowské dostihové dráhy.

„Tak co pro vás, krásné dámy, můžu udělat?" zeptal se a z krabičky na stole si vzal další cigaretu, kterou si hned zapálil. „Poslední dobou už sekám latinu. Do žádných politických záležitostí se nemíchám."

Strážmistryně ó Nuallánová vytáhla svůj poznámkový blok. „Kapesní brokovnice Heizer," řekla nekompromisně.

Colin Cleary na ni zíral s jedním okem přivřeným před cigaretovým kouřem. Po chvíli řekl: „Tak to jste mě dostala, děvče. To je nějaká hádanka?"

„Něco vám povím, Coline," vložila se do toho Katie. „Nejsem tady, abych vytahovala vaše prohřešky. Nezapomnělo se na ně, ale už je to věc minulosti — myslím ty dodávky z Libye, které jste organizoval, a to pašování semtexu. Dneska nutně potřebuju informace kvůli případu trojnásobné vraždy. Vy jste podle všeho dodal vražednou zbraň."

„Kapesní brokovnice Heizer," zopakovala strážmistryně ó Nuallánová.

„O něčem takovém jsem nikdy neslyšel," řekl Colin Cleary.

„Ale no tak, Coline, nehrajte neviňátko. Nejela bych až sem do Mallow, kdyby tahle informace nebyla věrohodná. Získala jsem ji pod podmínkou, že vás nebudu obviňovat."

„Jsou úplně nové, tyhle kapesní brokovnice," řekla strážmistryně ó Nuallánová. „Překvapuje mě, že se vám je podařilo získat."

„Nic není nemožné, když znáte ty správné lidi."

„Takže jste jednu měl?"

„Možná měl."

„Nebo jste jich měl víc?"

„Neodbíháte od tématu, blondýnko? Přišly jste sem, abychom se bavili o jedné zbrani, tak u toho zůstaneme."

„Takže jste prodal alespoň jednu?"

„Ano. To je možné."

„Kdy to bylo?"

„Řekl bych, že to budou asi tři týdny. Ale říkám, že je to možné, ne že jsem to udělal."

„Čistě teoreticky — předpokládejme, že to tak bylo," řekla Katie. „Komu jste ji dodal?"

„Ten den se objevila mladá žena těsně před tím, než jsme zavřeli. Přijela taxíkem. Byla tmavá."

„Když říkáte tmavá..."

„Tím chci říct černoška. A byla opravdu černá. Černá jako pohřebákovy trenky. Ale byla to fešanda, to se jí musí nechat.

Ne jako moje žena. Jestli si myslíte, že jsem zpustl, měly byste vidět Bridget. Svatá Marie, matko boží. Poslední dobou bych si na Bridget nevylezl, ani kdybych měl lepit tapety."

„A tahle černoška se vás zeptala, jestli prodáváte pistoli, do které jdou použít brokové náboje?"

„Jo, tak to mohlo být. Prý jí moje jméno řekl nějaký chlápek v Lagosu, se kterým jsem kdysi obchodoval. Vlastně mi ukázala zprávu, kterou jí napsal, aby dokázala, že to není výmysl."

„A zeptal jste se jí, proč chce zrovna tenhle typ zbraně?"

„Děláte si srandu? Za celou svoji profesionální kariéru jsem se nikdy nikoho nezeptal, na co ty zbraně chce. Já je dodával, to je všechno. Co se s nimi pak dělo, to byla čistě věc zákazníků. Nechci říct, že jsem nikdy nedělal do politiky, ale co nevíte, to se vám v noci nevloupá do baráku a nevzbudí vás."

„Dobře," řekla strážmistryně ó Nuallánová. „Tak na čem jste se domluvili?"

„Říkala, že slyšela o Taurus Judge, což je velký revolver, do kterýho jdou dát patrony. Svýho času jsem jich pár prodal, jsou to skvělý zbraně, ale obrovský. Dokonce i s 3,5 palcovou hlavní váží kolem osmi set gramů, a ta žena byla maličká. Dělá se i verze z lehké slitiny, ale ta má tak velký zpětný ráz, že by ji odhodil až do půlky příštího týdne. Tehdy jsem jí možná navrhnul Heizer. Neměl jsem ho na skladě, ale jeden jsem za pár dní dostal i s municí."

„Kolik jste si za něj řekl?"

„Sedm set chechtáků hotově."

„Mohl byste ji popsat?"

Colin Cleary nechal kouř, aby se mu vyvalil ze rtů a nosu. „To ale nemusím, ne? V telce se její fotky objevujou asi třikrát denně."

276

„A vás nikdy nenapadlo, že byste nás mohl kontaktovat a říct, že jste jí prodal zbraň?"

„Jak jsem vám řekl, komisařko, kdykoli něco prodám zákazníkovi, neptám se ho, co s tím chce dělat. Nedělám to ani tady v zahradnickým centru. Neříkám jim: Hele, nechcete ty trpaslíky náhodou naaranžovat do nějaký nepřirozený sexuální polohy, že ne? Neptal jsem se ani u zbraní, i když jsem později přišel na to, k čemu je použili. Mám svoje zásady."

„Coline, vy jste se minul povoláním," usmála se Katie. „Vy jste měl být kněz."

„Možná máte pravdu. Dneska vypadaj' některý mladý kluci líp než moje Bridget."

„A řekla vám svoje jméno?" zeptala se strážmistryně ó Nuallánová.

„Dala mi na sebe číslo, abych se jí ozval, až ta zbraň přijde. Řekla, že kdyby to vzal někdo jinej než ona, mám chtít k telefonu holku z pokoje číslo tři."

„Máte pořád to číslo?"

Colin Cleary se předklonil a zmateně začal číslo hledat. Zvedl z malého stolu zasypaného papíry dva nebo tři dopisy a výtisk *Racing Post*, ale pak se zase posadil a zavrtěl hlavou. „Ne, pochybuju. Bylo to corkské číslo, to si pamatuju. Ale víc nevím."

„A kdo zvedl ten telefon, když jste tam volal?"

„Nějakej starší chlap. Nepředstavil se."

„Mohli bychom projít vaše telefonní záznamy z poslední doby?" zeptala se Katie.

„To asi ne, komisařko Maguirová. Ne bez soudního příkazu. A na ten byste musela mít důvodný podezření, nebo ne?"

„Ostatních čísel bychom si nevšímali, i kdyby byly na al-Káidu. Na to vám dávám svoje slovo."

„Teď mi na to můžete dát svoje slovo, ale všechny ty čísla by vám stejně zůstaly a jednoho dne by se mohlo jedno z nich shodovat s číslem, který vyšetřujete, a pak co? Ne, je mi líto. Neříkám tím, že nevěřím vám, ale nevěřím těm ostatním. Už tak jsem si pustil pusu na špacír."

„Tak dobře," řekla Katie. Vstala ze židle a rukou odehnala kouř z Clearyho cigaret. „I tak vám moc děkuju za to, co jste nám řekl. Už o tom neuslyšíte. Na druhou stranu nechci zjistit, že dál prodáváte nelegální zbraně, protože to bych sem mohla přijet znovu, ale ne pro nějaké souložící trpaslíky."

„Ať vás celý život pronásledují trable, komisařko Maguirová," řekl Colin Cleary. Obvykle se za toto rčení dodává „a nikdy vás nechytí", ale Colin už nic nedodal, jen se usmál a znovu vyfoukl kouř.

Nastoupily do stříbrného mondea, které si ráno vypůjčily z policejního parkoviště. Strážmistryně ó Nuallánová si sedla za volant.

„Jednoho z těch trpaslíků bych docela brala," podotkla strážmistryně. „Mohl by stát za oknem, koukat se dovnitř a dělat, že je voyeur."

„Myslím, že by se to vašemu příteli moc nelíbilo," poznamenala Katie.

„Já přítele nemám."

„Aha, promiňte. Tuhle jsem vás před stanicí viděla mluvit s nějakým mladým mužem, kterého jste políbila. Došla jsem k ukvapenému závěru. To se mi obvykle nestává."

„To byl můj bratr Liam. Na pár dní přijel z Wicklow na návštěvu. Je to miláček."

Nastartovala motor a vyjely ze zahradnického centra. Katie se na ni otočila a řekla: „Jakmile se vrátíme zpátky, chci, abyste získala soudní příkaz na telefonní záznamy Colina Clearyho.“

„Opravdu? A na základě čeho?“

„Na základě toho, že nelegálně prodal zbraň, která má na svědomí tři vraždy a s níž podezřelá možná spáchá další.“

„Aha. Tak jo.“

„Přemýšlíte o tom, že tím poruším svůj slib?“

„Vlastně ano.“ Začalo znovu pršet a strážmistryně ó Nuallánová zapnula stěrače.

„S tím si nedělejte hlavu. Tři muži byli zavražděni a nehledě na to, jací byli previti, neměl žádný anděl pomsty právo jim brát život. A to je to jediné, na čem záleží. Colina Clearyho z ničeho neobviním, ale ten, kdo se živí prodejem zbraní, musí taky pochopit, že zbraně můžou být i jeho konec.“

Když znovu najely na silnici N20, zahrál její telefon melodii „The Wild Rover“. Byl to Ronan Kelly.

„Váš muž odjel z domu před patnácti minutami. Jel do Washington Street, skoro naproti soudu. Vešel tam do domu, u kterého máme podezření, že je to bordel.“

„Jste tam teď?“

„Ano, zaparkovali jsme na Cross Street, ale nemůžeme tady zůstat. V nákupním centru na Paul Street se něco stalo a povolali nás, abychom tam jeli.“

„To je v pořádku. Zkuste se vrátit později a podívejte se, jestli tam má Mistr Dessie pořád auto. Já se právě vracím z Mallow, budu tam maximálně za dvacet minut.“

„Co chcete dělat?“ zeptala se strážmistryně.

„To ještě nevím jistě, ale hned tam pošlu Horgana a Dooleyho, aby na to mrkli, než dorazíme my. Jakmile mě vysadíte, můžete se vrátit na stanici a zařídit ten soudní příkaz. Máte všechny potřebné informace, že?“

Strážmistryně ó Nuallánová se na ni podívala. Venku jen slabě mžilo a gumové stěrače vrzaly o sklo. „Budete opatrná, viďte?"

Katie zrovna něco ťukala do telefonu. „Cože?" zeptala se nepřítomně. „Ale ano, samozřejmě."

„Nezapomínejte, že je ozbrojená."

„Já vím. Ale já taky. A ona má jen jednu ránu, já jich mám šest."

Katie měla pocit, že strážmistryně ó Nuallánová ještě něco dodá, ale mlčela. Najednou vyšlo zpoza mraků slunce a zalilo auto světlem.

31

Zakiyyah vzbudil zvuk otevírajících se dveří. Zvedla hlavu ze sametového polštáře a rozhlédla se po pokoji, ale nikdo tam nebyl. Mairead se asi přišla podívat, jestli už je vzhůru. Venku svítilo slunce, ale Zakiyyah byla vyčerpaná a nechala hlavu zase klesnout na polštář. Byla celá rozlámaná a v rozkroku ji to bolelo tolik, že se tam ani nechtěla dotknout. Věděla, že je cítit zatuchlým potem, latexem, spermatem a nějakou silnou pižmovou vodou po holení, kterou voněl její poslední zákazník, ale byla moc slabá na to, aby se vykoupala.

Zavřela oči. Za dveřmi zaslechla Mairead, jak rachotí s věcmi v kuchyni, a Lotosový květ, která s někým hovořila tím svým zpěvným přízvukem. Lotosový květ mluvila v jednom kuse, pokud u sebe zrovna neměla zákazníka, a i tehdy ji Zakiyyah slyšela chichotat se a brebentit.

Zaslechla i mužský hlas, který mumlal jako hrom vzdálené bouřky, ale nerozuměla, co říká.

Usnula a zdálo se jí, že sedí doma na podlaze v kuchyni, zatímco její matka připravuje *funkaso*, palačinky z prosa. Snažila se matce vysvětlit, že potřebuje nějakou dobu zůstat doma, ale ona ji neposlouchala a dál si jen zpívala.

V tu chvíli ji opět probudil zvuk otevírajících se dveří. Znovu zvedla hlavu, protřela si oči a rozpoznala obrys velkého muže stojícího ve dveřích. Posadila se a řekla: „Moc se omlouvám, pane. Kolik je hodin? Včera jsem šla spát velice pozdě. Prosím pojďte dál.“

„No potěš," řekl ten muž. „A to máš být náš nejlepší kousek. Prokrista. Vypadáš, jako by tě sem přitáhl pes."

Zakiyyah zamrkala a zaostřila. Teď viděla, že muž ve dveřích je Mistr Dessie. Byl oblečený do bílé košile s krátkými rukávy a nápadnou fialovou kravatou a plátěných kalhot. Ruce měl zastrčené hluboko v kapsách a zdálo se, že si sahá na penis.

„Omlouvám se, Mistře Dessie. Byla jsem moc unavená a potřebovala jsem se prospat. Můj poslední zákazník odešel až v pět hodin."

Mistr Dessie vešel do pokoje a zavřel za sebou dveře. „Nemáš si vůbec na co stěžovat. Naopak. To dokazuje, že sem taháš kunčafty a vyděláváš, holka, a to znamená, že se odsud vyplatíš dřív."

Zakiyyah na sobě měla jen oranžové tričko s obrázkem tygří hlavy, které jí půjčila Lotosový květ. Posadila se, stehna silou sevřená. Nelíbilo se jí, jak se na ni Mistr Dessie z výšky dívá a u toho stále nápadněji hýbe rukou v kalhotách.

„Jak víš, součástí mojí práce je kontrola kvality," řekl jí.

Podívala se na něj. Stál před oknem a viděla jen jeho siluetu. „Nerozumím," řekla.

„Je to jednoduché. Je to jako kontrola kvality zboží v supermarketu. Já pro pana Gerretyho obcházím všechny holky a kontroluju, že zákazníci dostávají za svoje peníze pořádné služby."

„Všichni zákazníci říkají, že jim dávám rozkoš. Jeden z nich říkal, že to bylo vůbec nejlepší."

„No to rád slyším, drahoušku. A včera jsi taky vydělala spoustu peněz, to ti teda povím — skoro dva tisíce jenom za sedm kunčaftů. Touhle rychlostí dostaneš ten svůj kufřík rychle zpátky."

Zakiyyah mlčela. Jediné, co chtěla, byla vakcína proti vzteklině a aby Mistr Dessie odešel. Chtěla jen vstát a vykoupat se. Nebyla si jistá, kolik je hodin, ale Mairead jí řekla, že má zákazníka na půl třetí odpoledne a dalšího po hodině a půl. Zakiyyah věděla, že jich bude víc, po celý večer a noc. Slyšela, jak telefon neustále zvoní a zákazníci si zamlouvají dívky ze stránek *Fantastické dívky z Corku*.

Měla hlad, ale nebyla si jistá, jestli bude schopna po svých včerejších zážitcích něco sníst. Stačilo si na některý z nich vzpomenout a hned se jí začal svírat žaludek.

Mistr Dessie si sundal kravatu, rozepnul košili a odhalil bílé břicho poseté mateřskými znaménky.

Zakiyyah k němu vzhlédla. „Co to děláte?"

„Tebe, drahoušku. To teď budu dělat. Jenom zkontroluju, že dáváš zákazníkům, za co si zaplatí. Musíme koneckonců myslet na naši reputaci. Nechceme, aby zákazníci tvrdili, že naše holky stojí za hovno, že ne?"

Skopl z nohou světle hnědé semišové mokasíny, rozepnul si pásek a spustil kalhoty na zem. Odkopl je po podlaze pryč. Neměl už na sobě nic, jen světle modré trenýrky z Marks & Spencer.

„Tak tady mě máš, holka. Tyhle už mi sundáš sama."

Zakiyyah viděla, jak mu erekce napíná látku na trenýrkách. Zvedl se jí žaludek a vzadu v krku ucítila kyselost. Musela si dát ruku před ústa. Mistr Dessie čpěl potem a kořením a ji napadlo, že měl včera večer určitě kari.

„No tak, nemám na to celej den."

Viděla své ruce, jak se před ní zvedají, jako by patřily někomu jinému, a sahají po Dessieho trenýrkách. Ty cizí ruce mu je stáhly dolů přes bílá stehna s prohlubněmi od celulitidy až ke kolenům. Jeho zarudlý penis jí teď trčel přímo před obličejem, s pomuchlaným šourkem a hustými černými chlupy. Cítila lehký zápach moči a antiseptického krému.

„Co takhle začít kouřením?" řekl a položil si ruce na boky.

„Musíte si vzít kondom," řekla Zakiyyah.

„S tím si nedělej hlavu. Kunčafti musej mít kondom, protože nevíš, kde byli nebo kam ty svý ptáky strkali. Ale já, já jsem rodina a jsem zdravej. Kromě toho tě chci vidět polykat. Jakej má kouření smysl, když holka nepolyká?"

Zakiyyah sledovala, jak její ruka sevřela jeho penis, a přisunula se k němu blíž. Když se nadzvedla, všimla si, že má Mistr Dessie na nohách pořád bílé ponožky. Mairead jí řekla, že někteří muži z Corku nosí bílé ponožky, aby ukázali, že patřili k Irské republikánské armádě nebo s ní sympatizovali. Zírala na jeho rudý žalud a přemýšlela, jak ji život proboha dovedl až sem. Bílé ponožky, rudý penis. Bylo to jako nějaká absurdní noční můra. Zavřela oči, otevřela ústa a s vyplazeným jazykem se naklonila dopředu.

Najednou se ozvalo zarachocení kroužků u záclon. Ženský hlas řekl: „Dost. Nech ho být."

Zakiyyah otevřela oči. Štíhlá mladá černoška oblečená celá v černém vystoupila zpoza závěsu, kam Zakiyyah věšela oblečení. Kolem hlavy měla uvázanou červenou šálu a na krku jí visel náhrdelník z lastur a zvířecích zubů a drápů. V obou rukou držela malou pistoli a mířila s ní na Mistra Dessieho.

„Co to prokrista..." vyjekl Mistr Dessie. Sehnul se, aby popadl trenýrky, které měl pořád u kolen, ale žena vyštěkla: „Ne... nenatahuj si ty trenýrky. Sundej si je."

Mistr Dessie zaváhal, ale ta žena k němu přikročila a namířila mu zbraň přímo mezi nohy. „Sundej si je, nebo je nebudeš už nikdy potřebovat."

Mistr Dessie si pomalu svlékl trenýrky, nejdříve zvedl jednu nohu, potom druhou. Jeho penis už ochaboval a i šourek se zmenšil, jako by se mu varlata chtěla schovat uvnitř těla.

„Já tě znám," řekl Mistr Dessie. „Viděl jsem tě ve zprávách v telce. Jsi to ty, že jo? Ty jsi zabila Kolu a toho idiotskýho Rumuna."

„Sedni si na postel," řekla žena.

„Jo? A co uděláš, když si nesednu?"

„Udělám z tebe ženu. Jak by se ti to líbilo? Ustřelím ti mužství a pak ti budou všichni říkat Slečno Dessie."

„Odkud kurva víš, jak se jmenuju?"

„Znám jména vás všech. Mawakiya, Mânios Dumitrescu, ten, kterému říkali Bula, ty a Michael Gerrety. A ty ostatní, kteří provozují váš sexuální byznys, taky — Bobby Devlin, Patrick O'Halloran a Razvy Cojocaru, ale ti mě nezajímají. Teď dělej, co jsem ti řekla, a sedni si na postel."

Mistr Dessie si neochotně sedl. Oběma rukama si zakrýval rozkrok. „Ani na chvíli si nemysli, že ti to projde, ty děvko."

„Proč? Co uděláš? Pošleš na mě Bulu?"

„To pro začátek. Bula tě roztrhá na kusy."

„Myslím, že ne, Mistře Dessie, protože toho jsem vyřídila dřív. Ten mrtvý, kterého našli v sobotu v Mutton Lane, to byl Bula."

Mistr Dessie ňa ni vyjeveně zíral. „To byl Bula? Děláš si ze mě srandu?"

„Ne, byl to Bula. Ozval se ti snad od soboty?"

„Kurva, ty jsi zabila Bulu?"

„Brečel, než umřel. A než jsem ho střelila do obličeje, volal svoji matku."

Žena se otočila na Zakiyyah. „Jak se jmenuješ?" zeptala se.

„Zakiyyah."

„Dobře, Zakiyyah. Teď by ses měla jít umýt. Vezmi si s sebou oblečení a obleč se v koupelně. Do tohohle pokoje se nevracej. Počkej na mě v obýváku a já pro tebe přijdu, až to tu vyřídím s Mistrem Dessiem."

„Nevím, co tím kurva myslíš," zasípal nasupeně Mistr Dessie. „Ať už je to cokoli, tak ti to neprojde."

Z háčku za závěsem vzala Zakiyyah jediné šaty, které měla, světle zelené s červenými růžemi, a z kartonové krabice na podlaze vytáhla jedny čisté bílé kalhotky. Neměla podprsenku ani boty. Jediný pár jí Mairead vzala se slovy: „Nikam nejdeš, holka. Na co potřebuješ boty?"

Zakiyyah se bosky vydala do koupelny. Než za ní žena zavřela dveře, vytáhla ze zámku zvenku klíč a zamkla je oba uvnitř. Celou dobu přitom mířila na Mistra Dessieho.

„Tohle je směšný," skřípal zuby. „Nevím, co jsme všichni udělali, že jsme tě tak nasrali, ale musíme vymyslet něco, co to urovná."

„Mohli byste vrátit k životu moji mladší sestru."

„Cože?"

„Moji mladší sestru Nwahu. Ty a tví kamarádi jste si vzali moji sestru a udělali z ní prostitutku. Zranili jste ji, ale hlavně jste ji zostudili a ona tu ostudu nesnesla. Proto si vzala život."

„Vo žádný Nwaze jsem kurva ani neslyšel. Mě z toho neobviníš."

„Byla to krásná dívka s tetováním květů na rukách. Donutil jsi ji dělat to, k čemu jsi teď nutil Zakiyyah. Nutil jsi ji polykat."

„Ale hovno. Vo tom přece sex je, ne? Chlapi stříkaj' a ženský polykaj'. To dělá chlapy chlapama a ženský ženskejma."

„Brzo zjistíš, co dělá ženy ženami. Ta pistole je malá, ale je v ní patrona z brokovnice, a když tě střelím, mezi nohama ti zbudou jenom cáry. Děláš si legraci z žen, tak aspoň zjistíš, jaké to je, jednou být."

Mistr Dessie začal vstávat, ale žena natáhla ruku, aby dala jasně najevo, že stiskne spoušť, jestli na ni zaútočí, a on si zase rychle sedl.

„Co teda chceš?" zeptal se. Začínal se silně potit a krůpěje mu z podpaží stékaly po bocích.

„Já jsem *Rama Mala'ika*, to znamená anděl pomsty. Chci pomstu pro svou sestru. Nepodaří se ti mě přesvědčit, že si na ni nepamatuješ."

„Jo, no, možná že jo. Tetování, květy na rukách. Jo. Nevěděl jsem, jak se jmenuje. Na stránkách měla jméno Desiray. Koukej — je mi fakt líto, že se zabila. Snažíme se o dívky starat co nejlíp. Michael Gerrety na tom trvá. Dáme jim střechu nad hlavou a nakrmíme je. Získají ochranu před kunčafty, kteří jsou ožralí, násilníci nebo psychoušové. Dáváme holkám kondomy a zajišťujeme jim pravidelné kontroly u doktora. Vždycky budou nějaký holky, co to chtěj' dělat, tak to na světě prostě je. Když je nemůžeš zastavit, tak se o ně aspoň postarej, to je motto Michaela Gerretyho."

„Moje sestra Nwaha nikdy nechtěla být prostitutka. Chtěla být umělkyně."

„Co ti k tomu mám říct? Je mi to líto. Slyšel jsem, že v Africe přijímáte odškodnění, když někdo náhodou zabije člena tvý rodiny, jako že ho přejede nebo tak. Co něco takovýho? Můžu ti zaplatit. Dám ti tisíce. Mám u sebe hotovost i teď."

Žena zavrtěla hlavou. „Život není jenom o penězích, Mistře Dessie. Ať si myslíš cokoli, lidé nejdou koupit a prodat."

Mistr Dessie nedokázal rozluštit její výraz. Byla znepokojivě krásná, tak krásná, že ani nevypadala jako člověk — spíš jako by ji někdo vyřezal z ebenu a potom vyleštil, až se jí kůže třpytila. Měla přivřené oči a trochu vyšpulené rty, ale z jejího výrazu nešlo nic vyčíst. Tedy nic, čemu by rozuměl.

„Vezmu si jinou část tvého těla, když nechceš přijít o svoje mužství. Ale budeš mi ji muset dát dobrovolně."

„Ježíši, o čem to mluvíš? Jakou část mýho těla?"

„Tvoji levou ruku," řekla.

Mistr Dessie zvedl levou ruku a zíral na ni, jako by si předtím neuvědomil, že ji má. „Moji levou ruku? Co? Já ti nerozumím."

„Chci, aby sis uřízl levou ruku a dal mi ji. Když to uděláš, nebude z tebe žena."

Mistr Dessie si do té chvíle nevšiml kovové pilky na železo, která jí vyčuhovala z pravé kapsy kožené vesty. Vytáhla ji a podala mu ji.

„Ty po mně chceš, abych si uříz' vlastní ruku? Jako vážně?"

„Nemusíš. Vždycky tě můžu střelit rovnou a bude po všem. Záleží na tom, jak si přeješ prožít zbytek života. Jestli s jednou rukou, nebo jako eunuch. Není to o nic horší než výběr, který jste dali mojí sestře."

Mistr Dessie se podíval na pilku na železo a olízl si karmínově zbarvené rty.

„Dám ti pět vteřin na rozmyšlenou," řekla žena. „Jedna..."

„Jak dlouho už tam je?" zeptala se Katie.

„Přes hodinu," odvětil detektiv Horgan. Podíval se na hodiny na přístrojové desce. „A... Ano! S radostí můžu říct, že překročil čas na parkovacím automatu o sedm minut. Můžu zavolat na dopravní, aby přijeli a dali mu pokutu."

„S tím se neobtěžujte," usmála se Katie. „Nechci, aby měl tušení, že je pod dohledem."

„Dáte si bonbon, komisařko?" zeptal se detektiv Dooley. Otočil se na Katie s otevřeným sáčkem karamel.

„Když jsem ve službě, tak ne."

„Aha."

„Proboha, dělám si srandu. Vy si jednu dejte. Mně se tyhle bonbony lepí na zuby."

Zastavil za nimi policejní hlídkový vůz a vystoupil z něj Ronan Kelly. Katie stáhla okénko a řekla: „Tak co se děje?"

„Nic moc. Pár čorkařů se pokusilo propašovat kořalku z Tesca, a když je chytili, tak se chtěli prát. Napomenutí, žádné zatýkání. Nechceme přece, aby nás nařkli z diskriminace kočovníků, že ne? Pakáž zlodějská."

„Mistr Dessie se ještě neobjevil," poznamenala Katie.

Kelly se podíval na hodinky. „To je divný. Touhle dobou je většinou na obchůzkách a vybírá zisky. Obvykle se na jednom místě nezdrží dýl než pět minut a pak jede rovnou zpátky do Amber's."

Katie měla nutkání říct: *Jsem moc ráda, že jste tak dobře obeznámeni s denním programem poslíčka Michaela Gerretyho.* Ale nechtěla, aby Horgan a Dooley získali jakékoli podezření, že jsou ti dva s Mistrem Dessiem daleko větší kamarádi, než by měli být.

Vystoupila a vzala si policistu Kellyho na stranu ke schodišti u soudní budovy. „Tak Mistru Dessiemu zavolejte a zjistěte, co má za lubem. Nějaký důvod si vymyslíte, ne? Jako že se později sejdete na drink nebo něco takového, protože mu musíte říct něco důležitého."

„A co když bude souhlasit? Co důležitého mu jako řeknu?"

„Třeba že to tělo, které se našlo v Mutton Lane, byl Bula. Ještě jsme to oficiálně nepotvrdili, ale nevadí mi, když to bude vědět. Teda pokud si to už nedomyslel."

Kelly vyndal mobilní telefon a vytočil číslo Mistra Dessieho. Čekal a čekal, ale muž hovor nepřijímal. Zkusil to znovu, ale tentokrát byl telefon vypnutý.

„Nebere to."

„A neví, že ho sledujete?"

„Ne, o tom pochybuju. Byli jsme sakra opatrní. A pokaždé když jsme spolu mluvili, zněl normálně. Vůbec ne podezřívavě. Billy s ním mluvil dokonce i dneska ráno."

Katie si zaclonila oči a podívala se přes ulici na budovu natřenou rezavou barvou. Všechna horní okna byla zakryta závěsy, takže nešlo odhadnout, kdo je uvnitř ani co tam dělá.

„Pořád ještě neodešel," řekla. „Možná zajdu dovnitř a podívám se, co se tam děje."

„To vás ale poznaj', ne? A pak budete muset vysvětlit, co tam děláte, a tím to všechno padne."

„Ne nutně. Stačí, když jim řeknu, že se ho jdu zeptat na pár věcí ohledně Buly. O andělu pomsty a o tom, že po něm jde, můžu mlčet."

Znovu se podívala přes ulici. „Když teď navíc Molloy zastavil operaci Šutr, ráda bych si posvítila dovnitř, co tam Michael Gerrety vymýšlel. Všechny jeho bordely, které jsem zatím viděla, byly odrbané a páchly. Tolik k tomu, že se ke svým prostitutkám chová jako ke šlechtě."

„My s Billym svoji část dohody držíme," ozval se Kelly.

„Ano, držíte," uznala Katie. „A já si toho vážím."

„Jestli tuhle ženskou s naší pomocí chytnete... No, mohla byste třeba i zapomenout na naši spolupráci s Mistrem Dessiem?"

„Tím myslíte, že bych neoznámila ty úplatky, co jste vy a Billy brali od Michaela Gerretyho?"

Kelly se odvrátil a zahleděl se směrem k Washington Street. „No tak nějak jsem to zhruba myslel."

„Řekla jsem, že se za vás přimluvím, a to taky udělám."

„Ale stejně nás nahlásíte."

„Mawakiya prostituoval třináctileté holky, Ronane. Vy a Billy jste o tom věděli a brali jste peníze za to, že o tom budete mlčet. Jak bych vás mohla nenahlásit?"

Kelly se na ni otočil a upřeně se na ni díval, tenké rty pevně sevřené. „Dobře," řekl po chvíli. „Chápu a rozumím." Otočil se a odešel zpátky do hlídkového vozu.

Katie se vrátila k detektivům Horganovi a Dooleymu. „Já teď půjdu dovnitř," řekla. „Zavolám vás, jestli budou potíže."

„Nebylo by lepší, kdybych tam šel já?" zeptal se detektiv Horgan. „Mohl bych se vydávat za zákazníka."

„Myslím, že tohle potřebuje ženský přístup," rozhodla Katie. „Navíc vám nevěřím. Hrál byste toho zákazníka až příliš horlivě."

Přešla ulici ke vstupním dveřím nevěstince. Zrovna chtěla zazvonit, když u obrubníku zastavil moped a z něj slezl poslíček s taškou s krabicemi pizzy. Vyšel přímo ke dveřím a zazvonil.

„Kdo je to?" zeptal se ženský hlas z domovního telefonu.

„Domino's. Vezu vám pizzu."

Dveře se se zabzučením otevřely. Poslíček vstoupil dovnitř a Katie ho následovala.

32

Mistr Dessie pozvedl pilku a řekl: „Já nemůžu."

„Nemůžeš? A proč ne?" zeptala se žena. „Bojíš se bolesti?"

„To není přirozený, uříznout si vlastní ruku."

„Bojíš se, že budeš brečet jako Bula a volat svoji matku? ‚Mami!' Tak volal Bula. ‚Mami, pomoz mi!'"

„Moji matku z toho vynecháme," zasyčel Mistr Dessie.

„Aha, myslíš si, že by na tebe byla pyšná? Podívej se na sebe! Podívej se, co se z tebe stalo! Jsi tlustý, ošklivý a nemáš žádnou duši! Chtěla jsem pojistit, aby tě nepustili do nebe, ale ty ses o to už postaral sám."

„Jak jsem řekl, moji matku z toho vynecháme. Moje matka byla svatá. Všechny nás vychovala sama, a to nás bylo pět."

„Máš děti?"

„Ne, zatím ne."

„Jestli si neuřízneš ruku, tak je ani mít nebudeš. Napočítala jsem do pěti, a ty jsi ještě ani nezačal, takže tě střelím mezi nohy."

Mistr Dessie položil ruku na noční stolek a zavřel oči. „Svatý Antoníne, utěšiteli všech postižených, oroduj za mě," zašeptal. „Svatý Antoníne, kterého malý Ježíš tolik miloval a ctil, oroduj za mě. Amen."

„Už můžeš začít?" zeptala se ho žena.

Aniž by otevřel oči, přetáhl pilu po zápěstí. Ozval se tichý šelest, když mu protrhla kůži, a vyvalila se tmavě červená krev.

„Kurva, prokrista, do prdele, to bolí!" přecedil přes zaťaté zuby. Seděl na posteli a popadal dech. Nakonec otevřel oči a podíval se na to, co udělal.

„Hrozně to bolí. To nezvládnu. Kurva moc to bolí."

„Tady máš," řekla žena. Na okenním parapetu ležel ošuntělý průvodce Corkem. Podržela mu ho před obličejem a řekla: „Zakousni se do tohohle. Pak nebudeš křičet ani volat matku."

Zíral na ni s nenávistí v očích, ale ona před ním stále držela knihu, jako by byla ochotna čekat celý den. Nakonec se naklonil dopředu a stiskl brožovaný výtisk mezi zuby.

„Tak," řekla. „Buď silný, Mistře Dessie! Jsi silný muž, nebo ne? Ukaž mi, co dokážeš!"

Mistr Dessie táhl pilou zpátky a poté s ní znovu přejel dopředu. Knihu v zubech svíral tak pevně, že ji málem prokousl, a oči se mu zalily slzami. Na několik vteřin přestal, břicho se mu zvedalo a klesalo, jako by se pohupovalo na vlnách. Najednou ho popadl obrovský vztek a začal zápěstí řezat s takovým odhodláním, že krev dostříkla až na tapety, a dokonce pokropila i okenní tabulky.

Přeříznout celé zápěstí mu trvalo méně než půl minuty. Jeho ruka s tichým žuchnutím dopadla na koberec. Odhodil pilku na stranu a padl na postel, zohyzděnou paži zvednutou do vzduchu. Byl celý zamazaný krví a vztekle si tahal z úst kusy průvodce.

Žena se sehnula a zvedla pilku. Otřela rukojeť o závěsy a chvíli stála u postele. Sledovala, jak Mistr Dessie mává zakrváceným pahýlem a plive papír. Měla klidný výraz, ale rty se jí neslyšně pohybovaly, jako by se modlila — ale byla to děkovná modlitba.

V tu chvíli se ozvalo ostré zaklepání na dveře. „Mistře Dessie? Mistře Dessie, jste tam?"

Mairead se otočila na Katie a řekla: „Vlastně bych ho neměla rušit."

„Asi nespí, že ne?"

„Ne, ale pravděpodobně se snaží trochu povzbudit Zakky. Právě tady začala, víte, a on jí ukazuje co a jak."

„Ukazuje co a jak? No to se vsadím. Chcete zaklepat ještě jednou? Opravdu s ním potřebuju mluvit."

Mairead pevně utáhla svůj zlatý župan, jako by potřebovala nějakou ochranu, až naštvaný Mistr Dessie otevře dveře a bude se ptát, co po něm kdo chce. Katie jí ale ukázala svůj průkaz a Mairead se jí bála stejně jako Michaela Gerretyho. Až zjistí, že pustila do bytu policii bez soudního příkazu, bude mít štěstí, když skončí s několika modřinami, pohmožděnými bradavkami a zlomenými žebry.

„Mistře Dessie! Omlouvám se, že vás ruším, ale je tady policistka a chce s vámi nutně mluvit."

Mairead vzala za kliku a zalomcovala s ní, ale dveře byly zamčené. „Tady se nezamyká, obvykle ne," řekla Mairead a z hlasu jí zaznívala panika. „To kvůli zdravotním a bezpečnostním nařízením, víte? A kvůli požáru. Nebo kdyby byl nějaký problém. Teda ne že bychom tu měli nějaké problémy, to si nemyslete."

Znovu zaklepala a zavolala: „Mistře Dessie! Zakky! Zakky, mohla bys otevřít dveře, holka? Je tady policie! Zakky!"

Z ložnice se stále nic neozývalo. V tu chvíli se ale otevřely dveře od koupelny přímo za nimi a objevila se v nich Zakiyyah ve svém oranžovém tričku a ručníku omotaném kolem hlavy.

„Volala jsi mě, Mairead?"

Mairead zírala na Katie, poté se otočila a vyjeveně se podívala na zamčené dveře. Pak se znovu otočila na Zakiyyah a nechápavě se na ni dívala.

„Tvůj pokoj je zamčený. Klepala jsem, ale nikdo se neozývá. Myslela jsem, že jsi uvnitř s Mistrem Dessiem. Je tam Mistr Dessie?"

Zakiyyah přikývla. Katie k ní přišla a položila jí ruku na rameno. „Zakky? Tak se jmenuješ?"

„Zakiyyah. Ale tady mi říkají Zakky."

„Co se tady děje, Zakiyyah? Je Mistr Dessie v tvém pokoji?"

Zakiyyah znovu přikývla.

„A co tam dělá? Mairead si myslela, že je tam s tebou."

Zakiyyah se začal třást dolní ret a po tvářích jí stekly dvě velké slzy.

„Nemusíš se ničeho bát, Zakiyyah. Já jsem od policie. Postarám se o tebe. Jenom mi řekni, co Mistr Dessie dělá."

„Pro lásku boží, Zakky!" vyštěkla Mairead. „Do prdele, už nám to řekni!"

„Mairead," varovala ji Katie. „Tohle není třeba."

Zakiyyah si otřela oči cípem ručníku a řekla: „Mistr Dessie za mnou přišel. Spala jsem, ale on mě vzbudil."

„No dobře, a co pak?" zeptala se Mairead. „Svatá Marie, matko boží, z tebe to leze jak z chlupatý deky!"

„No tak, Zakiyyah," řekla Katie jemně. „Mistr Dessie tě probudil. Co udělal potom?"

„Chtěl vykouřit. Řekl, že se chce ujistit, že mi to jde."

„Tak to jsou teda lži!" vyštěkla Mairead a zavrtěla hlavou.

„A ty jsi to udělala?" zeptala se Katie.

Zakiyyah zavrtěla hlavou, až jí sklouzl ručník z vlasů. „V pokoji byla nějaká paní. Schovávala se za závěsem. Vyšla ven a měla pistoli a řekla Mistru Dessiemu, aby toho nechal."

„Ve tvém pokoji se schovávala nějaká paní s pistolí? Jak vypadala?"

„Byla černá, stejně jako já. Měla na sobě černé oblečení. A na krku měla náhrdelník z kostí a tak."

„A říkáš, že měla pistoli? Jak ta pistole vypadala?"

Zakiyyah zvedla oba ukazováčky a nastavila je pouhých deset centimetrů od sebe. „Maličká, jako hračka. Akorát bych neřekla, že to byla hračka."

„Takže vystoupila zpoza závěsu a řekla Mistru Dessiemu, aby přestal. A co se stalo pak?"

„Ta paní mi řekla, abych odešla, vykoupala se a oblékla. Tak jsem to udělala. Teda vykoupala jsem se. Obléct jsem se ještě nestihla."

„A nenapadlo tě, že bys mohla přijít a říct mi, co se děje?" vyštěkla Mairead. „Ježíši, holka! Ty kdybys měla dva mozky, tak budeš akorát dvakrát tak blbá."

„Ta žena řekla, že to nemám nikomu říkat," namítla Zakiyyah. „Nevěděla jsem, co jiného bych měla dělat."

„Je do té místnosti nějaký jiný přístup?" zeptala se Katie Mairead. „Únikový východ, požární žebřík nebo střecha, na kterou se dá vylézt?"

„Je tady požární žebřík, ale nedostala byste se ven oknem. Okénko do světlíku jde otevřít, ale okno v koupelně Mistr Dessie zabarikádoval, protože jsme tu měli holku, která tamtudy pořád utíkala. Povedlo se jí to třikrát. Byla to Číňanka, v jednom kuse brečela."

„Takže pokud víme, jsou Mistr Dessie i ta žena pořád uvnitř?"

„Řekla bych, že ano. Musejí tam být. Neměli kudy utéct."

Katie zavolala detektivu Horganovi. „Vypadá to, že Mistr Dessie je pořád uvnitř, ale naše podezřelá je tam možná taky. Zdá se, že se nějak dostala do bytu a čekala, až se Dessie objeví. Zamkla se s ním v jednom z pokojů a podle svědků má u sebe tu pistoli, kterou použila na předchozí tři oběti. Klepali jsme na ně, ale zatím bez odpovědi."

„A jaký je plán, komisařko?"

„Ať jde Dooley kolem budovy dozadu. Měl by tam být požární žebřík, kterým se dá dostat k oknu toho pokoje. Je pravděpodobně zatlučené, ale mohla by se ho pokusit rozbít a utéct, zvlášť když střílí patrony z brokovnice. Zavolejte ozbrojenou posilu a vy s Kellym přijďte sem nahoru. Zajistím, aby vám otevřeli dveře."

„Dobře, komisařko."

„Je tady několik dívek, nejsem si jistá kolik."

„Čtyři," řekla Mairead a zvedla příslušný počet prstů. „Včetně mě."

„Jsou tu čtyři dívky a ty budeme okamžitě evakuovat. Řekněte Dalymu, ať je vezme do hlídkového vozu a hned zavolá dodávku, aby je vyzvedla a odvezla na stanici. Požádejte o dvě policistky, ať se o ně postarají. A ujistěte se, že se s nimi bude zacházet s úctou."

„Ano, komisařko."

V tu chvíli se ve dveřích svého pokoje objevila Lotosový květ. „Co se tu děje?" zeptala se naštvaně. „Mám uvnitř zákazníka a všechen ten hluk ho rozptyluje." Zvedla ukazováček a vzápětí ho svěsila.

Ven vyšla i Elvíra. Měla na sobě jen černo-červený korzet s podvazky. „Mairead? Co se děje?"

Katie se otočila na Mairead a řekla: „Chci, abyste okamžitě odešly. Jestli nejste dost oblečené, hoďte na sebe něco tak rychle, jak to půjde, a jděte ven. Zákazníka taky dostaňte pryč."

„Ale on už mi zaplatil dvě stě padesát eur! To je hodina speciálních služeb!"

„Tak mu ty peníze vraťte, nebo mu dejte voucher na příště. Dostaňte ho ale ven."

Zakiyyah odešla do koupelny a hned se vrátila. Zápasila se svými šaty s růžemi. Katie jí pomohla se do nich nasoukat a zapnula jí zip na zádech.

„Teď jděte," popohnala je. „Nechci, aby se některé z vás něco stalo."

Zakiyyah ji chytila za rukáv a tiše zašeptala, aby ji Mairead neslyšela: „Prosím vás, až tohle skončí, pomůžete mi? Já se sem nechci vrátit, prosím."

Katie se na ni krátce usmála a přikývla. „Neboj se. Uvidíme se později na stanici. Zůstaň tam a nikam nechoď. S nikým, ani kdyby řekli, že jsou ze sociálních služeb. Řekni jim, že nesmíš, protože komisařka Maguirová ti chce položit několik otázek."

„Komi—"

„Řekni jim prostě Katie Maguirová. Tak a teď už běž odsud."

Z pokoje Lotosového květu vyšel plešatící muž a ve dveřích si zapínal kalhoty. Pohlédl na Katie a ta v něm poznala městského radního. Předstírala, že ho vidí poprvé, a otočila se zase k pokoji Zakiyyah.

Mairead odcházela jako poslední. Než se za ní zavřely dveře, slyšela Katie kroky na schodech. Detektiv Horgan a strážník Kelly už museli být na cestě. Vytáhla svůj poniklovaný revolver Smith & Wesson z pouzdra a opatrně se přiblížila ke dveřím ložnice. Zbraň držela oběma rukama hlavní ke stropu.

Napjatě poslouchala, ale ucho ke dveřím nepřitiskla pro případ, že by za nimi stála podezřelá a rozhodla se na dveře vystřelit.

Katie si byla jistá, že zaslechla něco jako zamňoukání. Znělo to jako kočka, která chce pustit do domu, aby se schovala před deštěm.

Potom uslyšela ženský hlas, ale nerozuměla, co říká.

Detektiv Horgan vpadl na chodbu dveřmi na druhé straně a těsně za ním se držel strážník Kelly. V tutéž chvíli Katie uslyšela, jak se v zámku otočil klíč, a dveře do pokoje se otevřely dokořán. Stála v nich mladá černoška s pravou rukou napřaženou před sebe. Za ní svítilo oknem do pokoje ostré slunce, které Katie na okamžik oslnilo.

„Zůstaňte tam, nehýbejte se!" řekla žena. „Jestli se hnete, zastřelím ho."

Až v tu chvíli Katie uviděla tlustého Mistra Dessieho, jak nahý leží na obrovské, sametem potažené posteli. Bílé tělo měl umazané od krve. Držel před sebou obě ruce a připomínal tak hračku natahovací opičky, která bubnuje na bubínek. Až na to, že Mistr Dessie paličky držet nemohl, protože mu ruce končily u zápěstí. Fňukal, popotahoval a několikrát zakašlal.

Žena měla u pásku přivázaný plastový sáček. V pravé ruce držela malou pistoli Heizer, kterou jí prodal Colin Cleary.

Katie na ni namířila revolver a řekla: „Odhoďte tu zbraň, prosím."

Žena se trochu naklonila, aby viděla do chodby. Detektiv Horgan vyšel z koupelny v ruce s automatickou pistolí SIG Sauer.

„Jsou všichni ostatní pryč?" zeptala se žena.

„Nikdo tu není, jenom vy a my," přisvědčila Katie. „Prosím, odhoďte tu zbraň. Nechci vás zastřelit."

„Řekněte těm dvěma mužům, ať jdou do bočních dveří a zavřou za sebou."

„To nemůžu. Jsou to policisté a konají svoji povinnost."

„Jestli se přiblíží, střelím Mistra Dessieho do hlavy. Nejspíš chápete, že to udělám bez zaváhání."

„Zabila jste Mawakiyu, Mâniose Dumitresca a Bulu.“

„Ano, samozřejmě. Mám jejich ruce, abych to dokázala. Plánuju je zabít všechny.“

„Když říkáte všechny...“

Ženina pravá ruka se ani nehnula. „Přikažte těm dvěma mužům, ať jdou do boční místnosti a zavřou za sebou. Dám jim pět vteřin a pak vystřelím.“

„Určitě si uvědomujete, že když to uděláte, budu vás muset zastřelit.“

„To mi nezabrání zabít Mistra Dessieho. Vy pak budete zodpovědná za jeho smrt.“

Katie chvíli mlčela. Podívala se směrem k oknu, ale na požárním žebříku nebylo po detektivu Dooleym ani stopy.

„Jedna,“ řekla žena. A potom: „Dva.“

Aniž se otočila, zavolala Katie na detektiva Horgana: „Horgane? Můžete prosím oba odejít do té boční ložnice? Zavřete za sebou dveře. Řeknu vám, až vás budu potřebovat. Ale zavolejte záchranku. Je tady Mistr Dessie a je raněný.“

„Komisařko?“

„To je v pořádku. Nemusíte se obávat. Trochu tady vyjednáváme, to je všechno.“

Detektiv Horgan a strážník Kelly se na sebe podívali s obavami ve tvářích, ale detektiv Horgan pokrčil rameny, jako by chtěl říct: *Ona je tady šéf.* Pak oba vešli do pokoje Lotosového květu. Jakmile Katie zaslechla, že se za nimi zavřely dveře, řekla: „Ano? A co bude teď?“

„Vysvětlete mi, proč jste tyhle muže nepotrestali za to, co udělali mojí sestře.“

„Já bych to udělala, kdybych mohla,“ řekla Katie. „Ale nemám nejmenší tušení, kdo je vaše sestra a co jí tihle muži udělali. Ani nevím, kdo jste vy, když už jsme u toho.“

„Jmenuju se Obioma Oyinlolaová. Moje sestra je mrtvá. Jmenovala se Nwaha, což v našem jazyce znamená ‚druhorozená'. Byla moc krásná a velice talentovaná umělkyně. Nebyla v politice jako já."

Celou dobu, co mluvila, Mistr Dessie úpěl a jeho steny byly čím dál hlasitější a zmučenější.

„Pro lásku boží..." zalapal po dechu. „Pro lásku boží, cos mi to udělala?"

„Musíme ho dostat do nemocnice," řekla Katie. Sáhla do kapsy a vytáhla iPhone.

„Ne!" zvolala Obioma. „Jestli zmáčknete jediné tlačítko, přísahám, že ho bez váhání zastřelím."

„Už jsem stejně požádala svoje muže, aby zavolali sanitku. Jenom jsem se chtěla ujistit, že už je na cestě. Mohl by umřít na ztrátu krve a pak by vás obvinili ze čtyř vražd. Už tak před sebou máte doživotí."

„A co dali mojí sestře? To bylo víc než jen doživotí. Sebrali jí život — všechno, díky čemu na sebe měla proč být jako žena hrdá. Byla talentovaná a čistá."

„Tak mi povězte, co se stalo," řekla Katie tišeji, ačkoli revolverem stále mířila Obiomě na srdce.

„Moje rodina pochází z Lagosu. Můj otec byl učitel angličtiny na střední škole Lagoon. Byly jsme dvě sestry a bratr, ale ten zemřel v pěti letech. Proto jsme si se sestrou byly tak blízké."

„Pro lásku boží, pomozte mi!" zaúpěl Mistr Dessie. Obioma se na něj krátce podívala a pak se otočila na Katie.

„Se sestrou jsme se měly moc rády, ale vždycky jsme byly jiné. Ona pořád šila a malovala a já si hrála s kluky. Když mi bylo sedmnáct, zamilovala jsem se do jednoho, který byl u MEND, a v tu chvíli jsem se dostala k politice."

„MEND? Co je to MEND?"

„Je to Hnutí za emancipaci delty Nigeru. Ozbrojení aktivisté, kteří bojují proti vládě a nenasytným ropným společnostem. Věříme, že by měly odevzdávat svoje zisky chudým a znevýhodněným občanům Nigérie, místo aby smetanu slízly samy. Znečistily naši zemi, a nedaly nám nic."

„Ano," řekla Katie. „Teď když o tom mluvíte, už jsem o nich slyšela. Jsou ale zodpovědní za různé teroristické útoky, ne? Střílení, únosy, pirátství a bombové útoky."

„To je jediný způsob, jak přimět vládu a velké společnosti, aby nám naslouchaly. V MEND mě naučili bojovat. Ale proto tady nejsem. Jsem tady kvůli své sestře."

„Pokračujte." Katie věděla, že bude nejlepší Obiomu poslouchat a dát najevo porozumění. Pak se možná zvýší šance, že zahodí pistoli. Jednou seděla ve Fitzgeraldově parku v silném dešti tři hodiny a poslouchala lupiče ze stavební spořitelny, který si vzal postarší ženu jako rukojmí a hrozil jí upilovanou brokovnicí.

Obioma pokračovala: „Moje sestra ukázala nějaké své výšivky na výstavě v Lagosu a přišel za ní nějaký muž. Řekl jí, že vede designové studio v Itálii a jestli by tam nešla pracovat. Vydělala by si dost peněz, a mohla by se dokonce proslavit.

Šla s ním a od té doby jsme o ní skoro rok neslyšeli. Potom poslala rodičům dlouhý dopis. Podařilo se jí sehnat přítele, který se postaral o doručení. Dalo by se říct, že to byl dopis na rozloučenou."

V tu chvíli Katie poprvé uviděla na ženině obličeji emoce. Obioma pozvedla bradu a začala zhluboka dýchat, ale pravou ruku držela pevně před sebou. Hlaveň její kapesní brokovnice byla jen metr od hlavy Mistra Dessieho a z tohoto úhlu by mu ustřelila tři čtvrtiny obličeje jednou ranou. Bylo možné, že by to přežil, ale kdo by chtěl strávit zbytek života bez rukou a jenom s třetinou obličeje?

„V tom dopise sestra líčila, jak ji podvedli, zbili a prodali do Irska. Napsala tam o všem, co se jí stalo, o každém znásilnění a zranění i o tom, jak zlomili její vůli. Jmenovala všechny. Jmenovala muže, kterému říkali Zpěvák, Mawakiya. Jmenovala Mâniose Dumitresca. Jmenovala Bulu. Jmenovala tohohle muže, Mistra Dessieho. Jmenovala je a popsala, jak vypadají, a dala nám jejich adresy.

O dva měsíce později jsme se dozvěděli, že se utopila v řece. Stalo se to den poté, co napsala ten dopis, ale irským úřadům dlouho trvalo, než zjistily, kdo to je.

Tehdy jsem se rozhodla přijet sem a stát se *Rama Malaʼikou*, andělem pomsty.“

„Chápu váš vztek a hořkost,“ řekla Katie co nejjemněji, „ale proč jste ten dopis prostě nepřinesla na policii? Kdybychom měli takový důkaz, začali bychom okamžitě jednat.“

„Protože jsem si přečetla všechno, co se mi podařilo najít o těch mužích i o sexuálním průmyslu v Corku, a zjistila jsem, že byli zas a znova předvedeni před soud, ale nic se jim nestalo. Ale ano, několikrát dostali pokutu nebo jim byly zabaveny zisky. Ale muži, kteří dohnali moji sestru k sebevraždě, si zaslouží daleko větší trest. Zaslouží si trpět a zemřít a potom jít do pekla.“

Katie zdálky zaslechla sirény. *Za pár minut sem vtrhne ozbrojený tým.* Za oknem zatím nebyla žádná známka po detektivu Dooleym a Katie věděla, že by to mohlo špatně skončit.

„A Mistr Dessie je poslední na vašem seznamu?“ zeptala se.

„Prosím,“ zamumlal Mistr Dessie, když uslyšel své jméno. „Pro lásku boží, pomozte mi. Já tady umírám. Já tu bolest nevydržím.“

„Ti čtyři, které jsem zatím potrestala, to byli jenom sluhové," řekla Obioma. „Jejich pána jsem si nechala na konec. Chtěla jsem, aby cítil tu hrůzu! Chtěla jsem, aby si pomyslel: Kdy přijde ten anděl pomsty za mnou? Protože on musí vědět, že po něm jdu. O to se postarám."

„O čem to mluvíte? Komu říkáte jejich pán?" zeptala se Katie.

„Michaelu Gerretymu, samozřejmě. Nevím, proč se mě vůbec ptáte. Byl to Michael Gerrety, kdo z mé sestry udělal otrokyni a prostitutku. To on je zodpovědný za její sebevraždu víc než kdokoli jiný. A myslíte, že ho za to někdy odsoudí?"

Katie zavrtěla hlavou. „Je mi to líto, Obiomo, ale je po všem. Nebudete moct jít po Michaelu Gerretym, protože vás zatknu na základě obvinění ze tří vražd. Chápu vaše motivy, ale nikdo nemůže vzít zákon do svých rukou, ať už jeho oběti udělaly cokoli."

Obioma na Katie upřeně zírala. Takový pohled Katie ještě neviděla, nikdy v životě. Cítila, jak se jí vzadu na krku ježí chloupky. Obioma se stala *Rama Malaʼikou*. Ona opravdu byla andělem pomsty. Takhle vypadá ztělesnění nesmiřitelného vzteku.

„Prosím, dejte mi tu zbraň," řekla Katie. Natáhla ruku a udělala krok kupředu.

Obioma vypálila. Rána byla tak hlasitá, že Katie nadskočila a málem sama omylem vystřelila. Hlava Mistra Dessieho se rozprskla a jeho obličej najednou vypadal jako změť masa, líce a čelo v krvavých cárech.

Nevykřikl, protože neměl ústa, ale výstřel ho nezabil. Tloukl sebou na posteli ze strany na stranu, mával rukama kolem sebe a vydával klokotavé zvuky.

„Odhoďte zbraň a zvedněte ruce!" zavolala Katie na Obiomu. Byla v takovém šoku, že to znělo téměř jako jekot.

Detektiv Horgan a strážník Kelly vyběhli z ložnice Lotosového květu na chodbu. Detektiv Horgan namířil pistolí na Obiomu a odjistil spoušť.

„Ježíši," řekl, když uviděl Mistra Dessieho. „Už jsme zavolali sanitku. Ale... Ježíši."

Katie se přiblížila k Obiomě a mířila jí revolverem na srdce. Obioma se na ni dívala, sáhla do kapsy své kožené vesty a vytáhla černou patronu. Otevřela pistoli, vyndala prázdný náboj a strčila do zbraně nový.

„Řekla jsem, odhoďte zbraň," zopakovala Katie. „Kdybych se řídila tím, na co mě vytrénovali, už byste byla mrtvá."

Obioma zvedla jedno dokonale klenuté obočí. „Volba je na vás," řekla klidně. Zvedla kapesní brokovnici a namířila si ji na spánek. „Já teď půjdu pryč. Jestli se mě pokusíte zastavit, zastřelím se. Pak budete muset vysvětlovat nadřízeným a vašim médiím, proč jste něco takového dopustila. Zastřelila jste ženu, která nehrozila vám, ale sobě. Večer budete ležet v posteli a pokládat si stejnou otázku pořád dokola. Nikdy na mě nezapomenete. Zabila jsem muže, kteří mně osobně nic neudělali, lidi z ropného průmyslu, kteří jen dělali svou práci, a doteď vidím jejich tváře."

„Odhoďte zbraň," opakovala Katie. „Nechci vás zastřelit, ale udělám to."

„Ne, neuděláte," odvětila Obioma klidně. „Vidím vám to ve tváři. Ani váš kolega mě nezastřelí. Nechce absolvovat všechny ty komplikace, které se pojí s tím, že by mě zastřelil on, když vy ne."

Katie nic neřekla, ale hlavou jí proběhlo: *Kdokoli tě v* MEND *vycvičil, vycvičil tě dobře. Nejen že víš, jak zabít, ale víš i to, jak přežít.* Ze své vlastní zkušenosti věděla, že nejlepší způsob, jak se dostat z nebezpečných situací, bylo vybrat si nejrizikovější možnost, která se naskytne.

Obioma udělala krok ke dveřím a potom další. Obcházela Katie s hlavní přitisknutou ke spánku. Detektiv Horgan se podíval na Katie a v očích jako by měl otázku, jestli se má pokusit popadnout Obiominu zbraň a srazit ji na podlahu, ale Katie zavrtěla hlavou. Obioma měla pravdu. Jestli se zastřelí, bude policie vypadat lehkovážně a nekompetentně — a bezcitně, protože Obioma pouze mstila svou mrtvou sestru a zabila jenom pasáky a zločince. Tomu všemu nepomůže ani to, že je ta žena krásná. *Policisté vyprovokovali anděla pomsty, aby se zastřelil.*

Obioma se dostala ke dveřím. Detektiv Horgan k ní stál bokem a strážník ustoupil do chodby.

Katie řekla: „Tohle vám neprojde, Obiomo, přísahám bohu.“

„Uvidíme,“ řekla Obioma. „Jediné, co chci, je potrestat muže, kteří si trest zaslouží. Potom mě už nikdy neuvidíte.“

S tím rychle vycouvala chodbou ke vchodovým dveřím do bytu, otevřela je a byla pryč.

Katie se otočila na detektiva Horgana. „Řekněte posilám, ať ji nechají jít a nesledují ji. Poslední, co chceme, je, aby se nám zastřelila na ulici.“

Obrátila se na Mistra Dessieho, který už ležel klidně a přestal vydávat hrdelní zvuky. Obličej měl tak znetvořený, že měla potíže se na něj i jen dívat. I pokud by byl naživu, nemohla by pro něj nic udělat. Vypadal ale jako mrtvý.

„Matko boží, to je spoušť. Popožeňte tu sanitku, ano? Ježíši. To jsem to podělala, co? Měla jsem nejdřív střílet a pak se zabývat morálními dilematy.“

„Posily právě dorazily, komisařko,“ ozval se detektiv Horgan. „Nenahlásily nikoho, kdo by vyšel z budovy. Je tady i sanitka.“

„Co se stalo s Dooleym? Měl sem přijít po požárním schodišti.“

„To nevím, komisařko. Z nějakého důvodu jsem s ním ztratil kontakt." Na okamžik se na Katie vážně zadíval — na jeho poměry nezvykle vážně — a řekl: „Myslím, že jste udělala správnou věc. Mistr Dessie je jenom pytel sraček a ti další tři taky. Podle mě nám ta holka udělala laskavost."

„Řekla, že půjde po Michaelu Gerretym."

„Pak jí přeju hodně štěstí. Ze všech těch pytlů sraček je on ten největší."

Ozvalo se zaklepání na vchodové dveře. Strážník Kelly otevřel a dovnitř vešli dva policisté ze zásahové služby v neprůstřelných vestách a s útočnými puškami Heckler & Koch. Následovali je dva opatrně se rozhlížející zdravotníci.

„Radši zavolejte i lidi z technického," řekla Katie detektivu Horganovi. „Mohl byste tady zůstat? Budu se muset vrátit na stanici a říct o tomhle zmatku Molloyovi."

Detektiv Horgan chtěl něco říct, ale nakonec si to rozmyslel. Katie mu položila ruku na rameno na znamení, že rozumí.

Jeden z ozbrojených policistů vyšel z kuchyně s kufříkem z hnědé kůže. „Myslím, že jsem právě vyhrál v loterii!" zavolal. „Jsou tady tisíce eur!"

33

Zastupující vrchní inspektor Molloy seděl ve svém křesle s prsty opřenými proti sobě a poslouchal Katiino vyprávění o událostech na Washington Street bez přerušování. Když skončila, řekl jí: „Měla jste ji nejdřív zastřelit. To přece víte. Měli jsme v Limericku potíže s nějakými ozbrojenými gangy a tohle byl jediný způsob, jak se s nimi vypořádat. Jednou se s nimi zásahovka dostala do přestřelky jako u O. K. Corralu."

„Jsem si na devadesát devět procent jistá, že by Dessieho zabila, i kdybych po ní vystřelila," řekla Katie. „Vytrénovala ji organizace MEND, což je jedna z nejnásilnějších a nejlépe vyzbrojených aktivistických skupin v celé Africe."

Inspektor Molloy si strčil ukazováček do ucha, zakroutil jím a prohlédl si ho. „Musím uznat, že jste vzhledem k okolnostem pravděpodobně jednala nejrozumněji, jak to šlo, Katie. Kdyby se ta mladá žena zastřelila, veřejné mínění by se obrátilo proti nám. Teď musíme být diskrétní ohledně Dessieho smrti. Navrhuji, abychom tisku řekli, že jsme objevili tělo v jednom bytě, který si prohlížel, a že naše pachatelka tam musela zajít za ním."

„Není to jen tak nějaký byt, Bryane. Je to jeden z nevěstinců Michaela Gerretyho a novináři si to určitě zjistí. Také vědí, že Mistr Dessie je Gerretyho pravá ruka a že mezi těmi čtyřmi vraždami existuje zjevná spojitost. Tuhle stránku příběhu se nám nepovede potlačit. V *Echu* je navíc na stáži nějaká dívka, která po Gerretym jde. Nedá mi chvíli pokoj."

„Dobře, možná máte pravdu. Ale stejně chci, abyste to uhrála. Michael Gerrety je nevinný, dokud mu nebude prokázán opak, a abych k vám byl upřímný, nevěřím, že k tomu někdy dojde. Vím, že jsme strážci zákona, ale Irsko ještě není policejní stát. Platí tu ‚žij a nech žít‘.“

„Proč nepromluvíte do médií vy?“ navrhla Katie. „Do zpráv v šest je ještě čas.“

„Ne, ne, to je v pořádku. Dnes večer mám nějakou schůzku. Nechám vás, abyste se s tím poprala. Jen si dejte pozor, aby tenhle anděl pomsty dostal želízka dřív, než se dostane k Michaelu Gerretymu. A příště neváhejte. Máte oprávněný důvod se domnívat, že je ozbrojená, i když pistoli neuvidíte. Jakmile toho anděla zahlédnete, zastřelte ji.“

„Zveřejnila jsem další její fotky z bezpečnostních kamer. Někdo musí vědět, kde je. Navíc je nápadná.“

„To je skvělé. A Michaela Gerretyho jsem osobně varoval, aby si na ni dal pozor a byl extra opatrný.“

„Vy jste ho varoval?“

Inspektor Molloy se na ni zamračil. „Jistěže jsem ho varoval. Nemyslíte, že je to rozumné, když si ho vybere za cíl čtyřnásobná vražedkyně?“

„Rozhodně,“ odtušila Katie. „Samozřejmě že je.“

„Nejen to. Po tom, co se dnes stalo, nechám poslat pár ozbrojených policistů před Elysian Tower, aby tam hlídkovali čtyřiadvacet hodin denně, dokud tu ženu nechytíme.“

Katie vyšla z kanceláře a na chvíli se zastavila na chodbě. Měla pocit, jako by jí podlaha ujížděla pod nohama. Byla vyšší důstojnicí u policie. Přísahala, že bude za všech okolností vynucovat zákon. Ale když jí zastupující vrchní inspektor Molloy řekl, že varoval Michaela Gerretyho a že před jeho bydliště pošle ozbrojené policisty, zaplavila ji vlna zklamání. Možná dokonce vzteku. Katie chtěla Obiomu zatknout a obvinit z vraždy čtyř mužů. Ale také chtěla, aby byl Michael Gerrety potrestán, a měla temné tušení, že spravedlnosti by bylo skutečně učiněno zadost, kdyby se Obiomě podařilo Gerretyho zabít.

Vrátila se do kanceláře, otevřela skříň a podívala se na svůj odraz v zrcadle. Pomyslela si, že vypadá poměrně přitažlivě, navzdory šoku, který prožila ve Washington Street. Vlasy se jí leskly, konečně se jí podařilo je zkrotit, a líbily se jí i nové fialové oční stíny. Také si uvědomila, že vypadá překvapivě klidně a vyrovnaně, ačkoli se tak ani trochu necítila. *Moje práce není někoho nenávidět — ani zloděje, ani podvodníky, ani drogové dealery, ani vrahy, ani pasáky. Tak jak je možné, že Michaela Gerretyho tolik nenávidím?*

Nahlas odrecitovala: „Slavnostně slibuji a upřímně prohlašuji před Bohem, že budu věrně plnit povinnosti člena Garda Síochána s poctivostí, morální zásadovostí, s ohledem na lidská práva, svědomitě a nestranně, budu ctít ústavu a zákon a respektovat všechny lidi, včetně toho špinavce Michaela Gerretyho."

Uslyšela za sebou lehké zakašlání a otočila se. Ve dveřích stála strážmistryně ó Nuallánová.

„Kyno, neslyšela jsem vás. Promiňte."

„To je v pořádku," řekla strážmistryně a snažila se potlačit úsměv. „Já si tu přísahu nejsem schopná zapamatovat."

„Ani ten poslední kousek o Michaelu Gerretym? Každopádně pojďte dál. Co pro mě máte?"

„Telefonní číslo od Colina Clearyho — to, na které naší podezřelé volal, že její kapesní brokovnice dorazila."

„Výborně. Takže máte soudní příkaz?"

„Soudce mi ho dal za méně než půl hodiny a ani ho moc nezajímalo, proč ho chci. Myslím, že se na obědě přejedl. Z Eicomu mi bez problémů poslali výpis Clearyho hovorů. Byla tam jenom dvě corkská čísla, na která Cleary volal jenom jednou. Jedno z nich bylo do Quinlan's, to je prodejce hond na Victoria Cross, ale to bylo před třemi týdny. Na to druhé číslo volal před osmi dny, což by odpovídalo tomu, kdy byla naše podezřelá u Clearyho poprvé a jak dlouho pak trvalo zbraň obstarat."

„Máte adresu?"

Strážmistryně podala Katie papír vytržený z bloku. „Dům s názvem *Sonas* na Lower Glanmire Road, na východ od železničního mostu. Dívala jsem se na google a je to poslední dům v řadě. Musím říct, že vypadá pěkně pochmurně na to, že se jmenuje ,Štěstí'. Šedá fasáda, špinavé záclony. Je tam registrováno jenom jedno telefonní číslo, ale zdá se, že je dům rozdělený na byty, protože jsou u vchodových dveří tři zvonky."

„Dobře. To vypadá přesně jako místo, kde by se Obioma mohla schovávat."

„Obioma? Tak se jmenuje?"

„Řekla mi to sama. Řekla mi i své příjmení, ale to si nepamatuju. Oily něco. Patří k ozbrojeným aktivistům, kteří v Nigérii bojují s velkými ropnými společnostmi jako Shell. Kradou jim ropu, vyhazují do vzduchu jejich rafinérie, takovéhle věci."

„Ježíšku na křížku. Opravdu?"

„To mi aspoň řekla." Katie krátce popsala své setkání s Obiomou. Vyprávěla strážmistryni ó Nuallánové, jak Obioma střelila Mistra Dessieho a jak jí Katie dovolila odejít, aniž by ji zatkla.

„Ale jestli bydlí v tom domě na Lower Glanmire Road, měli bychom být schopni ji tam dnes v noci zadržet. Pokud je odhodlaná jít po Michaelu Gerretym, musíme ji chytit. Čím dřív ji, tím líp."

Strážmistryně ó Nuallánová se na Katie kradmo podívala. „Myslíte Michaela Gerretyho, toho špinavce?"

„Přesně toho," přikývla Katie vážně. „Jakmile se Horgan a O'Donovan vrátí, dáme se do toho a vymyslíme taktiku. Nebude snadné ten dům sledovat, protože je to rušná hlavní ulice a lidé se tam obvykle bezcílně neprochází po chodníku. Mohli bychom obcházet dům od domu, jestli ji neviděl někdo ze sousedů, ale i to by bylo riziko, že nás uvidí. Myslím, že nejlepší plán bude tam prostě ve dvě, ve tři ráno vpadnout, bác, a jestli tam bude, tak tam bude, jestli ne, tak se budeme všem hrozně omlouvat, že jsme jim narušili spaní."

„O'Donovan říkal, že se vrátí asi v šest," řekla strážmistryně ó Nuallánová. „Je Horgan pořád na Washington Street?"

„Ano. A Dooley taky. Nevím, co se s ním stalo. Měl mi krýt záda z požárního schodiště, ale neukázal se. Od té doby jsem o něm neslyšela."

Katie se podívala na hodinky. „Víte co? Teď byste se mnou mohla jít vyslechnout ženy, které jsme evakuovali z toho nevěstince. Nesuďte je a moc na ně netlačte, ale dávejte pozor, jestli z nich nedostanete nějaké inkriminující svědectví o Michaelu Gerretym. Cokoli bude dobré, i kdybychom na něj měli jenom nějaké rasistické poznámky nebo vyhrožování."

„Vy máte toho Gerretyho opravdu ráda, viďte, komisařko?"

„Ráda bych viděla jeho hlavu na míse s jablkem v puse," řekla Katie. „I když to by byla urážka prasat."

Čtyři ženy, které evakuovali z domu na Washington Street, čekaly v místnosti pro návštěvy v přízemí. Mairead měla ruce založené na prsou a ve tváři znuděný a netrpělivý výraz. Lotosový květ a Elvíra si četly časopisy. Zakiyyah seděla na kraji béžové kožené pohovky, nohy skrčené pod sebou. Objímala polštář a vypadala neklidně.

Katie vešla dovnitř a řekla: „Omlouvám se, že jsme vás nechali tak dlouho čekat. Daly byste si čaj, kávu nebo limonádu?"

„Chceme už odsud sakra vypadnout, to je všechno," odsekla Mairead ochraptěle. „Máme tucty klientů, kterým se musíme věnovat."

Ukázala na mobilní telefon a řekla: „Zařídila jsem nám jiný byt, kam můžeme jít, dokud u nás neskončíte s čmucháním, ale bude to blázinec."

„Jen od vás chceme nějaké svědecké výpovědi, pak můžete jít."

„Nemám, co bych vám řekla."

„Jaký byl účel návštěvy Desmonda O'Learyho?" zeptala se Katie.

„Společenský. Byla to společenská návštěva."

„Očekával od vás nějaké sexuální služby?"

„Byla to společenská návštěva. Prostě se stavil se na nás kouknout, to je všechno."

„Vybral od vás peníze?" zeptala se strážmistryně ó Nuallánová.

„Netuším, o čem to mluvíte."

„V kuchyni jsme našli kožený kufřík, kde bylo víc než sedm tisíc eur."

„O tom já nic nevím."

„Máte inzeráty na stránkách *Fantastické dívky z Corku* a muži chodí do toho bytu, abyste jim poskytovaly sexuální služby."

„Ne," řekla Mairead neochvějně. „Tak to vůbec není. My inzerujeme společnost osamělým mužům, případně masáž, když o ni budou stát. Nic jiného. Možná jsme někdy k nějakému z nich přátelštější a věci se posunou někam dál než k masáži, ale to je čistě osobní, mezi dívkou a klientem, to nemá s obchodem nic společného. Za prostituci nemůžete nikoho zatknout."

„Tak vás naučil odpovídat Michael Gerrety, viďte?"

„Michael kdo?"

„Ale nechte toho. Znáte Michaela Gerretyho tak dobře jako já. Pronajímá vám byt, kde bydlíte — možná přes holdingovou společnost, možná ne —, provozuje *Fantastické dívky z Corku* a má i další sexuální byznys kromě toho, jako třeba Amber's."

„Neřeknu nic, dokud tady nebude právník."

„Tak dobře," řekla Katie. „Myslím, že pro teď to bude stačit. Když na vás budeme mít další otázky, stavíme se za vámi."

„Musíte nám dát vědět předem."

„Proč? Abychom vás nechytili *in flagranti*?"

„Co?"

„Abychom vás nechytili uprostřed prostituování, to tím chci říct. Teď si napíšu vaše jména a několik osobních údajů a můžete jít. Technické oddělení váš byt odpečetí za dva až tři dny. Dáme vám vědět, až bude možné se vrátit zpátky."

„No, fakt díky moc."

Katie si vzala Lotosový květ na druhou stranu místnosti a posadila ji ke stolku u zdi. Vyndala si blok a řekla: „Celé jméno, prosím."

Zatímco si ho zapisovala, řekla, aniž by vzhlédla od papíru: „Tyhle sexuální služby, děláte to dobrovolně?"

Lotosový květ se úzkostlivě podívala na Mairead, ale ta se bavila s Elvírou.

„Já jinou práci neznám," řekla.

„Nezacházejí s vámi špatně? Dávají vám proti vaší vůli drogy, bijí vás nebo bitím hrozí?"

„Jsem v pořádku. Jinou práci neznám. Většina mužů mě má ráda." Najednou se zachichotala a řekla: „Říkají mi, že si vždycky mysleli, že Thajky mají pičky našikmo!" Zvážněla. „Co jiného bych mohla dělat?"

„Jste si tím jistá?" zeptala se jí Katie. „Ne že bych vámi kvůli tomu, co děláte, opovrhovala, Lawan, ale chci vědět, jestli s tím nechcete přestat. Je tu spousta lidí, kteří vám mohou pomoci, včetně mě. Tady — to je moje soukromé číslo."

Když skončila s Lotosovým květem, zapsala si Katie celé jméno Elvíry a položila jí tytéž otázky. Elvíra popřela, že by brala drogy, ale měla skelný pohled a mluvila nezřetelně. Žádná z jejích odpovědí se ani trochu nevztahovala k otázce, která jí byla položena. Když se Katie zeptala, jestli jí vyhrožují, aby pracovala jako prostitutka, řekla: „Ano. A ryby by mohly létat."

Jako poslední si ke stolku vzala Zakiyyah. Dívka byla nervózní a roztěkaná, kousala se do rtů a hrála si s náramkem z růžových korálků.

„To je pěkné," poznamenala Katie a ukázala na náramek.

„Je v tom duch mého Orisha, Ochumare. Je to bůh duhy a stará se o děti."

„Zdá se mi, že dnes Ochumare dělá svoji práci. Nechceš se tam vracet a prodávat se, že ne?"

Zakiyyah zavrtěla hlavou. „Je mi z toho špatně. A ti muži. Páchnou, zraňují mě. Hrozně mi zranili zadek."

Mairead vstala a řekla: „Už jste s ní skončila, paní detektivko? Musíme odsud odejít. Už tak budeme v průseru."

„Snad vás Michael Gerrety nebude dusit za to, že jste pár hodin nebyly v práci," odpověděla Katie. „Nebyla to vaše chyba, že byl Mistr Dessie zavražděn, nebo jo?"

„Tak pojď, holka," řekla Mairead Zakiyyah. „Večer přijde ten Řek, co si vyžádal speciálně tebe."

Katie se naklonila přes stůl a velmi potichu Zakiyyah instruovala: „Teď obě vstaneme. Až budeme stát, chci, abys na mě zakřičela: „Jak si dovolujete mi tak říkat?' A pak chci, abys mi dala facku."

„To nemůžu udělat," hlesla Zakiyyah s vyvalenýma očima.

„Ale ano, můžeš. Udělej to. Když mi dáš facku, budu tě muset zatknout za útok na veřejného činitele a Mairead tě nebude moct odvést."

„Už jste proboha skončily?" zeptala se Mairead otráveně. „Její životní příběh nemůže být tak dlouhý!"

Katie vstala a Zakiyyah váhavě také. Katie si chvíli myslela, že dívka nenajde odvahu udělat to, o co ji žádala. Ale Zakiyyah najednou zakřičela: „Jak jste mi to řekla? Jak jste mi to řekla? Jak si dovolujete mi takhle říkat?" A pak Katie tvrdě uhodila přes pravou tvář.

Rozhostilo se omračující ticho. Potom k nim přišla strážmistryně ó Nuallánová. Chytila Zakiyyah za zápěstí a otočila ji k sobě zády.

Katie si položila ruku na tvář a řekla: „Tak a dost! Zatýkám vás za útok na veřejného činitele při výkonu služby! Strážmistryně ó Nuallánová, odveďte ji do vazby. Promluvím si s ní později."

Mairead se postavila před Zakiyyah a strážmistryni ó Nuallánovou a zastoupila jim cestu. „To nemůžete!" vykoktala. „Ona nesmí... To prostě nemůžete udělat!"

„Můžeme. A co víc, vy nás nesmíte zastavit," řekla Katie. „Vzhledem k tomu, že tak pospícháte zpátky za klienty, vám navrhuji, abyste šly, jinak vás obviním z maření výkonu."

„No to je nehoráznost!"

„Dát facku policejní komisařce je nehoráznost. Tak a teď už jděte, ano? Na recepci vás čeká policista, který vás odveze, kam budete potřebovat."

316

Mairead a Lotosový květ s Elvírou odešly z místnosti a dveře se za nimi pomalu zavřely. Strážmistryně ó Nuallánová pustila dívčina zápěstí a Zakiyyah se rozplakala. Katie ji vzala do náruče a konejšila ji.

„Teď už je to v pořádku, beruško. Všechno bude dobré. Už žádní ti hrozní muži, slibuju. Zařídíme, aby ses vrátila tam, odkud tě sem přivezli, a mezitím se ujistíme, že se o tebe postarají nějací dobří lidé."

Strážmistryně ó Nuallánová řekla: „Já jsem si myslela, že je to bouda! Ale podívejte se na svůj obličej, komisařko! Všichni si budou myslet, že jste se pohádala s partnerem!"

Katie položila Zakiyyah ruce na ramena a usmála se na ni. „Strážmistryně ó Nuallánová tě teď vezme do bufetu, aby sis dala něco k pití a k jídlu, jestli máš hlad. Já mezitím seženu někoho, kdo si tě vyzvedne. Zařídí ti na dnešek nocleh, seženou oblečení a všechno ostatní, co budeš potřebovat."

Zakiyyah si utřela oči a přikývla. „Děkuju vám. Moc se omlouvám, že jsem vás zranila. Nechtěla jsem vás udeřit tak silně."

„S tím si nedělej hlavu. Moc to nebolelo a za chvíli to zmizí. Aspoň to celé vypadalo realističtěji."

„A co moje vakcína proti vzteklině?" zeptala se Zakiyyah. „Mistr Dessie mi dával injekci proti vzteklině každý den, abych neonemocněla."

Katie a strážmistryně ó Nuallánová se na sebe podívaly. „Tak takhle tomu říkal, vakcína proti vzteklině?"

„Říkal, že v Irsku jsou veverky, které koušou a nakazí vás vzteklinou."

„Vakcína proti vzteklině," zopakovala Katie znechuceně. „Musíme ji hned poslat k doktorovi, aby zjistil, co jí ti hajzlové píchali, než začne mít abstinenční příznaky. Můj bože, jestli někdo dostal, co si zasloužil, byl to Mistr Dessie. Skoro si přeju, abych mu tu palici ustřelila já."

Detektiv O'Donovan se vrátil na stanici kolem tři čtvrtě na sedm a detektiv Horgan dorazil krátce poté.

Katie mezitím mluvila se strážmistrem Kennethem Mulliganem o složení týmu, který se vydá do domu na Lower Glanmire Road v úterý v časných ranních hodinách. Doporučoval celkem šest policistů — aspoň čtyři z nich musejí být ozbrojení —, dva mají stát zezadu budovy a čtyři vtrhnou předním vchodem. Zadní dvorek byl snadno přístupný, protože se tyčil nad nákladním dokem plným kontejnerů a lodním skluzem k řece Lee.

Detektiv O'Donovan přišel ke Katie do kanceláře, aby jí ohlásil nový případ, na kterém pracuje. Z elektrické sítě na Shanakiel Road v Sunday's Well byla odcizena elektřina za tisíce eur, takže si v zástavbě devíti nových městských domů užívali teplo a světlo zdarma celého půl roku.

Poté se objevil detektiv Horgan. Byl bledý, vypadal unaveně a potřeboval oholit. Sdělil Katie, že technický tým dokončil předběžné ohledání pokoje Zakiyyah a tělo Mistra Dessieho bylo odvezeno. Na rozdíl od prvních dvou míst činu, kde byly oběti nahé a oblečení se nenašlo, byl oděv Mistra Dessieho na podlaze.

„Ale jeho ruce jsou pryč. Musela je odnést s sebou. Z okna je nevyhodila. V uličce za domem se nenašly."

„Když na to teď vzpomínám, měla u pasu igelitovou tašku," řekla Katie. „Mohla v ní ty ruce odnést. Fuj! Je mi z toho špatně, jen si to představím."

„A Dooley, mimochodem..." začal detektiv Horgan.

„Ano, Dooley! Co se s ním proboha stalo? Celé to mohlo dopadnout jinak, kdyby se Dooley objevil za tím oknem. I když o tom pochybuju. Obioma se ničeho nebojí, podle toho, co jsem viděla. Ale kde je Dooley? Dnes večer ho budeme potřebovat."

Detektiv Horgan se snažil neušklíbnout. „Ten požární východ končí brankou s ostnatým drátem. Dooley se ji pokoušel přelézt — tedy on ji přelezl, ale kalhoty se mu zachytily o ten ostnatý drát, takže spadl, zlomil si kotník a ztratil telefon."

„Proboha, chudák Dooley. A kde je teď?"

„V nemocnici, odtamtud se mi naposledy ozval. Čeká, až mu ten kotník zasádrují."

„Aspoň se měl se mnou spojit a dát mi vědět."

„Myslím, že se tak trochu stydí, víte? Našel jsem ho ležet na hromadě papírových krabic v trenýrkách, jak volá o pomoc."

„Doufám, žes ho vyfotil," řekl detektiv O'Donovan pobaveně. „Mohl bys to dát na Twitter. ‚Skandální odhalení corkského policisty'."

„Ani na to nemyslete," řekla Katie pobaveně. „Když to uděláte, budete volat o pomoc vy."

Vstala a zhasla lampičku na stole. „Tak jo, já si jdu domů dát něco k jídlu. Ve dvě hodiny ráno máme sraz s týmem strážmistra Mulligana na parkovišti před stanicí Kent. Tahle žena má jenom jednu zbraň, ale věřte mi, že před ní nechcete stát, když vypálí. Ledaže byste toužili dorazit domů bez obličeje."

34

Odemkla domovní dveře a hodiny v hale právě odbíjely devátou. Barney k ní jako vždy přiběhl a jako obvykle vrtěl ocasem tak, že s ním tloukl do radiátoru. John přišel z obývacího pokoje s lahví piva Satzenbrau v ruce. Vlasy měl rozcuchané a modrou košili zmuchlanou, ale s úsměvem přistoupil ke Katie a políbil ji.

„Dostal jsem tvoje zprávy," řekl. „Jenomže jsem měl jednání a nemohl jsem se začít hrabat v telefonu."

„To je v pořádku. Promiň. Byl to šílený den."

„Něco jsem viděl ve zprávách. Další vražda pasáka, co?"

„Byla jsem u toho, když to udělala. Tváří v tvář. Poslouchej, teď o tom opravdu nechci mluvit. Jedl jsi?"

„Dal jsem si trochu polévky minestrone. Abych řekl pravdu, neměl jsem moc hlad. Co takhle drink?"

„Nemůžu," přiznala Katie. „Kolem půl druhé musím zase vyrazit. Myslíme, že jsme zjistili, kde podezřelá žije, a já jsem zorganizovala přepadovku."

„Ježíši. Jsem tak rád, že nemám tvoji práci."

Katie vešla do obývacího pokoje a posadila se. V televizi stále běžely zprávy o deváté, ale zvuk byl ztlumený. Právě dávali rozhovor s ustaraně vyhlížejícím farmářem ze západního Corku. „Můžu ti něco přinést?" zeptal se John.

„Neřekla bych ne hrnku čaje, kdybys mohl postavit vodu. Později si dám sendvič nebo něco takového, ale teď ještě ne. Jak ses měl? Připadám si hrozně. Tvůj první den v práci, a já ani nedorazím domů včas, abych ti připravila něco speciálního."

„Hele, jestli se tady potuluje nějaká šílená mladá dáma, která lidem ustřeluje hlavy, tak ti to ani nemám za zlé."

„Ale jak to šlo?"

„Bylo to v pohodě."

„Jenom v pohodě? Četli tvůj návrh?"

„Ano. Tedy Aidanův zástupce ho četl. Je to asi můj přímý nadřízený. Chlápek jménem Alan McLennon."

„A co si o tom myslel?"

„Řekl, že je to moc otevřené. Moc přímé. Že prý jestli chci souhlas irských zdravotníků, měl bych je víc ukecávat. Takhle to řekl — ukecávat. Prostě je přemluvit. Aby to znělo spíš jako pokec než jako obchodní jednání."

„No, roky jsi žil v Americe. To by měl vzít v úvahu."

„Máš asi pravdu. Cork musí být jediné místo na světě, kde lidé říkají ‚ano', ale myslí tím ‚rozhodně ne'. Ale — já nevím. ErinChem je moderní a dobře financovaná společnost, která vyrábí špičkové farmaceutické produkty. Trvají na tom, že chtějí zmodernizovat obchodní strategie, ale přesto o marketingu přemýšlejí tak zastarale! Aidan tomu dokonce říká ‚interweb'."

„Johne, byl to teprve tvůj první den u nich. Podaří se ti to tam omladit, neboj se."

„Jo, asi jo. Já půjdu dát vařit tu vodu."

Katie si připravila sendvič s hovězím a rajčaty, ale zvládla sníst jenom jedno sousto. Před očima měla pořád Mistra Dessieho a jeho vybuchující hlavu.

Osprchovala se a oblékla do džínů a tmavě šedého bavlněného svetru, který byl dost dlouhý a volný, aby skryl pouzdro na pistoli. Zbytek večera strávili s Johnem na gauči a sledovali nějaký kriminální film, ale ve skutečnosti nechápali,

koho policisté honí ani proč. Byla to samá blikající světla, utí-
kající lidé a vzteklé obličeje. Johnova hlava ji začala na rame-
ni tížit a po chvíli do něj strčila. „Hele, rozmačkáš mi rameno,
chlape!"

Žádná odpověď. „Johne?" řekla, ale pak si trochu poposedla
a všimla si, že usnul.

Opatrně vstala z pohovky, po špičkách se odkradla pryč, vy-
pnula televizi a všechna světla v obývacím pokoji kromě malé
lampičky s růžovým stínidlem. Přikryla Johna dekou, kterou
přinesla z ložnice, a políbila ho na tvář. Něco zamumlal, ale ani
neotevřel oči. Musel být ve velkém stresu — nejspíš se trápil
kvůli práci a bál se o ni, ale asi měl pocit, že o tom nemůže
mluvit. Problémy s vývojem online obchodu s tablety na
zažívání šly jen těžko srovnat s naháněním ženy, která svým
obětem uřezává ruce a střílí jim hlavy.

Zavřela Barneyho do kuchyně a odešla z domu. Tiše za se-
bou zavřela dveře. Noc byla chladná, chladnější než v posled-
ních dnech, a foukal jemný větřík, jako by se jí snažil něco
zašeptat do ucha. Bylo ale velmi jasno. Měsíc svítil za stromy
a jeho odraz se zrcadlil ve vodní hladině.

Vycouvala z příjezdové cesty a zamířila severně na Carrig
View, silnici, která vedla podél přístavní čtvrti Passage West.
Pak asi dvě stě metrů za sebou uviděla rozsvícená světla. Auto
se odlepilo od obrubníku a vyjelo za ní. Na klikatých ulicích
Fota Island řidič od Katie udržoval stále stejnou vzdálenost,
ale než dojela na hlavní čtyřproudovou silnici, auto zrychli-
lo a drželo se za ní v těsném závěsu. Musela pootočit zpětné
zrcátko, aby ji neoslňovala jeho světla.

„Ježíši!" zavolala. „O co se to snažíš, ty idiote?" Sešlápla plyn
a zrychlila. Auto za ní se ztrácelo, nesnažilo se ji dohnat. Na
silnici bylo v tuhle hodinu jen čtyři nebo pět vozů, ale když se

podívala do zrcátka, nedokázala rozlišit, které auto se na ni před chvílí pověsilo.

„Ale no tak, holka, začínáš být paranoidní," řekla si. Už několikrát byla přesvědčena, že ji někdo sleduje, zvlášť když vyšetřovala členy corkských zločineckých gangů. Její manžel Paul utrpěl smrtelná zranění, když je i s autem natlačili do řeky Lee. Jakmile se nějaký řidič držel příliš blízko za ní, měla z toho hluboce nepříjemný pocit.

Dorazila na vlakové nádraží Kent. Venku už parkovala čtyři hlídková auta a tři neoznačená vozidla patřící strážmistryni ó Nuallánové, detektivu O'Donovanovi a detektivu Horganovi.

Jakmile Katie vystoupila z auta, přispěchal k ní strážmistr Mulligan.

„Dobré ráno, komisařko. Jsme připraveni vyjet. Nejdřív pošleme dva muže k zadní části domu, a až potvrdí, že jsou na místě, vpadneme dovnitř. Nenápadně ten objekt sledujeme celý večer, ale nikdo nevešel ani nevyšel. Dole se do 22.03 svítilo a v prvním patře se někdo díval do 23.26 na televizi, ale teď je tam tma. V garsoniéře v podkroví je vikýř, ale nesvítilo tam žádné světlo."

„Výborně," řekla Katie. „Řekl jste svému týmu, do čeho jdou? Velmi silně motivovaná žena s teroristickým výcvikem. Víme jistě, že má jednu palnou zbraň — kapesní brokovnici na jednu patronu —, ale je klidně možné, že jich má víc. Moc ráda bych ji ale dostala živou. Mohla by nám poskytnout cenné svědectví pro další obžaloby."

Přistoupila k nim strážmistryně ó Nuallánová. Měla na sobě tmavě hnědou mikinu s kapucí, černé legíny a kotníčkové boty.

„Matko boží," řekla Katie. „Vidět vás takhle na ulici, pravděpodobně vás zatknu."

„Myslela jsem, že budete chtít slyšet, že jsem kontaktovala Mary ó Floinnovou z Centra pro pomoc imigrantům," řekla strážmistryně. „Jedna z jejich dobrovolnic vzala Zakiyyah na drogový test. Výsledky ještě nemám, ale Mary říkala, že ji poté vezmou k té samé rodině, která se teď stará o tu malou Rumunku."

„O Corinu, ano."

„Neměla by u nich zůstat moc dlouho — jen po dobu, než v Centru vyřeší práva Zakiyyah, lokalizují její rodinu v Nigérii a zařídí jí cestu zpátky, pokud to bude chtít."

„Dobře," řekla Katie. „Tak přece jsou na světě nějací svatí."

Přišel k nim detektiv O'Donovan v modré neprůstřelné vestě. V ruce nesl další dvě. „Tady máte. I když nevím, k čemu nám budou, jestli se nám ten anděl pomsty pokusí ustřelit hlavu jako Dessiemu O'Learymu a těm dalším."

Strážmistr Mulligan zvedl ruku a naznačil tak Katie, že jeho dva muži jsou již na místě za domem. Katie a strážmistryně ó Nuallánová nastoupily do mondea k detektivu O'Donovanovi a vyjeli za čtyřmi hlídkovými vozy, za nimi už byl jen detektiv Horgan. K domu s názvem *Sonas* to nebylo daleko, jen pět set metrů pod železniční most, ale auta vzali, aby zablokovali cestu.

Před domem zastavili smykem, ozbrojení policisté vyskákali z hlídkových vozů a přeběhli ke vstupním dveřím. Nezaklepali ani nezazvonili, jen se proti dveřím rozmáchli sedmdesátikilovým beranidlem. Dveře byly staré a shnilé, hned po první ráně vyletěly z pantů a ztěžka dopadly na podlahu chodby.

Policisté křičeli: „Ozbrojení policisté! Ozbrojení policisté!" Pak vdusali dovnitř. Světelné kužely baterek pročesávaly chodbu. Policisté vyrazili dveře přízemního bytu a vběhli dovnitř. Katie přišla ke vchodovým dveřím a uslyšela staršího muže křičet: „Co se to, do prdele, děje? Co si myslíte, že děláte, vyrazit mi uprostřed noci posraný dveře!"

Světla se přesunula dál a Katie vešla do chodby. Uviděla bělovlasého muže v pyžamu s modrými proužky, jak bezmocně sleduje policisty, kteří mu běhají po bytě z jednoho pokoje do druhého, otevírají všechny dveře a skříně, a dokonce nahlížejí i pod postel.

Další dva policisté vyběhli po úzkém schodišti do prvního patra a vyrazili dveře dalšího bytu. Katie slyšela křičet nějakou ženu a plakat dítě. Vešla do přízemního bytu a přistoupila ke staršímu muži v pyžamu.

„Komisařka Maguirová," představila se a ukázala mu odznak. „Omlouvám se, že jsme vás takhle vyrušili, ale hledáme velmi nebezpečnou ženu."

„Co?" zamrkal. „Kdo jste říkala, že jste? Bez brejlí nevidím ani prd."

„Jsem policejní komisařka, pane. Omlouvám se, že jsme k vám takhle vrazili, ale snažíme se chytit pachatelku. Máme podezření, že je ozbrojená. Mladá černoška, která se obléká do černé. Bydlí v tomhle domě? Viděl jste ji?"

„Ta černá holka? Jasně že jsem ji viděl. Běhá nahoru a dolů po schodech ve dne v noci v těch svejch těžkejch botách. Už tak špatně spím."

„Viděl jste ji dneska?"

„Ráno. Dusala dolů po schodech, a ještě za sebou zabouchla dveře. Nejsem rasista, ale kvůli takovým se jím člověk stává."

Katie zaslechla z patra další křik a pláč, a když se otočila, zahlédla strážmistryni ó Nuallánovou, jak míří ke schodům. „Poslyšte, musím vás tu na chvíli nechat. Omlouvám se za tu škodu. Někoho sem pošleme, aby ty dveře opravil."

„A co mám teď dělat? Jít do postele a snažit se usnout, když dovnitř může vtancovat jakýkoli zloděj z ulice?"

„Slibuji vám, že váš byt zajistíme, než odejdeme," řekla Katie. „A taky vám poskytneme náhradu za veškeré nepohodlí, které jsme vám způsobili."

S tím se otočila a vydala se po schodech nahoru. Policisté vyrazili také dveře bytu v prvním patře. Uvnitř stála strážmistryně ó Nuallánová a snažila se uklidnit hysterickou mladou matku a její ječící dítě.

„Jak tohle můžete udělat?" protestovala žena. „Jak se mi můžete jen tak vloupat do bytu? Mám pětiměsíční dítě!"

Policisté vyšli z její kuchyně a protáhli se kolem ní v objemných neprůstřelných vestách. Další dva už vyběhli do podkroví a vyrazili dveře. Katie slyšela, jak jí běhají nad hlavou. Jeden z nich zavolal dolů: „Čisto! Nikdo tady není!"

„Opravdu moc mě mrzí, že jsme rozrušili vás i vaše dítě," řekla Katie. „Jmenuji se komisařka Maguirová a mám tuhle operaci na starosti, takže jestli chcete někoho vinit, viňte mě."

„Ale na to nemáte právo! Nemůžete k lidem vpadnout a vyrazit jim dveře!"

„Obávám se, že můžeme. Máme soudní příkaz umožňující násilné vniknutí. Hledáme tu Nigerijku."

„Proč? Co udělala? Ta bydlí v podkrovním bytě, ne tady u mě!"

„Mohla by být velmi nebezpečná," řekla Katie. „Vy se nedíváte na zprávy? Je podezřelá ze čtyř vražd."

„Rozbila se mi televize. Můj bývalý říkal, že mi pořídí novou, ale on nikdy nedrží slovo."

„Myslíme si, že zabila už čtyři lidi a chce zabít další. Má u sebe alespoň jednu pistoli, o které víme, a rozhodně ji neváhá použít."

Mladá matka chlácholila a houpala dítě a pomalu se začínala uklidňovat. „Nastěhovala se sem před pár týdny. Usmívala se a zdravila, ale moc jsem ji tu nevídala. Nevadilo by mi si s někým popovídat, jsem tady celý den zavřená s malou Miley a sotva s někým prohodím slovo. A co budu dělat s těmi dveřmi? Bytný se z toho zblázní."

„Se dveřmi si nedělejte starosti, zítra vám je opravíme. Tedy dnes, teď. Měla tahle žena někdy nějaké návštěvy?"

Mladá matka zavrtěla hlavou. „Nikdy jsem neviděla jít nikoho nahoru, jen ji."

Detektivové O'Donovan a Horgan právě sbíhali z podkroví zpátky do prvního patra. „Vypadá to, že vzala roha, komisařko. Nahoře nezbylo nic, jenom pár konzerv s jídlem a nějaký ručník."

„No, nebude mi vadit, že je pryč," řekla mladá matka. „Byl tu vždycky cítit kouř, když vařila. Asi to bylo nějaké africké jídlo."

Katie vystoupala po úzkých strmých schodech do podkroví. Byla tam dvě vikýřová okna, jedno shlíželo na ulici a druhé dozadu na doky a řeku.

Na jedné straně byla rozestlaná pohovka se zmuchlanou přikrývkou. Uprostřed místnosti stála dvě křesla, jedno s hořčicově žlutým čalouněním a druhé se špinavě červeným, mezi nimi týkový konferenční stolek. Na konci bytu byla malá kuchyňka s linkou z dřevotřísky, malým nerezovým dřezem a sporákem.

Stěny a svažující se stropy byly pokryty tapetami s loveckými výjevy. Strážmistryně ó Nuallánová také vyšla nahoru a rozhlédla se. „Vypadá to, že je vážně pryč. Myslíte, že mohla vyrazit za Gerretym?"

Katie se podívala na konzervy s jídlem, které zůstaly pod linkou. Karobové boby, maniok, krabí maso. Byla tu také velká lahev palmového oleje, ze tří čtvrtin prázdná, a papírový pytel s dřevěnou štěpkou.

Otevřela troubu. Uvnitř to silně páchlo kouřem a našla tam pečicí plech s drátěnou mřížkou a vrstvou dřevěné štěpky na dně. Katie vzala několik kousků do ruky a přičichla k nim. Byly vlhké a štiplavě páchly.

„Co myslíte, že s tímhle vařila?" zeptala se strážmistryně.

„Asi udila žebra nebo něco takového. Tak se to dělá, když chcete dělat barbecue doma. Namočíte štěpku a pomalu na ní připravujete maso."

Pozorně se rozhlédly po podkroví. V jednom rohu stála otlučená skříň, ale všechny šuplíky byly prázdné až na dvě tužkové baterie a špulku s červenou nití.

„Neřekla bych, že to s Gerretym vzdala," řekla Katie. „Zabila čtyři muže a postará se, aby dostala i jeho."

„Ale my ho máme pod dohledem. Nedostane se k němu."

„To je škoda."

Strážmistryně ó Nuallánová se na Katie zkoumavě podívala. „Jednoho dne ho dostanete. Jen počkejte."

Domů se vrátila v 5.55 ráno. John pořád ještě spal a Katie měla nutkání si k němu vlézt do postele, ale obávala se, že usne. A na to měla příliš mnoho práce. Musí připravit zprávu pro zastupujícího vrchního inspektora Molloye a informovat média.

Už se rozednilo, a tak vzala Barneyho na brzkou procházku podél řeky. Cítila se malátná, ale nemohla přestat myslet na Obiomu a na to, co asi právě dělá. Nepodaří se jí dostat do Elysian Tower a zaútočit na Michaela Gerretyho doma a on se zcela jistě postará o to, aby s sebou měl osobní strážce, kamkoli půjde.

Ale třeba bude Obioma velmi trpělivá. Prošla výcvikem guerillové taktiky a mohla počítat s tím, že bude čekat dny, týdny, nebo dokonce měsíce, než udeří. Nebudou moct Michaela Gerretyho hlídat donekonečna. Rozpočet by jim to nedovolil a novináři by se jich začali ptát, co tam dělají. Proč hlídají muže jako Michael Gerrety, když obyčejní občané Corku potřebují ochranu před loupežemi, krádežemi a opilci na ulicích?

Vrátila se domů a dala vařit vodu na kávu. John se objevil ve dveřích ložnice, do pasu nahý. Podrbal se na hrudníku a zívl. Objala ho a přitáhla k sobě.

„Miluju tě, víš?" řekla mu. „Mrzí mě, že jsem byla tak dlouho pryč. Nebude to takhle vždycky, slibuju."

John ji pohladil po vlasech. „Voníš čerstvým vzduchem," řekl jí. „Voníš Irskem."

Zvedla k němu hlavu. „Pořád se chceš vrátit do Ameriky?"

Pokrčil rameny. „Uvidíme, jak tady ta práce půjde. Nebyl to úplně ideální den, ale určitě se v tom naučím chodit. Víš, jaké to je, být nováček. Všechny štveš, obzvlášť když jim řekneš, že se zasekli v době kamenné."

„To jsi jim neřekl, že ne?"

„Takhle ne. Ale naznačil jsem to. Protože to tak je."

„Ale Johne," povzdychla si a políbila ho na prsa. Neřekla: *Prosím, ať to funguje, kvůli mně.* Věděla, že to musí fungovat kvůli němu a jen kvůli němu.

35

Téměř celý další den zabralo papírování. Před obědem Katie dokončila zprávu o násilném vniknutí do domu na Lower Glanmire Road a hned ji odnesla zastupujícímu vrchnímu inspektoru Molloyovi.

Prolistoval ji, odfrkl si a řekl: „Také bych ocenil aktualizované zprávy o všech ostatních případech."

„O všech? Vážně? To bude pár dní trvat."

„Jde o to, Katie, že musíme naše pracovní síly a finance využívat co možná nejefektivněji. Už jsem se začal probírat složkami Dermota O'Driscolla a bohužel musím říct, že mě to neohromilo. Velké plýtvání a malá výkonnost. Potřebuju posoudit, které vaše současné případy má smysl dál vést a které bychom měli odložit. Tady jsem jich pár označil."

„Například?"

„Vezměte si třeba ten případ domova důchodců Mayfield Lodge. Nemá cenu jít po pečovatelském ústavu, kde špatně zacházeli se starými lidmi, když jsou tihle lidé už po smrti a nemůžou proti nim svědčit. Majitelé slíbili nápravu, takže není potřeba je nějak postihovat. Nebo tahle domnělá korupce u stavební firmy Finbar Construction. Je to plýtvání zdroji, pronásledovat úředníka z územního plánování, že přijal úplatek od developera, když ta výstavba dopadla ke spokojenosti všech. Společnost má vlastní způsob, jak léčit některé své nemoci, Katie. Lidé jsou připraveni se polepšit, když jim ukážete, co udělali špatně. Není třeba být příliš puntičkářští."

„Kdyby společnost uměla léčit svoje nemoci, Bryane, znamenalo by to, že tady vůbec nejsme potřeba. Mohli bychom to tu zabalit a jít domů.“

Inspektor Molloy se na ni podíval svýma vykulenýma očima. „To má být vtipné?“ zeptal se. „Je otřepaná pravda, že ženy neumějí říct vtip.“

„To nemělo být vtipné, ne. Ale můžu vám říct vtip, jestli chcete.“

„Žádné další vtipy od vás nepotřebuju, Katie. Způsob, jakým pracujete na těch andělových vraždách, je sám o sobě vtip. Připouštím, že jste nás ušetřila ostudy v médiích, když jste nezastřelila podezřelou vyhrožující sebevraždou. Ale měla jste ji zastřelit ve chvíli, když jste zjistila, že je ozbrojená. Řekla jste ‚Odhoďte zbraň‘, že ano? Ona to neudělala, tak jste ji měla okamžitě sejmout, bum, konec příběhu. Nikdo by si pak nestěžoval.“

Zvedl ze stolu složku, kterou mu přinesla, a znovu ji upustil.

„Podle toho, co mi řekl strážmistr Mulligan, jste to včera pěkně pohnojila. Než začnete lidem vyrážet dveře a hledat podezřelé, bylo by dobré zkontrolovat, že je podezřelý doma.“

Katie se mu dívala na čelo, aby se nemusela střetnout s jeho pohledem. „Bylo velmi pravděpodobné, že tam bude, a neměli jsme jak to potvrdit s jistotou. Navíc je ozbrojená a nebezpečná a u takových podezřelých přece nezazvoníte u dveří, abyste se zdvořile zeptal, jestli jsou doma.“

„Dobře, nechme to pro teď být,“ řekl Molloy. „Do čtvrtka mi dodejte ty aktualizované zprávy.“

„Budu se snažit, pane, pokud se neobjeví něco důležitého.“

Katie si hned všimla, jak ho popudilo, když mu řekla ‚pane‘, i když to nakonec přešel. Byla ale pevně přesvědčená o tom, že na to nezapomene. Dobře se o něm vědělo, že si všechny nevraživosti pamatuje, někdy celé roky. A ona ho popuzovala už jen tím, že je žena.

Detektiv Dooley dorazil na stanici odpoledne s levým kotníkem v sádře a o berlích. Od Katie dostal vyčiněno za to, že ji okamžitě neinformoval o tom, co se stalo. Potom mu zadala přípravu zpráv o všech současných případech.

„V tomhle stavu nemůžete běhat za bankovními lupiči," řekla mu a postavila před něj na stůl štos papírů. „Takže nám můžete pomoct aspoň takhle."

Detektiv Dooley se podíval na stoh složek a ramena mu poklesla.

Před pátou odpoledne jí přišla zpráva od Johna: „Přijdeš dnes pozdě?"

„Asi ne," odpověděla.

„Ok," napsal zpátky. „Musíme si promluvit."

Věděla, co se jí chystá říct. Očekávala to už od chvíle, kdy se prořekla, že se jí podařilo sjednat mu schůzku v ErinChemu, protože jí Aidan Tierney dlužil osobní laskavost. I kdyby byla práce už od začátku perfektní a Alan McLennon byl z Johnova návrhu nadšený, Katie věděla, že John je pyšný a nezávislý. Jen těžko přijme fakt, že pozici nezískal pouze na základě svých schopností. Odešel z rodinného statku do Ameriky a začal tam svůj online farmaceutický byznys, protože byl příliš pyšný a nezávislý na to, aby pracoval pro svého otce. Co od něj tedy mohla čekat?

Když jela z práce domů, cítila hluboko uvnitř něco velice blízkého smutku.

Bylo ještě teplo a slunečno, takže si vzali pití a posadili se na zahrádku za domem. Barney si sedl Katie k nohám a s jazykem vyplazeným funěl.

John se na ni podíval. „Vím, že jsem ErinChemu nedal moc velkou šanci. Ta pozice je pro mě perfektní a všechny výrobky ErinChemu jsou výborné. Já ale vím, že to nepůjde."

„Říkal jsi, že jsou pozadu s obchodní strategií," začala Katie. „Ale určitě se ti podaří jejich přístup trochu modernizovat, ne? Když tomu dáš čas. Nemohl bys tomu dát měsíc nebo dva? A pak, když se ti to pořád nebude zdát, dáme hlavy dohromady a vymyslíme, co jiného bys mohl dělat. V Corku znovu začne podnikat Tyco, možná bys mohl dělat pro ně. Nebo můžeš rozjet svůj vlastní podnik jako v San Francisku."

John se k ní naklonil, až jeho proutěná židle zavrzala, a chytil ji za ruku. Pořád měla prsten se smaragdem, který jí dal na oslavu svého rozhodnutí zůstat v Irsku. „Katie, miláčku, miluju tě a vím, že nemůžeš odejít z práce. Ale problém není v Erin-Chemu. Je ve mně."

„Připadáš si znevážený tím, že jsem chtěla, aby pro tebe udělali laskavost."

„Ne, to není ono," řekl zasmušile. „Je to mnohem hlubší."

„Jsme to my? Něco je špatně s naším vztahem? Nejsem vůbec doma, to je ono, že? Víš, že nemám pevnou pracovní dobu."

„Ne, tím to taky není, ačkoli bych tě samozřejmě rád viděl daleko víc. Není to tebou, lásko. Je to Irskem."

„Tomu nerozumím. Co tím chceš říct? Jsi Ir. Narodil ses tady. Je to tvůj domov."

John zavrtěl hlavou. „Jakmile z Irska odjedeš a zařídíš si život někde jinde, vždycky s láskou myslíš na to, že se můžeš vrátit. Vzpomínáš na svoje kamarády, večírky a hospody. Skoro cítíš ten vlhký pach rašeliny, i když jsi tisíce mil daleko.

Já jsem ale zjistil, že se nemůžeš vrátit, Katie. Jakmile odejdeš, odešla jsi, a nehledě na to, jakou nostalgii pociťuješ, už to nikdy nebude stejné. Připadám si, jako bych se vrátil k domu, kde jsem vyrůstal, ale mám nos nalepený na okně a vidím svoji rodinu a staré kamarády, jak se uvnitř smějí a baví se, ale já už se k nim nikdy nemůžu přidat."

Katie zamrkala, aby John neviděl, že má blízko k slzám. „Takže co tím chceš říct?" zeptala se. „Chceš se vrátit do Ameriky?"

„Myslím, že to není otázka toho, co chci. Já musím. Tam je moje budoucnost. Nemůžu zůstat tady, ve svojí minulosti."

Katie dlouho nic neříkala, s hlavou skloněnou zírala na oranžovou dlažbu, v jejíchž spárách rašil starček, a poslouchala včely poletující okolo tibetského šeříku a Barneyho funění. Vysoko nad ní se mraky prokousávalo letadlo. Možná se jí podaří zastavit čas, když nic neřekne a bude se soustředit na svět okolo. Ale už od začátku věděla, že k tomuhle dojde. Nikdy tomu nechtěla čelit, ale nyní ten den nastal.

Nakonec, s rukou v té jeho, řekla tiše: „Tohle se mi pořád motalo v hlavě. Pořád dokola a dokola." Nepodívala se na něj. Nechtěla ty achátově hnědé oči vidět.

„A?"

„A ty víš, jaká je odpověď, Johne. Já nemůžu odejít, stejně jako ty nemůžeš zůstat."

„Co kdybych tě prosil?"

„Nepros. Nepros mě o nic. Na to jsi moc hrdý."

„Co kdybych tě požádal o ruku?"

Nemohla odpovědět. Semkla rty a slzy jí vyrazily dolů po tvářích. Vstal a snažil se ji obejmout, ale ona kolem sebe zamávala rukama, aby ho odehnala. „Nedělej to," řekla. „Prostě to nedělej."

„Katie, to poslední, co bych chtěl, je tě zranit."

„Tomu se nemůžeš vyhnout," zašeptala Katie. „Není to tvoje chyba. To je život. Tohle nám dělá život."

Vstala a odešla do kuchyně. Utrhla kus papírové utěrky, otřela si oči a vysmrkala se. John šel za ní a položil jí ruku na rameno. Nesetřásla ji, ale ani se k němu neotočila.

„Podívej," řekl konejšivě. „Zůstanu v ErinChemu ještě o něco déle. Máš pravdu. Nedal jsem tomu šanci. Možná mě trochu žralo, žes mi to zařídila."

„Ne," řekla. „Víš, co musíš udělat. Neměla jsem tě přesvědčovat, abys zůstal v Irsku. Bylo to ode mě sobecké."

John ji objal a přitáhl k sobě. Políbil ji do vlasů a řekl: „Miluju tě, Katie. Zbožňuju tě. Nikdy nenajdu nikoho, jako jsi ty."

„Ale ano, najdeš. Vezmeš si ji a budete mít padesát dětí a budete žít šťastně až do smrti."

V tu chvíli začal John plakat také. „Do hajzlu, Katie. Co mám dělat?"

Katie utrhla další kousek papírové utěrky a otřela mu oči. „Pojedeš pryč, Johne. Vždyť to víš. Jak jsi řekl — ty přece musíš."

Usmála se na něj a lehce se dotkla jeho tváře. „Bude to bolet, chlapče," řekla s jižním přízvukem. „Ale jenom chvíli."

„Jo," řekl a snažil se zklidnit dýchání.

„Poslyš," řekla mu. „Myslím, že na chvíli zajedu za tátou. Nebude to na dlouho, jen na pár hodin. Poslední přívoz stejně jede v deset."

„Dobře," přikývl John. „Možná je to dobrý nápad. Uvidíme se, až přijedeš."

Políbila ho a potom ještě jednou. „Nejde o to, že bych s tebou nechtěla být," řekla tiše, obličej tak blízko jeho, že na něj ani nemohla zaostřit. „Ale když tu zůstanu, budu muset být statečná."

36

Odjela trajektem z Carrigaloe Pier přes řeku do Glenbrooku. Trvalo to jen několik minut a ušetřilo jí to půlhodinovou klikatou cestu po silnicích N25 a N29. Stála u zábradlí s obličejem obráceným k zapadajícímu slunci, oči zavřené. Modlila se. *Drahý bože, proč mi tohle děláš?*

Zavolala otci, aby mu dala předem vědět, že přijede. Když zabočila na jeho příjezdovou cestu a zaparkovala za jeho starým hnědým volvem, otevřel dveře a zamával na ni. Vyšla po několika schůdcích ke dveřím a objala ho. Od chvíle, kdy oznámil, že se s Ailish chtějí vzít, vypadal o mnoho lépe. Oči měl jasnější a působil vzpřímeněji. Jako by bolest, kterou cítil po smrti Katiiny matky, konečně odeznívala.

Ailish vyšla z kuchyně a také ji objala. Měla na sobě červeno-žluté letní šaty a náhrdelník z červených korálků.

„Čemu vděčíme za to potěšení?" zeptal se otec. „Viděli jsme se v neděli! Tohle je pocta!"

„Už jsi jedla, Katie?" zeptala se Ailish.

„Ne, ještě ne. Mám dneska den blbec — teda jako by každý den nebyl den blbec."

„Měla jsem přivézt to dušené jehněčí, co jsem dělala dnes ráno," řekla Ailish. „Chtěla jsem ho zamrazit na víkend a nechala jsem ho doma vystydnout. Ale bydlím jenom dvě minuty odsud a ohřeju to za chvilku."

„To je skvělý nápad," řekl Katiin otec. „Co kdybys pro to skočila domů? Porcí dušeného jehněčího bych rozhodně nepohrdl. Co ty, Katie?"

„Abych řekla pravdu, tati, nemám hlad."

„Jen počkej, až ucítíš tu vůni! Ailish, tady jsou klíčky od auta."

Katie se k ní otočila. „Opravdu, Ailish, nemusíš se s tím obtěžovat. Dneska jsem stejně neměla v plánu jíst."

„Ale no tak! Nikdo neodejde z mého domu hladový. Ailish se o to postará, že ano, miláčku? Měla bys ochutnat její zapečené brambory s klobáskou!"

„Dobře," pousmála se Katie. „Ale co kdybys jela mým autem? Aspoň s ním nebudu muset couvat."

Otevřela tašku a podala Ailish klíče. Ailish se na ni podívala. „Jsi si jistá?"

„Samozřejmě. Patří policii a je pojištěné, ať ho řídí kdokoli."

„Tak dobře, děkuju," řekla Ailish. „Za chvíli jsem zpátky."

Když odjela, sedla si Katie s otcem do obývacího pokoje. „Něco k pití?" nabídl Katiin otec.

„Neodmítnu sklenku červeného vína, jestli nějaké je."

Zastavil se a zamračil se na ni. „Co se stalo?" zeptal se.

„Co tím myslíš, co se stalo? Nic se nestalo."

„Normálně sem za mnou jen tak z minuty na minutu nejezdíš."

„Copak nemůžu navštívit svého otce, aniž by se něco dělo?"

Přišel k ní a položil jí ruku na rameno. „Něco tě rozrušilo," řekl.

„Proč si to myslíš?"

„Protože jsem býval detektiv, proto. A umím číst řeč těla. Jsi napjatá, nervózní a za každou cenu mi chceš něco říct, ale zároveň to nechceš, protože když začneš mluvit, budeš brečet."

„Nebudu brečet, tati," řekla odevzdaně. „Pláčem nic nespravím."

„Je to něco s Johnem, viď?" zeptal se.

„Ano."

Přikývl a řekl: „Myslel jsem si to. Poznal jsem to, když jste tu v neděli byli. Pořád říkal, jak je šťastný, ale cítil jsem, že je ve stresu. Zmínil jsem se o tom Ailish."

„Chce se vrátit do Ameriky. Říká, že se tady nikdy neusadí. Chce, abych jela s ním. Dokonce se mě zeptal, jestli si ho vezmu."

„Tak proč to neuděláš?"

Katie se posadila. „No tak, tati, tohle jsme už řešili. Existuje něco, čemu se říká smysl pro povinnost, a já jsem se s tím naneštěstí narodila. Zřejmě jsem to zdědila po tobě."

Otec se na ni smutně podíval. „Existuje taky něco, čemu se říká radost, ale ne všichni si jí mohou užít. Měl jsem velké štěstí s tvojí matkou a podruhé jsem měl velké štěstí, když jsem potkal Ailish. Měla bys to štěstí taky popadnout, dokud to jde."

„Co ta sklenka vína?"

Katie si s otcem povídala asi půl hodiny, když pohlédla na hodiny na krbové římse. „Ailish to nějak trvá."

„Bydlí teď u ní její dcera. Asi si povídají."

„Kolik je dceři?"

„Jedenatřicet. Je to velká holka. Což není překvapivé, když má za matku Ailish. Ta ženská před člověka pořád staví jídlo."

„No tak to si dávej pozor. Nechci, aby byl můj táta tlouštík."

Uteklo dalších deset minut, ale Ailish stále nikde. Katiin otec poznamenal: „Doufám, že někde nepíchla. Ten kopec, na kterém bydlí, je samý výmol."

„Zavolej jí," navrhla Katie.

Starý pán zvedl mobil a vytočil číslo, ale zvonění Ailishina telefonu se ozvalo z kuchyně. Zkoušel jí zavolat i domů, jednou, dvakrát, ale nikdo hovor nepřijímal.

„Kam se k čertu poděla? Je to minutu tam a minutu zpátky," poznamenal otec. „Měl bych se za ní jet podívat."

„Co kdybych jela já?" navrhla Katie. „Začíná se stmívat a dobře víš, že už nevidíš jako dřív."

Katiin otec vzal klíčky od auta ze stolu a podal jí je. „Zavolej mi, až zjistíš, jestli píchla nebo co ji zdrželo."

„Samozřejmě, tati."

Nastoupila do otcova volva, zamávala mu a vycouvala z příjezdové cesty. Slunce zašlo za domy a nebe mělo barvu zralých švestek. Katie nemohla z hlavy vyhnat Johnova slova: *To není tebou, miláčku. Je to Irskem.*

Ailish bydlela jen kilometr daleko, na vrcholku kopce nad řekou. Katie zabočila do její ulice a v tu chvíli zahlédla blikající modrá a červená světla. Hlídkové a sanitní vozy. *Bože můj*, pomyslela si. *Co se tady stalo?* Podřadila a rozjela se do kopce rychleji, až dojela k prvnímu hlídkovému vozu. Zaparkovala u obrubníku a otevřela dveře.

Přišel k ní policista se zvednutou rukou. „Tady není nic k vidění, paní."

„Komisařka Maguirová, Anglesea Street," řekla mu a ukázala odznak.

„Aha, v pořádku. Nějaké auto tu sjelo ze silnice do něčí zahrady."

Následovala ho na místo nehody. Přes zatravněnou krajnici se táhly stopy po pneumatikách, podle nichž bylo jasně vidět, kde auto sjelo ze silnice. Probouralo se nízkou cihlovou zídkou, vjelo do příkré zahrady a narazilo do domu. Rána byla dost silná na to, aby poškodila zeď a vysklila jedno z oken.

Katie okamžitě viděla, že to je její auto. Dveře u řidiče byly otevřené a vedle nich klečel zdravotník. Druhý stál vedle něj. Kolem stáli tři policisté a mluvili s majiteli domku — asi padesátiletými manželi — a vysokým smutným mužem, který byl pravděpodobně jejich soused.

Katie překročila záhon a došla k autu. Přikročila ke dveřím řidiče a zahlédla Ailish stále sedící za volantem. Airbag byl nafouknutý a Ailish se sesunula dopředu s obličejem na stranu, takže na Katie zírala otevřenýma očima. Byla mrtvolně bledá až na červené místo na čele, kam ji udeřil airbag.

„Komisařka Maguirová," řekla Katie, když k ní zdravotník vzhlédl. „Já tu ženu znám. Vlastně tohle je moje auto, právě si ho půjčila."

„Mrzí mě to," řekl zdravotník a postavil se. Byl to malý zavalitý muž, který trochu šilhal, takže si Katie nebyla jistá, jestli se dívá na ni, nebo ne. „Nemůžu s jistotou určit příčinu smrti, ale řekl bych, že to byla srdeční zástava. Když jsme dorazili, byla už mrtvá."

„Nevynesete ji odtamtud?"

„Nohy má chycené pod pedály. Čekáme na hasiče."

Katie stála a dívala se na Ailish, která na ni zírala světle modrýma očima, bez zamrkání. Ailish se svými spletenými vlasy a letními šaty, náhrdelníkem z červených korálků. Ruka jí ležela v klíně a hodinky stále tikaly. Katie si nedokázala připustit, co se právě stalo. Ani si nechtěla představovat, jak to vezme její otec a jak mu to řekne. *Existuje taky něco, čemu se říká radost, ale ne všichni si jí můžeme užít.*

Po několika vteřinách se otočila a překročila záhon zpátky. Dva z policistů se krčili u auta a baterkami svítili na zadní nárazník. Byl prasklý a odřený a na karoserii byly hluboké prohlubně.

„Všechna ta poškození jsou nová," řekla jim Katie. „Na tom autě nebylo ani škrábnutí, když si ho brala."

„Kdy to bylo?"

„Před čtyřiceti minutami. Stará se o mého otce, který žije ve West View House. Půjčila si auto, aby zajela domů a přivezla nám jídlo k večeři."

„A předtím bylo úplně nepoškozené?"

Katie se podívala na rozbitý nárazník. „Řekla bych, že do ní narazilo jiné auto, a to velmi tvrdě."

„A co? Myslíte, že to mohlo být záměrné? Třeba dostala infarkt, nečekaně zastavila a řidič za ní do ní narazil, ale nechtěl tady zůstávat, když se řítila dolů do té zahrady. Možná jel moc rychle. Jako obvykle."

„Ne, do tohohle auta někdo narazil víc než jednou. Něco takového neuděláte, i kdybyste byli nalití."

„Nějaký vztekloun?"

„Je to možné, ale nepravděpodobné. Proč by někdo vypěnil na prázdné silnici v Monkstownu?"

„Ale proč by to mělo být záměrné? To nedává smysl."

Katie se rozhlédla. „Jsou tu nějací svědkové? Viděl někdo, jak se to stalo?"

„Ne. Byli buď na zahradě, nebo doma u jídla, nebo u televize."

„Dobře. Nechci, abyste s tím autem hýbali, dokud se na něj nepodívají technici. Zavolám je sama. Ohraničte to tu a ujistěte se, že se nikdo ničeho nedotkne."

Dorazilo hasičské auto. Jeho naftový motor řval a světla blikala. Katie vyšla po schodech na zahradě k autu svého otce. Posadila se na sedadle řidiče a zavolala na technické oddělení. Potom zůstala sedět a přemýšlela, co řekne otci.

Bude těžké mu říct, že je Ailish mrtvá, jen dva dny poté, co oslavili jejich zasnoubení. Ale otec byl také policista, a až se dostane z největšího šoku, bude jí klást tytéž otázky, které si teď kladla sama.

Kdo by chtěl do Ailish narazit? Byla to čtyřiašedesátiletá vdova, kuchařka, pomocnice v domácnosti. Kdo by chtěl takové ženě ublížit?

Jediný představitelný důvod byl ten, že řídila Katiino auto.

37

Michael Gerrety seděl ve své sklepní kanceláři v Amber's, když k němu po točitém schodišti sešla Trisha. „Michaeli, nahoře je někdo, kdo s tebou chce mluvit. Nějaká holka."

„Řekla, co chce?" zeptal se, aniž by vzhlédl od práce. Dával zrovna do pořádku účty. V letních měsících vždy přišel pokles tržeb, ale letos se čísla držela stabilní po celý rok. Nejspíš to bylo proto, že si letos méně lidí může dovolit dovolenou v cizině, takže jsou nuceni užívat si letní radovánky doma. Jeho podnik na Washington Street se nemohl srovnávat s nevěstinci na Gran Canaria nebo Magalufu, ale aspoň člověk nemusel sednout na letadlo, aby se tam dostal. A když se chtěl po sexu opít, do koktejlového baru Long Island v čísle jedenáct to bylo jen kousek.

Trisha pokrčila rameny. „Prý shání práci."

„Je to běloška?"

„Jo, proč?"

„Jen tak. Jak vypadá?"

„Vůbec ne špatně, řekla bych."

Michael se otočil na svého bodyguarda a zhodnotil: „To zní neškodně. Kouknem' na ni, ano?"

Charlie seděl v rohu u velkého šedého sejfu a četl si *The Sun*. Černé vlasy měl pečlivě zastřižené a byl oblečený do čerstvě vyžehlené košile s krátkým rukávem a černých kalhot. Byl by hezký, ale měl nepřirozeně béžový obličej a působil podivně mrtvolně, jako figurína v obchodu s pánským oblečením.

„Podle Molloye si máte dávat pozor na černošku," řekl. Měl silný limerickský přízvuk, ale mluvil jakoby bez intonace. Když Gerretymu vyhrožoval jeden z jeho věřitelů, Charlie tehdy řekl: „Pojď sem, kluku, ať tě odsud můžu vykopat." Oznámil to ale tak bezvýrazně, že bylo těžké odhadnout, jestli to myslí vážně.

Na točitém schodišti se ozvalo klapání sandálů na klínku a potom se objevila dívka. Byla mladá, Michael jí odhadoval tak sedmnáct nebo osmnáct, protože ještě úplně nevyrostla z dětské buclatosti. Byla ale pěkná — obličej srdcovitého tvaru a kudrnaté blond vlasy. Měla na sobě velmi krátkou bílou minisukni a černou saténovou halenku bez rukávů. Michael se pohodlně rozvalil v křesle a s uspokojením si všiml, že dívka má velká prsa.

„No ahoj," řekl a hodil propisovačku na stůl. „Jak se jmenuješ?"

„Vy jste pan Gerrety?" zeptala se a nervózně přebíhala pohledem z Charlieho na Michaela a zpátky.

„To jsem já," řekl Michael. „Jeho si nevšímej, to je jen kus nábytku, že jo, Charlie?"

„To jsem já," hlesl Charlie, aniž by zvedl pohled od novin. „Židle Charlie."

„Jmenuju se Branna. Kamarádka povídala, že byste mi mohl pomoct sehnat práci."

„Tady, posaď se, nemusíš být nervózní," uklidňoval ji Michael. „A o jakou práci se ti jedná?"

Branna se posadila na samý okraj židle, s koleny u sebe a chodidly do vějíře. „Víte, eskort nebo tak něco."

„Dělala jsi někdy něco takového?"

„Ne, nikdy. Dělala jsem chvíli v obchoďáku Dunne's nahoře v Ballyvolane, ale pak mě obvinili, že jsem ukradla nějaký make-up. Neudělala jsem to, ale stejně mě vyhodili. Taky jsem dělala servírku v baru, ale bylo to za málo peněz. Moje kamarádka říkala, že dobře platíte."

Michael se usmál. „Vyděláš si dost peněz, když budeš pracovat přese mě, ale musíš si je zasloužit. Musíš se setkávat s mnoha různými muži a být na ně milá, což není vždycky snadné."

„Myslím, že by mi to šlo. Vždycky jsem uměla dobře poslouchat. Navíc vás berou ven a tak, tihle muži, nebo ne? Kupují večeře a pití a tak. A nebude mi vadit, když někteří z nich budou nudní."

„Někdy chtějí za to, že tě vezmou ven, něco na oplátku."

„Myslíte sex?" zeptala se Branna. „Nejsem úplně nevinná, pane Gerrety. Když s mužem strávíte pěkný večer, není na tom nic špatného. Zaslouží si nějaké pomazlení nebo tak."

S těmi slovy trochu roztáhla kolena. Michael se ale dolů nepodíval, oči měl přilepené k těm jejím.

„A co když nic jiného nechce? Co když tě nechce brát ven, ale jde mu jenom o sex?"

Branna sklopila pohled a se zadostiučiněním se trochu pousmála, což Michael neuměl rozluštit. Rád věřil tomu, že v ženách umí číst lépe než v knihách — tedy ne že by byl zrovna vášnivý čtenář. Brannin výraz byl ale jako hieroglyf. Něco znamenal. Možná dokonce něco důležitého, ale on nerozuměl tomu, co.

„Už bylo jedenáct, pane Gerrety," ozval se Charlie.

Michael se podíval na hodinky. „Sakra, nedošlo mi, že už je tak pozdě. Před deseti minutami mi na Maryborough začalo důležité jednání. Poslouchej, Branno, co kdybys za mnou přišla domů, abychom mohli všechno probrat do detailů? Řeknu ti, jak využít mých webových stránek, kde bude inzerát na tvoje služby, co tě to bude stát a co si pravděpodobně vyděláš po odečtení všech výdajů. Nebudu se tě snažit okrást. Jsem nejpřímější chlap v celém byznysu. Zeptej se kohokoliv."

„Výdaje?" zeptala se Branna. „Jaké výdaje?"

„Tak například — máš nějaký byt, kam je vhodné přivést muže? Když tě chlapík vezme na večeři do Hayfield Manor, bude očekávat něco trochu stylovějšího než obývák s jednolůžkovou postelí, hromadou plyšáků a plakátem Patricka Cronina na zdi."

„Teď zrovna bydlím s kamarádkou. Nemám peníze. To je ta kamarádka, která navrhla, že za vámi mám zajít. Asi se už nemůže dočkat, až vypadnu."

„Tak vidíš, budeš potřebovat nějaký slušný pokoj a ten ti můžu poskytnout. Nemůžu ti ho ale nechat zadarmo. Tímhle myslím ty výdaje."

Vstal, vyndal ze zadní kapsy kalhot peněženku a podal jí svou vizitku. „Tady bydlím, Elysian Tower. Dnes se sejít nemůžeme, jdu na jednu charitativní recepci, ale necháme to na zítřejší večer, řekněme kolem sedmé. Venku stojí policie, ale řeknu jim, že tě očekávám. Ukaž jim moji vizitku a oni tě pustí dál."

Branna také vstala. „Jsem z toho celá natěšená," řekla.

„No, jsi moc krásná mladá dáma, jestli to tak můžu říct. Myslím, že budeš mít úspěch. Kolik je ti mimochodem let? Nezlob se, že se ptám, ale jsou holky, které vypadají daleko starší, než ve skutečnosti jsou."

„Jo, jako moje přítelkyně," zahuhlal Charlie.

„Je mi devatenáct," odvětila Branna.

Michael ji otcovsky poplácal po zádech a odvedl ji ke schodišti. Když vycházela nahoru, zůstal stát dole a díval se jí pod sukni. Charlie se k němu přidal a zeptal se: „Jo, nebo ne?"

„Tanga," řekl Michael.

„No dobře. Tak napůl."

„Pojďme," řekl Michael. „Přijdeme tam pozdě a víš dobře, jak nesnáším nedochvilnost. Dává to lidem šanci tě pomluvit, ještě než dorazíš. Pak je to samý sardonický úsměv, a ty nevíš proč."

„Jestli někoho chytnu, jak se tak usmívá, šéfe, tak ho kopnu do kebule, nebojte se." Zaváhal a pak se zeptal: „Co je to sardonický? To znamená koukat jako ryba, že jo?"

38

„Našli jsme to auto," oznámila strážmistryně ó Nuallánová vážným tónem.

Katie stála ve své kanceláři u okna a zírala na Elysian Tower, na šedý beton budovy a lesklé zelené sklo. Připadala si najednou jako rytíř z pohádky — rytíř, který vidí v dáli hrad zlého krále, ale kouzlo mu zabraňuje do něj vstoupit, takže je vůči vládě zla bezmocný.

Pršelo, ale jen drobně, ačkoli šedé vrány na střeše parkoviště tu a tam popuzeně protřepaly křídla.

„Kde?" zeptala se.

„Na parkovišti nákupního centra v Ballyvolane, vypálené. Předek vozu ale tolik zničený nebyl a poškození nárazníků odpovídá poškození zadního nárazníku vašeho auta. Odpovídají i stopy modré metalické barvy, kterou už jsme poslali k analýze."

„A co to bylo za typ?"

„Nissan X-Trail 4×4. Ukradli ho od Nolanovy stavební firmy v Dennehy's Cross před dvěma dny."

Katie se vrátila ke stolu. „Tu krádež asi nikdo neviděl, co?"

„Zjevně se to stalo v noci. Drátěný plot kolem budovy byl rozstříhaný."

„Zajímalo by mě, jestli to byla Obioma," řekla Katie. „Vypadá to jako práce teroristy. Dostaňte vůdce lidí, kteří po vás jdou, a uvrhnete je do strachu a nejistoty. Zatímco budou mávat rukama a zmateně pobíhat kolem, můžete vyrazit a rychle dokončit svou misi — v tomto případě zabít Michaela Gerretyho."

„Opravdu si myslíte, že by se na vás až tak zaměřila?"

„Ano, myslím. Je sice krásná a vděčíme jí za to, že zbavila Cork čtyř lidí, bez nichž je nám tu bezesporu líp, ale je naprosto nemilosrdná. A co víc, ani trochu se nebojí. Opravdu věřím tomu, že kdybych ji v tom bytě ve Washington Street střelila, vypálila by si mozek z hlavy, jen aby se ujistila, že budu trpět."

Strážmistryně k ní přistoupila blíž. „Jak je vašemu otci?" zeptala se.

Katie se na ni zatrpkle podívala. „Jak myslíte? Je zničený. V noci jsem zůstala u něj a jediné, co se v tom domě ozývalo, byl jeho nářek. Nikdy jsem takhle žádného muže plakat neslyšela. Bylo to, jako když pes vyje na měsíc."

„A jak je vám?"

„Mně? Jsem z toho rozhozená, samozřejmě. Neznala jsem Ailish moc dobře, ale skvěle se o mého otce starala a takhle šťastného jsem ho neviděla od doby, kdy byla naživu matka."

„Nemluvila jsem o Ailish," řekla strážmistryně. „Myslela jsem vás a Johna. Jak se s tím srovnáváte?"

Katie se na ni zamračila. „Já a John? Do toho vám nic není, Kyno."

„Omlouvám se, komisařko. Nechtěla jsem do toho strkat nos, vzhledem k vaší šarži a tak vůbec. Já jen že mi John ráno volal a říkal, abych na vás dohlédla a ujistila se, že jste v pořádku."

„To snad ne," rozhorlila se Katie. „Tak to se divím, že nezavolal taky do Echa. Pak už by o nás věděli všichni."

„Moc mě to mrzí. Prý jste se o mně někdy dřív zmínila a říkala jste, že jsem důvěryhodná. To beru jako kompliment, ne jako pozvánku rýpat se ve vašem osobním životě."

„Tak povídejte," řekla Katie. Jen stěží držela hlas, aby se netřásl. „Co vám řekl?"

„Jestli chcete, já klidně radši zmizím…" začala strážmistryně ó Nuallánová.

„Ne, řekněte mi, o čem mluvil. Prosím. Chtěla bych to vědět."

„Dobře. Řekl, že se rozcházíte. Prý nemůže zůstat v Corku, protože už se tady necítí doma, ale kvůli vaší práci po vás nemůže chtít, abyste šla do Ameriky."

Katie se zhluboka nadechla a řekla: „No, ano. Tak to je. Víc vám nesvěřil?"

„Požádal mě, abych na vás dala pozor. Teda jen na vás tu a tam dohlédnout, víte."

„Děkuji, Kyno. Předpokládám, že to přežiju. Stejně nemám moc na výběr, že ne?"

Strážmistryni ó Nuallánové se v očích zaleskly slzy.

„Také říkal, že vás miluje víc než svůj život, a ať se stane cokoli, nikdy na vás nezapomene."

To bylo na Katie příliš. Přímo před strážmistryní ó Nuallánovou začala vzlykat, ruce sevřené v pěst vzteky, že se jí nepodařilo se ovládnout. Nakonec tam stála s očima pevně zavřenýma a slzy jí stékaly po tvářích. Na prsou ji bolelo tolik, že se sotva mohla nadechnout.

Strážmistryně ó Nuallánová ji objala a přivinula blízko k sobě. Katie věděla, že to není správné, ale tak zoufale potřebovala někoho, kdo by ji objal. Strážmistryně ji utěšovala, hladila po vlasech a velice jemně s ní pohupovala. Katie cítila květinový deodorant a vnímala, jak se jejich ňadra dotýkají. Takhle klidná se necítila už dlouho. Věděla, že to není správné, ale o to více ji to uklidňovalo.

Zvedla hlavu a otevřela oči. Strážmistryně se na ni něžně usmívala.

„Katie," řekla sotva slyšitelně a pak ji políbila na rty.

Polibek byl zprvu váhavý, ale potom jí žena zajela prsty do vlasů, políbila ji rozhodněji a vstrčila jí jazyk do úst. Líbaly se asi půl minuty, stále vášnivěji, a držely se v pevném objetí. Nakonec se od sebe odtáhly, ale prsty jim zůstaly propletené, jako by ani jedna nechtěla připustit, že je po všem.

„Tedy," řekla Katie. „Co na to říct? To bylo krásné."

Strážmistryně ó Nuallánová mlčela a Katie si pomyslela, že asi zná důvod. Kyna nechtěla říct, že se omlouvá, protože ji to ve skutečnosti nemrzelo, ale zároveň nechtěla připustit, co ke Katie cítí, protože si tím asi sama nebyla jistá. Katie navíc věděla, že Kyna miluje svou práci a nechce ji ohrozit.

„Co kdybyste zašla na technické oddělení zjistit, jak jsou na tom s tím Nissanem?" navrhla jí. „A řekněte detektivu Ryanovi, ať se podívá, jestli se to auto v posledních dnech neobjevilo na některé z bezpečnostních kamer. Jestli ho ukradli na Dennehy's Cross, je pravděpodobné, že jeli přes Victoria Cross nebo Magazine Road nebo to vzali kolem South Ring. Na těch místech jsou tři kamery."

Strážmistryně přikývla. „Ano, komisařko. Také řeknu Horganovi, ať kontaktuje patologa, jestli už dokončil zprávu o Mistru Dessiem."

Katie se na ni usmála. Na tvářích cítila usychající slzy a v ústech chuť Kynina lesku na rty. „Děkuji vám," řekla Katie. A potom ještě jednou zopakovala: „Děkuji vám." Obě věděly, za co to je.

39

Po čtvrté odpoledne jí zavolal detektiv Dooley, jestli by mu mohla pomoci rozluštit rukou psané poznámky v nějakém bloku. Stála nad jeho stolem a snažila se dešifrovat výpověď svědka, která vypadala, jako by ji někdo napsal ve tmě a v dešti. Vtom Katiin telefon zahrál: *A už ne, ne, nikdy — ne, nikdy, nikdy víc...*

Byl to zastupující vrchní inspektor Molloy. Zněl spíš jako štěkající bulteriér než jako člověk.

„Právě mi volal Michael Gerrety. Přišel mu nějaký balíček a Michael říká, že se cítí ohrožený. Byl znechucený a ptal se, co děláme pro jeho ochranu. Podá prý oficiální stížnost na to, jakým způsobem na těchto vraždách pracujeme. Případ představuje přímou hrozbu pro jeho organizaci i pro něj osobně, a ani on, ani nikdo, kdo pro něj pracuje, nebyl nikdy uznán vinným z žádného přečinu."

„Ne, to nebyl," odsekla Katie. „A asi ani nebude, když jste teď zastavil operaci Šutr."

„Takovéhle odmlouvání nemám zapotřebí, Katie, děkuji vám."

„Tak co je v tom balíčku, který tolik ohrožuje a znechucuje našeho svatého pana Gerretyho? Neříkejte mi, že je to obrázek Máří Magdaleny. Vím, jak moc jej urážejí prostitutky."

„Nesnažte se být vtipná. Jsou to ruce."

„Co jste říkal? Ruce?"

„Troufl bych si odhadnout, aniž jsem je viděl, že to budou ruce, které byly amputovány našim obětem."

„Svatá Marie, matko boží," hlesla Katie. „Řekl jste mu, ať na ně nesahá, viďte?"

„To nebylo potřeba. Myslím, že by se jich nedotkl ani dvoumetrovou tyčí."

„Tak dobře. Zajdu pro ně do Elysian Tower osobně. Možná byste mohl laskavě zavolat panu Gerretymu a říct mu, že tam jdu. Předpokládám, že máte jeho číslo po ruce."

„To je nějaký váš další vtip, že?"

„Ne, není. Nic z toho není vtipné, Bryane, a Michael Gerrety je ta nejméně vtipná věc, která se Corku přihodila od doby, kdy jsem dělala na dopravním."

Vzala s sebou detektiva O'Donovana. Původně chtěla přizvat strážmistryni ó Nuallánovou, protože měla o případu podrobnější informace než on. Ale po tom, co se mezi nimi stalo, považovala Katie za lepší, když si dají trochu prostoru. Kromě toho, Michael Gerrety ženami hluboce pohrdal — navzdory svému chvástání o respektování sexuálních pracovnic — a ona vedle sebe chtěla mít při rozhovoru s ním muže.

Elysian Tower byla jenom o blok dál, a tak vyrazili pěšky, pod deštníky, na něž bubnoval déšť. Dva uniformovaní policisté stojící před vchodem do budovy Katie uctivě zasalutovali.

„Asi před půl hodinou byl Michaelu Gerretymu doručen balíček," řekla Katie. „Kdo ho přinesl?"

„Poslíček z DHL," řekl jeden z policistů. „My to podepsali a převzali jsme to od něj."

„Nevypadalo to ani trochu podezřele?"

„Na krabici bylo napsáno jenom ‚Maso, podléhá zkáze' a jméno nějaké hovězí farmy v Kerry. Mysleli jsme, že to budou steaky, které jste objednala."

„Máte toho muže chránit," podotkla Katie.

„Jo, před nějakou černoškou. O krabici s hovězím nikdo nic neříkal."

Katie zavřela deštník, oklepala ho a policisté jí otevřeli skleněné dveře. Když mířili k výtahu do Gerretyho bytu, Katie poznamenala: „O krabici s hovězím nikdo nic neříkal. Bože. Občas si říkám, co je na tom Templemoru dneska učí. Nenapadlo je, že v té krabici mohla být kromě těch steaků taky bomba?"

Detektiv O'Donovan zavrtěl hlavou. „Nebuďte na ně moc tvrdá, komisařko. Jenom plnili rozkazy. Kdyby jim řekli, že mají dávat pozor na krabice s hovězím, hned by měli oči na stopkách," řekl a luskl prsty.

„No, osobně bych byla ráda, kdyby v tom bomba byla. Zabili bychom tak tři mouchy jednou ranou."

Vyjeli do patra, kde bydlel Michael Gerrety, a zazvonili. Zvonek zahrál několik úvodních taktů skladby „Kdybych tak byl Rothschild". Dveře otevřela vážně vyhlížející manželka Michaela Gerretyho Carole. Byla to malá boubelatá žena oblečená do zavinovacích šatů z lesklého fialového hedvábí, které jí vůbec neseděly. Byla velmi opálená a nalíčená jasně zelenými očními stíny a šarlatovou rtěnkou. Silně voněla parfémem Jovan Musk.

„Pojďte radši dovnitř," řekla, aniž by se pokusila skrýt nepřátelský tón. „Zrovna telefonuje."

Vešli do bytu a Katie zahlédla Michaela Gerretyho v místnosti, která vypadala jako jeho pracovna, jak se prochází sem a tam s telefonem u ucha.

„Tak to kurva ne," rozčiloval se a mával kolem sebe volnou rukou. „Ne, rozhodně ne. Co se mě týče, strčte to třeba svojí babičce do prdele."

Katie se rozhlédla kolem sebe. Podobné byty viděla v inzerátech na internetu a v časopisech, ale nikdy v žádném z nich nebyla. Vnější stěny byly prosklené od podlahy ke stropu, se širokým balkonem shlížejícím na celé město. Zahlédla řeku Lee a všechny její mosty od mostu Eamona de Valeryho až po Passover, vížky katedrály svatého Finbarra a kostela Svaté Trojice i zvonici kostela svaté Anny v Shandonu.

Za tím vším se zvedaly zelené kopce obklopující město až k letišti na jihu. Těžké šedé dešťové mraky se kolem nich táhly jako špinavé spodničky.

Všechen nábytek v bytě Michaela Gerretyho byl z kůže, chromu a skla a podlaha byla z leštěného dubu. Na zdi za jídelním stolem visela abstraktní malba fialové nahé ženy s rudými bradavkami.

Michael Gerrety konečně vyšel ze své pracovny. Měl na sobě pestrou košili s rozhalenkou a plátěné kalhoty a v ruce držel napůl vykouřený uhašený doutník. „Komisařka Maguirová! Samotná šéfová! Jsem rád, že to Bryan bere vážně."

Podal jí ruku, ale Katie si jí nevšímala. „Tohle je detektiv O'Donovan," představila kolegu. „Je jedním z vedoucích vyšetřovatelů v tomto případu."

„No, nebudu vám ani podávat ruku, protože šéfová to nepovažuje za společenskou návštěvu."

„Ukážete mi tu krabici?" zeptala se Katie.

„Ach, ta je vrcholně nechutná," vložila se do toho Carole Gerretyová. „Zvedl se mi žaludek, když jsem zahlédla, co v ní je."

„Tady, je v kuchyni," řekl Michael Gerrety a vedl je dál do bytu. Kuchyně byla světle žlutá, nablýskaná a vybavená spoustou nejmodernějších spotřebičů. V jejím středu stál ostrůvek s deskou z leštěného mramoru. Ležela na něm bílá kartonová krabice, jen trochu větší než krabice od bot. Hnědá lepicí páska, jíž odesílatel krabici zalepil, byla stržená a víko se odchlipovalo.

Katie a detektiv O'Donovan přistoupili k ostrůvku a prohlédli si krabici ze všech stran.

„Zjevně jste ji otevřel," poznamenala Katie. „Kromě toho — dotkl jste se něčeho uvnitř?"

„Děláte si ze mě srandu? Ani náhodou. Až uvidíte, co tam je, taky na to nebudete chtít sahat. Je to barbarství, to vám povím. Barbarství! A nejen to, je to zároveň výhrůžka! Jako by mi chtěli říct: Tohle se ti stane, jestli si na sebe nedáš pozor. Nebo i když si ho dáš."

Katie začichala a obrátila se na detektiva O'Donovana. „Necítíte kouř?"

„Já tady nemůžu zůstat, zvedá se mi z toho žaludek," ohlásila Carole Gerretyová. „Prostě si tu strašnou věc vezměte, ať se jí zbavíme."

Detektiv O'Donovan také začichal. Naklonil se ke krabici a řekl: „Máte pravdu, rozhodně je cítit kouřem."

„Já necítím nic," ozval se Michael Gerrety.

„Protože kouříte doutníky," řekla Katie. „Ale tohle není kouř z doutníků."

„Spíš něco jako barbecue, řekl bych," poznamenal detektiv.

Katie se podívala na nálepky na krabici. Kromě všech obvyklých polepů firmy DHL a čárových kódů tam byla také nálepka s obrázkem zelených pastvin a dvou pasoucích se krav. Pod obrázkem byl nápis „Phelanovo nejlepší hovězí", dále e-mail a adresa v hrabství Kerry.

Katie vytáhla z kapsy latexové rukavice a natáhla si je. Poté pomocí propisovačky nadzvedla víko krabice a otevřela ji. Její vnitřek odesílatel vystlal bublinkovou fólií, a když ji Katie odhrnula, uviděla osm lidských rukou. Byly úhledně svázány po párech k sobě tenkou černou saténovou stužkou, dlaň k dlani jako při modlení.

Byly tam dva bílé páry a dva černé, jeden velmi tmavý a druhý světlejší. Bílé ruce a tmavší pár těch černých vypadaly seschle, zatímco světlejší tmavý pár byl napuchlý a pokrytý skvrnami.

Na všech levých rukou byly prsteny, některé zlaté, jiné stříbrné, tři s polodrahokamy a granátem, onyxem a žlutým berylem. Na černé pravé ruce a nafouklé pravé ruce byly také prsteny. Prsten na černé pravé ruce byl pozlacený, protože zlato se z něj už sloupávalo, a prsten na nafouklé pravé ruce zdobila stříbrná lebka s červenýma očima.

Michael Gerrety přistoupil ke krabici blíž a ukázal na prsten s lebkou. „Ta je Desmonda O'Learyho. Aspoň ten prsten určitě. Jestli je jeho i ta ruka, to vám s jistotou říct nemůžu."

„Poznáte nějakou z těch dalších?"

„Jak bych mohl? Jsou to ruce, to je všechno. Kdyby vám usekli chodidlo, vsadím se, že by ho nepoznal ani váš manžel."

Katie mu neprozradila, že Paul už je dlouho po smrti, nechtěla mu tím udělat radost. „Na téhle je vytetovaný quincunx," řekla. „Jste si jistý, že jste tu ruku nikdy předtím neviděl?"

„Cože na ní je?"

„Quincunx. Čtyři tečky ve čtverci a pátá uprostřed. To tetování mívají obvykle vězni, protože symbolizuje člověka zavřeného mezi čtyřmi zdmi. A většinou ho mají Rumuni."

„Nebudu vám lhát, že žádné Rumuny neznám, ale tohle tetování jsem nikdy neviděl."

Katie složila zpátky bublinkovou fólii a krabici zavřela. „Vezmeme si to a dáme je na podrobnější analýzu. Nejsem si stoprocentně jistá, kdo je poslal nebo co se vám tím snažil naznačit. Zatím vám necháme před domem stráž a doporučujeme, abyste nebral osobní bezpečnost na lehkou váhu."

„Co tím chcete říct, že si nejste stoprocentně jistá? Je to ta Nigerijka, že jo? To tvrdil Bryan. Prý se vám dokonce přiznala a řekla, proč to dělá.“

„Znal jste její sestru?“ zeptala se Katie. Detektiv O'Donovan mezitím opatrně vkládal krabici do pytle na důkazy, ale když uslyšel Katiinu otázku, zarazil se a vzhlédl, aby mu neunikla Gerretyho reakce.

„Co je to za otázku? Jak bych mohl znát její sestru, když neznám ani ji?“

„Jde po vás kvůli své sestře. Tohle mi řekla. Její sestra se jmenovala Nwaha a utopila se, protože se styděla za to, co jste z ní vy a vaši poskoci udělali.“

Michael Gerrety chvíli předstíral, že přemýšlí, a potom řekl: „Ne, bohužel, komisařko. Obávám se, že v tomhle vám nepomůžu. Jaké že bylo její jméno?“

„Nemusíte se obtěžovat,“ řekla Katie jízlivě. „Pojďte, Patricku, dáme tenhle důkazní materiál doktoru O'Brienovi. Nebude mu dlouho trvat, než zjistí, komu ruce patřily. Má těla, která k nim budou pasovat.“

Michael Gerrety je doprovodil ke dveřím. Když je otevřel, nenuceně pronesl: „Podle Bryana jste vážně zvažovala, že těch devětatřicet obvinění proti mně stáhnete.“

„No nepovídejte, to že říkal?“

„Prý je to plýtvání veřejnými penězi a časem soudců. Vzhledem k tomu, že všechna vaše obvinění jsou jen důkazy z druhé ruky a pomluvy.“

„To vám řekl, ano?“

„No, povídali jsme si o tom v golfovém klubu. Shodli jsme se, že bude lepší být ohledně sexuálního průmyslu trochu realističtější.“

„Realističtější? Takhle tomu říkáte? Takže když nějakou ubohou Nigerijku odvezou od rodičů, prodají ji a donutí ji mít sex s nepočitatelně mnoha chlípnými starci, až nakonec zahanbená tím vším skočí do řeky Lee, to je ‚realističtější', ano?"

Michael Gerrety se na ni usmál a Katie věděla proč. Usmíval se, protože si byl jistý, že se nebude muset nikdy ukázat před soudem na základě žádného z obvinění, která proti němu byla vznesena. Usmíval se, protože ho nenáviděla, ale on ji porazil, ať už ty ruce patří k tělům v pitevně, nebo ne.

„Děkuji, že jste přišla, komisařko," řekl. „A také děkuji za varování. Budu se držet na pozoru před všemi pomstychtivými Nigerijkami. Nashle. A hodně štěstí."

Katie a detektiv O'Donovan šli zpátky na stanici opět pěšky. Přestalo pršet, ale z jihozápadu se nad město valily další dešťové mraky břidlicově černé barvy. Vypadalo to, že se každou chvíli zase spustí déšť. „Pošlete je doktoru O'Brienovi, jakmile to půjde?"

„Samozřejmě. Promluvíte si s Molloyem?"

„Ne, ne, nepromluvím," řekla Katie. „Jenom bych se rozčílila, to k ničemu není. Gerrety má pravdu. Nemáme dost důkazů, abychom si byli jisti, že ho odsoudí. A i kdyby ano, dostane maximálně pokutu, kterou si může dovolit, a Odbor pro výnosy z trestné činnosti mu zabaví nějaký majetek. Bez důkazů, které by nám přinesla operace Šutr, jsme v pytli."

„Co máte v plánu dělat? Nevzdáte to s ním, že ne? To by vám nebylo podobné, jestli to tak můžu říct."

„Nebylo, viďte? Ne, s Michaelem Gerretym to nevzdám, nikdy. Ale teď musíme chytit toho anděla pomsty nebo pomstychtivého anděla nebo jak si to říká. Musíme se teď soustředit jen na tohle."

40

Měla v úmyslu strávit noc u otce, ale skončila s prací až ve tři čtvrtě na deset. Zavolala mu, že se opozdí, a on jí řekl, ať si s ním nedělá starosti. Byl stále v šoku a otřesený, ale navštívila ho Ailishina dcera. Navíc by teď byl nejraději sám. A ano, má něco k jídlu. Ailishina dcera mu přinesla kuřecí koláč.

Zůstala přes noc v Anglesea Street. Pokoj nebyl moc zařízený a byla tu jen jedna postel, ale na stole našla varnou konvici, čaj, instantní kávu a horkou čokoládu. Svlékla se a natáhla si jednobarevnou noční košili, kterou si nechávala v práci, a pak si udělala šálek horké čokolády.

Věděla, že by se neměla nechat Michaelem Gerretym vystresovat, ale po chvíli usrkávání horké čokolády vstala z postele, roztáhla závěsy a podívala se ven. Tam v dešti stála Elysian Tower, okna rozsvícená jako na šachovnici, protože mnoho bytů stále nebylo pronajatých. Úplně nahoře Katie zahlédla rozsvícená okna v bytě Michaela Gerretyho.

Věřila, že v tuto chvíli bude nejlepší obvinění proti Gerretymu stáhnout. Kdyby stíhání nedopadlo dobře, bylo by příště daleko složitější ho dostat před soud, i kdyby se jim podařilo nashromáždit přesvědčivější důkazy.

V hlavě jí ale neustále vrtalo, jak se k těm důkazům vůbec dostanou, když teď inspektor Molloy zrušil operaci Šutr. Vypadalo to, jako by se Molloy s Gerretym v golfovém klubu spřátelili.

Zatáhla závěsy a dopila zbytek čokolády. Vyčistila si zuby a zavolala Johnovi. Už mu předtím napsala zprávu, že zůstane ve městě.

„Jak se máš?" zeptala se.

„Dobře. Mám se dobře. Právě jsem mluvil s Nilsem Shapirem."

„Aha, tím tvým kamarádem z Los Angeles."

„Přesně tak. Pořád mě chce do týmu. Je z toho nadšený."

„Aha," řekla Katie. „Možná bychom si o tom mohli zítra promluvit, až se vrátím."

„Nevím, jestli je o čem mluvit."

„No znáš mě, já pokaždé najdu něco, o čem se dá mluvit. Máma se mě vždycky ptala, jestli už zavřu pusu a dojím večeři."

„A jak si představovala, že se zavřenou pusou sníš večeři?"

„Nemám náladu na vtipy, Johne."

„Promiň."

„Když mluvíme o večeři — měl jsi nějakou?" zeptala se.

„Nejsi moje matka, Katie."

„Ne, to nejsem. Vlastně už nejsem tvoje nic, že?"

„Katie..."

„Omlouvám se. Tak jsem to nemyslela. Byl to dlouhý den. Uvidíme se zítra. Dobrou noc."

„Katie..." řekl, ale ona už hovor ukončila. Možná to bylo nezdvořilé a nevlídné, ale začínala mít pocit, že když řekl, že už Irsko nemiluje, ve skutečnosti tím chtěl říct, že nemiluje ji. Ačkoli věděla, že ji miluje, jen ne tolik, aby se kvůli ní vzdal života v Americe. Přemýšlela o tom, že ho asi nemůže soudit. Chtěl slunce místo deště, modré nebe místo šedého. Chtěl nekonečné příležitosti místo irského „No jo, tímhle jsme si v minulosti už museli projít a naučili jsme se tvářit, že se nic neděje".

Vlezla si do postele. Povlečení bylo cítit pracím práškem. Zavřela oči a téměř okamžitě usnula.

„Uzené," řekl doktor O'Brien.

„Uzené?" zopakovala a zírala na všech osm rukou rozložených v řadě na nerezovém stole. „Myslíte jako slanina?"

„Přesně tak. Nebo jako uzenáč. Nebyly vyuzeny v udírně. Řekl bych, že to byla obyčejná trouba, jaká je v každém bytě. Každopádně je to vysušilo dostatečně na to, aby nějakou chvíli vydržely — tedy alespoň tyhle tři páry. Ten čtvrtý pár nebyl vyuzen vůbec. No, to poznáte sama podle toho, jak vypadá."

„Ale všechny pasují na zápěstí našich obětí."

„Bezpochyby," řekl doktor O'Brien. „Každá z nich perfektně zapadá, je to jako puzzle. Nebo lego. Chcete, abych vám to ukázal?"

„Ne, děkuju, Ailbe. Budu vám věřit."

Bylo téměř poledne. Vysoko umístěnými okny pronikaly do patologické laboratoře sluneční paprsky, takže to tam vypadalo jako v kostele. Všichni věřící ale leželi na vozících pod zelenými plachtami a už odešli na místo, za které se celý život modlili.

Doktor O'Brien zvedl Mawakiyovu levou ruku a otočil ji. „Kromě levé ruky oběti číslo tři — to je ten, kterému říkáte Bula, že? — jsou levé ruce obětí uřezány velmi trhaně, zcela jistě za použití pilky na železo. Předtím jsem si vzhledem ke stavu jejich zápěstí myslel, že si ruce uřízli sami, ale teď jsem si tím téměř naprosto jistý. U Buly to nejde jednoznačně říct, protože má levou ruku uříznutu cirkulárkou."

„Známe motiv pro odřezání rukou," řekla Katie. „Pomsta, jak jste řekl hned na začátku, Ailbe. Měl jste pravdu. A Michaelu Gerretymu je poslala buď jako hrozbu, nebo jako trofej, aby mu ukázala, co udělala jeho poskokům. Nebo obojí."

„Myslím, že v tomhle případě obojí," poznamenal patolog. „Ne že by tedy bylo v popisu mé práce mít nějaký názor.

Ale v mnoha oblastech západní Afriky byla amputace rukou běžným trestem. V dobách kolonialismu tak lidé dokazovali svým bílým šéfům, že trest byl opravdu vykonán. Aspoň se nemuseli tahat s celým tělem, že? V Kongu ruce také používali jako důkaz, že nebyla vyplýtvána cenná munice. I brutalita má nějaký rozpočet."

Jindy by Katie zpátky do Anglesea Street jela po South Ring Road, ale tentokrát musela zajet do Paul Street na nákup do Tesca. Potřebovala granule pro Barneyho, prostředek na mytí nádobí, sýr a čerstvý chléb. Také měla chuť dělat něco úplně normálního jako tlačit nákupní vozík za zvuku reprodukované hudby, aby nemusela myslet na Johna, uříznuté ruce a Michaela Gerretyho.

Kolem soudní budovy zabočila do Washington Street. Když míjela dům, v němž byl nevěstinec Michaela Gerretyho, všimla si, že dveře jsou otevřené a vychází z nich nějaká žena. Ke svému úžasu zjistila, že je to Obioma. Černé vlasy připomínající hady měla rozpuštěné, ale jinak na sobě měla typické černé tričko, černé džíny, vysoké boty a černou koženou vestu. Rozhlédla se po ulici, jako by se chtěla ujistit, že ji nikdo nesleduje, a poté se vydala směrem ke Grand Parade.

Katie šlápla na brzdy a řidič dodávkového auta jedoucího za ní na ni zatroubil. Přibrzdil vedle Katie a spolujezdec se vyklonil z okénka: „Nauč se řídit, ty krávo blbá! Málem jsme ti najeli do zadku!"

Katie si ho nevšímala. Obioma přecházela Grand Parade a mířila na Patrick Street. Šla velice rychle. Na semaforech byla červená, ale Katie přesto projela, zabočila vlevo a zastavila u chodníku před prodejnou se sportovními potřebami Finn's Corner. Vystoupila z vozu a rozběhla se přes silnici, ale musela se zarazit, když zpoza rohu vyjelo auto a málem ji srazilo.

„Chceš se nechat zabít, ty blbko?" zahulákal na ni řidič.

Neodpověděla, zezadu jeho auto obešla a doběhla na chodník na protější straně ulice. Obioma ale musela zaslechnout skřípějící brzdy nebo volání řidiče, protože se otočila. Když Katie zahlédla, dala se do běhu.

Katie se také rozběhla. Na Patrick Street byly davy lidí, kteří v obědové pauze nakupovali, a Katie jim musela uhýbat a prodírat se mezi nimi.

Obioma srazila několik chodců a Katie zaslechla, jak na ni zlostně volají, ale potom černoška seběhla z chodníku a běžela po silnici. Katie vyrazila za ní a málem se nevyhnula cyklistovi.

Běžely obě prostředkem Patrick Street a lidé se na chodnících zastavovali a otáčeli se za nimi. Obioma udržovala asi padesátimetrový náskok, a i když měla boty na podpatku, pohybovala se velice rychle. Katie by nejraději zakřičela: „Chyťte ji!" Ale věděla, že lidé nikdy nezareagují dost rychle. Obioma by byla o dvě ulice dál, než by chodcům došlo, co se po nich chce. Katie navíc stěží popadala dech.

Obioma vběhla do French Church Street, dlouhé úzké pěší zóny vedoucí do Paul Street. Znovu vrážela do lidí a jedné ženě vyrazila z rukou tašku s nákupem, který se rozsypal po chodníku, ale ani to ji nezastavilo. Katie připadalo, že naopak běží ještě rychleji. Katie sama byla fit a pravidelně cvičila, ale teď už lapala po dechu. Cítila, jak ji pouzdro s pistolí plácá do stehna. Pohled se jí třepal jako záběr ruční kamery a výkladní skříně obchodů a kaváren v ulici se změnily ve šmouhy.

Doběhla do Paul Street a rozhlédla se vlevo i vpravo. Po Obiomě nebylo ani stopy, ale Katie odhadovala, že musela běžet doprava, protože tam bylo víc lidí. Vyrazila k Academy

Street a snažila se v davu zahlédnout Obiominy vlasy poskakující nahoru a dolů.

Při běhu vytáhla telefon, aby zavolala posily. Obioma se v centru města pohybovala pěšky a hlídkové vozy by oblast mohly během několika minut obklíčit. Zpomalila do chůze a zapnula mobil, ale v tu chvíli proti ní ze ztemnělého průchodu pánského holičství vyrazila Obioma a udeřila ji. Byla to omračující rána hranou ruky, která Katie zasáhla do tváře a přinutila ji udělat několik kroků zpět.

Obioma k ní přiskočila a udeřila ji znovu, tentokrát levou rukou, a zasáhla jí levé ucho. Katie sklonila hlavu k rameni a telefon jí vypadl z ruky. Obioma na něj okamžitě dupla, jednou, dvakrát, a rozdrtila ho.

Katie zvonilo v hlavě a měla před očima ještě větší mžitky než při běhu, ale podařilo se jí sáhnout pro zbraň a vytáhnout ji z pouzdra.

Obioma stála nad ní. Kolem nich už se začal srocovat dav a Katie zaslechla jednoho muže, jak volá: „Holky se perou! Chlape, pojď se na to podívat! Holky se perou!"

Katie se vzepřela na levém lokti a namířila na Obiomu revolverem. „Jste zatčená," řekla jí. Cítila, jak jí pravé oko natéká.

„Nebo co?" zeptala se Obioma a vyzývavě se na ni podívala. „Zastřelíte mě tady před všemi těmi lidmi a budete riskovat, že trefíte někoho z nich? Řekla bych, že ne, komisařko. Navíc si nemyslím, že jste ten typ, co střílí."

Když Katie vytáhla zbraň, přihlížející lidé začali couvat. „Jsem od policie," ohlásila Katie, aniž by z Obiomy spustila oči. „Mohl by někdo zavolat 112 a někdo jiný vyhledat nejbližšího policistu? A všichni odsud odejděte, co nejrychleji můžete."

Několik přihlížejících vytáhlo mobilní telefony a vyťukávalo na nich číslo, zatímco ostatní se začali rozcházet. Šli pomalu, jako by nechtěli přijít o nějakou akci.

„Můžete si pospíšit?" vyštěkla na ně Katie. „Já tady zatýkám."

Obioma se na Katie povýšeně podívala. „Musím něco vyřídit," řekla. „Víte, co jsem odpřisáhla, že udělám. A taky to udělám. Je jen jeden způsob, jak mě můžete zastavit."

S tím se otočila a odcházela pryč. Dav se před ní rozestoupil a lidé strkali jeden do druhého, aby byli z cesty Katiině případné palbě.

Obioma zabočila do Academy Street a byla pryč. Katie stála s pistolí v ruce, potom zbraň sklonila a vrátila do pouzdra. Obioma se pletla. Katie byla ta, co střílí. Už jednou zastřelila vraha, ale to bylo ve chvíli největšího napětí, kdy byl ohrožen i její život. Nemohla zastřelit ženu na ulici před očima nejméně stovky přihlížejících, obzvlášť když ta žena zrovna nepředstavovala žádnou hrozbu, kromě toho, že ji udeřila. Navíc by ji Katie musela střelit do zad. To by byla vlastně poprava.

Katie si uvědomovala, že se jí Obioma nebojí. Většina podezřelých, na které Katie namířila zbraň, dala ruce nad hlavu a okamžitě se vzdala. Ale Obiomě bylo jedno, jestli zemře. Její nebojácnost ji činila nezranitelnou.

Ozvaly se sirény. Na konci Academy Street se objevilo hlídkové vozidlo a na protějším konci ulice další dvě, vyjela z náměstí Saint Peter and Saint Paul Place, ačkoli to byla pěší zóna. Katie uslyšela dusot a uviděla žluté vesty, které se k ní prodíraly davem.

V hlavě jí bušilo a cítila, jak se jí chodník pod nohama vlní a pulzuje. Přistoupil k ní starší kněz a položil jí ruku kolem ramen. V jeho dechu ucítila mentolové bonbony.

„Jste celá bledá, drahoušku. Zhluboka dýchejte, tak. Podívejte, tamhle je lavička. Pojďte se posadit. Na tváři máte pěknou modřinu, jen co je pravda."

Posadila se a kněz si sedl vedle ní. Přiběhli k ní dva policisté a alespoň jeden z nich ji poznal.

„Kdo vám to udělal, komisařko? Víte, kam šel?"

„Ano, strážníku," řekla Katie. „Vím, kdo to udělal. Taky vím, kam jde. Ale jen Bůh ví, jak se nám ji podaří zastavit."

41

Do kanceláře za ní přišel detektiv O'Donovan. „Tohle se vám bude líbit, komisařko. I když vlastně spíš ne."

„Chytili ji?"

„Není po ní ani stopy. Pátralo po ní pětatřicet policistů a jednotka se psy. Hledali dokonce i na dámských záchodcích v Dunne's. Prý z toho byl velký povyk."

„No, už se jí podařilo nás přechytračit i dřív, že ano, Patricku? Ve Washington Street. Poté co zastřelila Mistra Dessieho, vůbec z budovy neodešla. Není divu, že ji ostatní neviděli vycházet předními dveřmi, nikdy jimi nešla. Musela celou dobu zůstat v tom prázdném bytě. Prohledali to tam, že ano?"

Detektiv O'Donovan přikývl. „Samozřejmě, ale pravděpodobně ne nijak důkladně. Jí by stačilo se skrčit do skříně nebo pod postel."

Katie se konečky prstů opatrně dotkla své tváře. Oko měla nateklé a citlivé a věděla, že tam další den ráno bude mít obrovský monokl. Vzala si dva nurofeny, takže už jí odezněla alespoň bolest hlavy. „A co že je ta věc, která se mi bude líbit, ale asi vlastně ne?"

„Právě jsme přivedli vaše dva oblíbené strážníky, Ronana Kellyho a Billyho Dalyho. Jsou dole ve výslechové místnosti."

„Přivedli? Jak to myslíte, že jste je přivedli?"

„Asi před hodinou byli zatčeni v Ringaskiddy, když se snažili nalodit na trajekt Swansea. Měli u sebe spoustu drog. Nevím přesně, kolik toho bylo, ale měli heroin, metamfetamin a tolik pilulek, že byste si s nimi mohla otevřít továrnu na rumba koule."

„Svatá matko boží, co si mysleli, že dělají?"

„Chtěli emigrovat. Věděli, že je nahlásíte za korupci, tak se rozhodli zmizet. Dokonce by jim to i klaplo, ale procházel kolem nich jeden policejní pes a začal štěkat."

Katie vstala. „No dobrá. Půjdu si s nimi promluvit. Ti dva jsou opravdu neuvěřitelní. Ti když se projdou lesem, trefí je každá větev."

Detektiv O'Donovan zvedl ruku a řekl: „Počkejte, komisařko. Je tu ještě něco."

„No nepovídejte. A co?"

„Dalyho auto našli na parkovišti u terminálu trajektů. Zjevně ho tam prostě chtěl nechat. Byla to jenom stará Honda Civic a on není ženatý ani nemá nikoho, kdo by to auto užil."

„A?"

„Honda Civic zastavila přes ulici od Nolanovy stavební firmy na Dennehy's Cross v tu samou dobu, kdy odtamtud byl ukraden ten Nissan X-Trail — ten, který to napálil do vašeho auta. Ryan to viděl na kamerovém záběru."

„Opravdu? A proč to hned nenahlásil?"

„Protože tam ten vůz zastavil jenom na pár minut a šlo vidět, že řidič telefonuje. Potom zase odjel."

„Neříkejte mi, že to bylo auto strážníka Dalyho."

„Bohužel ano. Nevypadalo to, jako by měl něco za lubem, ale klidně tam mohl hlídat, zatímco Kelly stříhal plot. Potom možná přes mobil kontroloval, jestli se jeho parťákovi podařilo vloupat se do toho X-Trailu a nastartovat ho."

Katie nevěděla, co říct. Jestli strážníci Kelly a Daly to auto ukradli, udělali to s tím záměrem, aby ji srazili ze silnice a zabili. Je pravděpodobné, že to byli oni, kdo ji sledoval, když jela z domova na stanici v Kentu a kdo se za ní tak těsně držel, když vyjela na hlavní silnici do Corku.

Byli ale tak hloupí, že do jejího auta narazili po cestě do kopce, aniž by měli jistotu, že nehoda bude smrtelná. Kdyby místo Ailish řídila ona, pravděpodobně by to přežila. Bylo to slabé srdce, co Ailish zabilo.

Katie se zhluboka nadechla.

„Jste v pořádku, komisařko?" zeptal se jí detektiv O'Donovan.

„Co myslíte? Pojďme si s těmi dvěma promluvit, ano?"

Ronan Kelly a Billy Daly seděli u stolu ve výslechové místnosti. Oba byli rozcuchaní, neoholení a vypadali zkroušeně. Statný policista v uniformě stál u dveří s rukama za zády a zíral na strop. Oba je samozřejmě dobře znal, ale měl instrukce nepromluvit s nimi ani slovo.

Když do místnosti vešli Katie a detektiv O'Donovan, ani jeden z mužů nezvedl hlavu. „Mohl byste počkat venku, prosím?" požádala Katie policistu u dveří. Nechtěla, aby někdo na stanici slyšel detaily tohoto rozhovoru. Ne do té doby, než je sdělí zastupujícímu vrchnímu inspektoru Molloyovi a než se rozhodnou, jaká obvinění vznesou.

Katie a detektiv O'Donovan se posadili naproti dvěma přepadlým policistům. Ronan Kelly k nim zvedl pohled a všiml si Katiina pohmožděného obličeje. Zdálo se jí, že mu po rtech přeběhl náznak úsměvu.

„Patricku, mohl byste?" zeptala se a kývla k nahrávacímu přístroji. Detektiv O'Donovan ho zapnul a Katie začala: „Výslech strážníka Ronana Kellyho a strážníka Williama Dalyho." Podívala se na hodiny na zdi a doplnila ještě datum a čas.

„Tak a teď to nahrávání vypneme a budeme mluvit neformálně," řekla.

„Komisařko?" oslovil ji detektiv O'Donovan nechápavě. „Právě jsem to zapnul."

„Ano, tak to zase vypněte a přetočte na začátek."

Detektiv O'Donovan udělal, co po něm chtěla. Katie opřela lokty o stůl a propletla prsty jako soudce, který se právě chystá vynést rozsudek.

„Vy dva šašci jste se mě pokusili zabít," řekla chladně.

Billy Daly se ozval: „To jsme nebyli my! Přísahám na bibli!"

„Můžeš držet zobák, Billy?" zavrčel Ronan Kelly. „Když budeš říkat, že jsme to nebyli my, je to stejně tak zlé jako se přiznat."

„Ježíši, vy dva jste ale chytráci," řekla Katie. „Jak se vám podařilo se kvalifikovat na policisty, to teda nikdy nepochopím. Překvapuje mě, že víte, za jaký konec máte chytit obušek. Nejenom že jste pitomí, vy jste navíc i hamižní, nemorální a ostuda uniformy. To pomyšlení, že máte oba na zádech vytetovaný odznak..."

Odmlčela se a potom pokračovala: „Nemá cenu, abyste cokoliv popírali. Věděli jste, že vás nahlásím za úplatky od Michaela Gerretyho. Tak jste si chtěli svoji prašivou kůži zachránit tím, že se mě zbavíte. Místo toho jste zabili nevinnou a šťastnou ženu, a co hůř, ženu, která se měla brzy vdávat."

„To ale nebyla naše chyba," procedil Ronan Kelly. „Jak jsme měli vědět, že nebudete řídit vlastní auto? Nejsme sakra žádný vědmy."

„Takže to přiznáváte?"

„Nepřiznávám nic. Možná jsme to udělali, možná ne. Myslel jsem, že jste říkala, že je to neformální rozhovor, tohleto. Že si jen tak povídáme, abysme věděli, na čem jsme."

„Není pochyb, na čem jste. Co jste se chystali udělat se strážmistryní ó Nuallánovou? Ta mi jako první řekla o úplatcích za to, že se díváte jinam."

„Co na tom záleží? Tak jako tak jsme to pěkně podělali."

„Chtěli jsme jí udělat to samé. To samé, akorát jinak."

„Do prdele, řekl jsem ti, ať držíš hubu!" vyštěkl Ronan Kelly.

„Existují záznamy z bezpečnostních kamer, na kterých je vidět, jak kradete ten X-Trail z Nolanovy stavební firmy," řekla Katie. „Máme také forenzní důkazy, že to byl ten Nissan, který narazil do mého auta. Bylo to záměrné, takže nepůjde jen o zabití."

Otevřela složku, která ležela před ní. „Nejen to. Máme svědecké výpovědi, které potvrzují, že jste získávali značné sumy peněz od zesnulého Desmonda O'Learyho na pokyn Michaela Gerretyho, abyste se nevměšovali do jeho obchodů s dívkami pod zákonem nebo s ilegálními imigranty. Také jste dostávali sexuální služby zdarma. Máme rovněž důkazy, že jste věděli o podávání drog sexuálním pracovnicím odmítajícím spolupracovat."

Oba strážníci chvíli seděli potichu a zírali na stůl před sebou jako dva napomenutí školáci. Katie ve skutečnosti neměla žádný důkaz, že peníze, které jim Mistr Dessie dával, pocházely od Michaela Gerretyho, ale bylo to pravděpodobné. Ve složce před ní nebylo nic kromě zprávy o nářadí ukradeném z farmy v Maglinu. Nicméně oba čelili obvinění ze zabití a domnívala se, že udělají cokoli, aby zmírnili trest, jenž jim za to hrozí.

Ronan Kelly se na Katie zamračil a téměř to vypadalo, jako by měl výčitky svědomí. *Briseann an dúchair tri shúile an chat*, pomyslela si. *Povaha kočky se pozná z jejích očí*. Jestli nemá výčitky svědomí, tak si určitě musí hořce vyčítat, že byl tak požitkářský a tak snadný terč pro úplatky Michaela Gerretyho. Teď sedí ve výslechové místnosti a čeká ho obvinění ze závažných zločinů, a co z toho všeho má? Trochu peněz, které už utratil, nějaký ten opilecký sex, který už je za ním. A tetování, které z něj ve vězení udělá nejvyhledávanější cíl.

„Když vám pár věcí řeknu a dám vám nějaká vodítka, mohlo by nám to trochu přilepšit?" zeptal se.

„To záleží na tom, jak užitečná ta vodítka budou."

„No, vím, že jdete po Michaelu Gerretym. Vím o operaci Šutr a že ji Molloy odvolal. A taky to, že vás to moc nepotěšilo."

„Tady se všechno roznese, co?" poznamenala Katie.

„Bryan Molloy a Michael Gerrety se znají už léta. Myslím, že z toho nikdy nedělali tajemství. Michael Gerrety začal se sexuálním byznysem v Limericku, když byl Molloy jenom strážmistr. Dával mu úplatky, aby na něj zákon nemoh', a proto se jeho byznysu tolik dařilo.

Od té doby mu platí. Nevím kolik, ale pěknou sumu, řekl bych. Za to používá Molloy své kontakty v Dublinu a tlačí na politiky kvůli změně zákona o sexuálních pracovnících. Pro Gerretyho byl vrchní inspektor O'Driscoll pěkná osina v zadku, a když na jeho místo jmenovali Molloye, byly to pro Gerretyho Vánoce."

„Máte nějaký důkaz, že Michael Gerrety uplácí Bryana Molloye?" zeptala se Katie. „Nějaký důkaz, který by obstál před soudem?"

Ronan Kelly se otočil na Billyho Dalyho. Billy zvedl jedno obočí, naklonil se k Ronanovi a něco mu zašeptal do ucha. Ronan poslouchal, potom přikývl a nakonec se otočil zase na Katie. „Přijde na to," řekl.

„Přijde na to, z čeho vás obviním, to tím chcete říct?"

„Něco takového."

„Povězte mi, co máte, a já vám řeknu, jaké ústupky udělám," řekla Katie.

Bublal v ní vztek na tyto dva muže a nenávist k nim. Zabili Ailish a měli v plánu zabít ji, navždycky zničili štěstí jejího otce. Nejenom to, čest Garda Síochána protáhli bahnem. Nebýt přísahy, kterou Katie složila, nechala by své práce a odjela do Ameriky s Johnem.

Navzdory tomu všemu jí trénink a zkušenosti přikazovaly nedat na sobě nic znát. Kdyby ukázala, jaký má vztek, jenom by si uškodila. Chtěla dostat Michaela Gerretyho a jediný způsob, jak toho mohla dosáhnout, bylo zachovat klid — a vypadat téměř bez zájmu.

„Sebrali mi telefon," řekl Ronan Kelly. „V něm je všechno. Nahrané."

„Dobře..." řekla Katie. „Patricku, byl byste tak hodný a přinesl telefon strážníka Kellyho?"

Detektiv O'Donovan odešel a Katie zůstala s Ronanem a Billym sama.

„Mohlo vám to projít, kdybyste u sebe neměli ty drogy," řekla jim.

„My jsme neměli na výběr. Neměli jsme u sebe skoro žádný peníze, tak jsme museli něco prodávat, abychom se uživili."

„Kde jste to sehnali?"

„Z jednoho protidrogovýho zásahu, něco zase z jinýho... Sbírali jsme to poslední rok," přiznal Ronan Kelly. „Odevzdávali jsme tak polovinu zabavených drog a zbytek si nechávali. Hodně jsme toho prodali, ale pořád nám dost zbylo. Možná tak za deset až jedenáct tisíc eur. Ale tohle je mimo záznam. Jestli se mě na to ještě jednou zeptáte, popřu to."

„A kam jste chtěli jet?"

„Pro začátek do Liverpoolu. Máme tam pár kámošů."

„A co pak?"

„To nevím. Jestli chcete slyšet pravdu, myslím, že jsme to pěkně podělali na všech frontách. Naučil jsem se jednu věc: Člověk nemusí být moc chytrý, aby spáchal zločin, ale musí být génius, aby mu to prošlo."

Detektiv O'Donovan se vrátil s telefonem Ronana Kellyho v průhledném plastovém sáčku na důkazy. Podal ho Ronanovi, který přístroj vytáhl z pytlíku a položil ho na stůl. Stiskl tlačítko a pohodlně se opřel s rukama založenýma na prsou.

Z pozadí uslyšeli slabý zvuk houslí, bicí, smích a cinkání skleniček. Pak zaslechli, jak Ronan Kelly říká: „Vyřešili jsme to (nezřetelné) na Carroll's Quay."

Jiný mužský hlas na to odpověděl: „Jo, Billy nám to říkal. To je skvělé. Vážíme si toho."

„Teda to byl ale idiot," řekl Ronan. „Do bordelu přece nikdo nechodí s naditou šrajtoflí. Co si myslel, že se stane? Každopádně jsme toho chlapíka přesvědčili, aby stáhl stížnost."

„Co jste mu řekli?" zeptal se druhý muž. „Že to budete muset prozradit jeho staré, něco takového?"

„To jsme zkoušeli," odpověděl Ronan. „Jenomže prý není ženatý. Tak jsme mu řekli, že ta holka je pod zákonem a že bychom ho museli obvinit ze znásilnění."

Druhý muž se zasmál. „Šikovní! A víte, co je na tom fakt vtipný?"

„Povídej, Dessie. Co je na tom fakt vtipný?"

„Ona je pod zákonem! Je jí jenom čtrnáct!"

„No kurva, ty (nezřetelné)."

„Michael vám prokázal svůj vděk tím, že vám poslal dalších sto babek každému."

„Vzkaž mu, že není zač. My jenom děláme svou práci a hlídáme zákon."

„Pokud to bude zákon podle Michaela Gerretyho, bude mít radost."

Katie řekla: „Máme ho! Už to můžete vypnout. Víc slyšet nepotřebuju."

Ronan Kelly se natáhl, aby telefon vypnul, ale detektiv O'Donovan ho předběhl a strčil přístroj do sáčku na důkazy.

„Zajímalo by mě, proč jste zrovna tuhle konverzaci nahrával," řekla Katie.

„Já jich nahrával spoustu, jenom pro jistotu. S lidmi jako Gerrety nikdy nevíte, na čem jste. Ale tenhle záznam je jediný inkriminující."

„Máme k dispozici spousty rozhovorů s Dessiem O'Learym. Identifikovat jeho hlas nebude těžké."

„Tak za co to bude?" zeptal se Ronan Kelly. „Chci říct, tohle je jako důkaz ryzí zlato — to musíte uznat. Je to na druhým místě hned za videem, kde nám Gerrety osobně dává peníze."

„Je to usvědčující, to uznávám," souhlasila Katie. Srdce jí začalo bít rychleji, ale snažila se zůstat navenek klidná. „Já vám řeknu, co udělám. Zapomenu na ty drogy."

„Zapomenete na drogy? To je všechno?"

„Strážníku Kelly, musím vás obvinit z korupce. Nemělo by smysl, abych obvinila z úplatkářství Michaela Gerretyho, kdybych totéž neudělala s těmi, kteří úplatek přijali."

„No tak to pěkně děkujem," zahuhlal Ronan Kelly. „Ale nečekejte, že vám dám ještě nějaký důkaz."

„Taky vás neobviním z obecného ohrožení," pokračovala Katie.

„Co? Jaký obecný ohrožení?"

„Věděli jste, že prodávají dívky pod šestnáct let. Neudělali jste nic, abyste to zastavili. Vlastně jste jim to usnadnili, ačkoli jste policisté. Tak tomu já říkám obecné ohrožení, vy ne? A trest za obecné ohrožení je deset let v chládku."

Ronan procedil mezi zuby: „Už ani neceknu. Popřu všechno, co jsem vám řekl, a na dalším výslechu neřeknu nic, pokud se to nebude nahrávat a nebude u toho právník."

„To je mi upřímně jedno," řekla Katie. „Jste párek bezectných lumpů a budete potrestáni za to, že jste zabili skvělou ženu, která si nezasloužila umřít. Dali jste mi všechno, co potřebuju, a jestli už o vás odteď neuslyším, budu jenom ráda."

„Víte, co jste?" zasyčel Ronan Kelly. „Jste zasraná čarodějnice, to jste. Neměli jsme vás chtít zabít v autě. Měli jsme vás upálit na hranici."

42

Branna stiskla zvonek u dveří bytu Michaela Gerretyho a ozvalo se několik taktů skladby „Kdybych tak byl Rothschild". Stála tam a přemýšlela, jestli nedělá velkou chybu a jestli nemá utéct, jak nejrychleji to půjde. Když se rozhodla získat příběh zevnitř Gerretyho impéria tím, že bude předstírat zájem o práci prostitutky, zdálo se to jako skvělý nápad. Teď jí ale začínaly povolovat nervy.

Vzala si růžové minišaty, které o pět centimetrů založila, aby byly ještě kratší, a stejné sandály na klínku, v nichž poprvé přišla za Michaelem Gerretym do Amber's. Sčesala si vlasy dozadu po vzoru Miley Cyrus a nalepila si falešné řasy, ačkoli ji to nutilo mrkat, jako by ji neustále osvěcovaly blesky fotoaparátů.

Dveře otevřel sám Michael Gerrety. „Ale, tady jste," řekl. „Pojďte dál! Brenda, že ano?"

„Branna," opravila ho a vešla dovnitř. Venku zapadalo slunce a celý byt se halil do oranžového světla.

„Branna, omlouvám se," řekl Michael Gerrety. „Dala byste si něco k pití, Branno?"

„Jen limonádu, jestli máte."

„Ale no tak, co do ní šplíchnout trošku vodky? Jen abyste se uvolnila."

„Co? No dobře, ale jen trošku."

Branna se rozhlédla kolem sebe. Na balkoně zahlédla Carole Gerretyovou s vysokou sklenicí likéru Pimm's, jak mluví do mobilního telefonu.

„Tohle je úžasný byt," poznamenala. „A jaký tady máte výhled!"

Michael Gerrety vyšel z kuchyně se sklenicí v ruce. Byla v ní spousta ledu a plátek citronu.

„Musím za něj ale hodně platit," opáčil. „V tomhle světě není nic zadarmo. Nemám nejmenší pochyby o tom, že jsem nejpracovitější člověk v Corku. Možná v celé zemi."

Posadil se na koženou pohovku a pokynul jí, aby si sedla vedle něho. „Teď když tě vidím zblízka, musím říct, že jsi opravdu krásná mladá dáma," řekl. „Měla by sis vést velice dobře, ale záleží na tom, co budeš ochotna nabídnout."

„Jak jsem vám říkala, pane Gerrety, nejsem nevinná. Měla jsem tři partnery a se všemi jsem to dělala."

„Tak dobře," usmál se Michael Gerrety. „Řekněme, že bych ti nabídl sto eur za orální sex, tady a teď. Vyndám ho, ty si tu klekneš na všechny čtyři a vykouříš mi ho. Pak ti postříkám obličej."

Branna měla pocit, jako by jí do žaludku spadl kámen. Michael Gerrety se povaloval na pohovce ve své pruhované bílo-zelené hedvábné košili a plátěných kalhotách a usmíval se na ni. *Opravdu mě bude nutit, abych mu ho vykouřila?* Ale pak si uvědomila, že na balkoně sedí jeho manželka. *Nemůže to po mně chtít, když se jeho žena může kdykoliv otočit a uvidět nás.*

„Bez kondomu za sto dvacet," řekla pevně, ačkoli krk měla stažený úzkostí a málem nemohla mluvit.

Michael Gerrety se zasmál a plácl se do stehna. „Tvůj styl se mi líbí, Branno! Sto dvacet je na začátek trochu moc, ale jak říkám, jsi hezká holka a pravděpodobně ti ty peníze dají. Je něco, co dělat nebudeš? Víš, o čem mluvím, že ano? Kdyby na tebe klient chtěl močit nebo naopak nebo kdyby s sebou chtěl vzít kamaráda na trojku, nebo dokonce čtyřku."

„Mně je jedno, co budu dělat, pane Gerrety, hlavně že mi zaplatí."

„To je perfektní, Branno. To je přesně ten správný přístup. A proto ses dobře rozhodla, když jsi přišla za mnou. Kdyby ses snažila prorazit na vlastní pěst, neměla bys webové stránky, kde se můžeš nabízet, takže by pro tebe nebylo tolik práce. A to nejdůležitější — neměla bys ochranu, která s tím souvisí. O všechny slečny pracující přes *Fantastické dívky z Corku* je velmi dobře postaráno."

Dopil sklenici a řekl: „Poslední dobou jsem měl trochu potíže se zaměstnanci. O jednoho nebo dva jsem přišel. Ale najmu nějaké nové chlapíky a ti se o tebe skvěle postarají, to ti slibuju."

Branna se pokusila usmát. „To je skvělé, pane Gerrety. Kdy myslíte, že bych mohla začít?"

„Řekněme za pár dní. Musíme ti připravit webové stránky. Na Carroll's Quay je volný pokoj, kam se můžeš nastěhovat, jakmile budeš chtít. Taky bychom ti měli vymyslet pracovní jméno! Co takhle Roxanne? Nebo Godiva? Mně se líbí Godiva! Tak ti budeme říkat."

Branna otupěle přikývla. Začínala panikařit. Na diktafonu v kabelce měla nahrané veškeré potřebné důkazy a teď už se jen chtěla dostat co nejrychleji pryč. Michael Gerrety vypadal uvolněně a v pohodě. O tom, že by pracovala jako prostitutka, mluvil věcně. Jeho nenucenost ji děsila nejvíc. Sedí si tady ve svém luxusním bytě při západu slunce a ptá se sedmnáctileté holky, jestli by mužům dovolila, aby se na ní ukájeli, močili na ni či něco horšího, a klidně se tváří, jako by byl jejich rozhovor úplně normální.

„Ještě jedna věc," poznamenal. „Než začneš, pošleme tě na zdravotní prohlídku. Ve *Fantastických dívkách z Corku* jsme velmi zodpovědní, co se týče pohlavního zdraví. Potom budeš chodit na vyšetření pravidelně, obvykle tak jednou měsíčně nebo kdykoli budeš mít pocit, že tě klient mohl něčím nakazit."

„Když budu chodit pravidelně..." začala Branna.

„Nebude to zadarmo. Za každé vyšetření budeš samozřejmě platit. Ale ani si toho nevšimneš, protože to už ti strhneme z platu, stejně jako všechno ostatní. Poplatek za tvoji webovou stránku, nájem za pokoj, plyn, elektřinu, jídlo, kondomy, vlhčené ubrousky. Ale stejně denně vyděláš víc, než jsi měla v Dunne's za měsíc. A nemusíš platit žádné daně ani sociální pojištění, takže si nebudeš mít na co stěžovat."

„Tak dobře," souhlasila Branna. Vstala a řekla: „Počkám, až se mi ozvete."

„Ne, nepočkáš," odpověděl Michael Gerrety.

„Prosím?"

„Neozvu se ti, pokud mi na sebe nedáš číslo."

„Ale jistě. Jestli máte propisku, napíšu vám ho."

Michael Gerrety se natáhl přes konferenční stolek a podal jí stříbrnou propisovačku. „Tady, napiš to na ten časopis."

Pozoroval ji, jak se sklonila nad stolkem a psala. Když mu tužku i časopis vrátila, zeptal se jí: „Co máš na sobě pod těmi šaty?"

„Podprsenku," odpověděla Branna. „Podprsenku nosit musím."

„A ještě něco?"

„Ne."

„Zvedni sukni."

„Cože?"

„Zvedni ty šaty a ukaž."

Branna se otočila. Carole Gerretyová stále ještě telefonovala.

„No tak," řekl Michael Gerrety. „Od příštího týdne to budeš dělat profesionálně."

V jeho výrazu bylo něco tvrdého, co jí napovídalo, že je to zkouška. Nepředpokládala, že by měl zájem o prostitutku. Spíše se ujišťoval, že nemá žádné zábrany se ukazovat cizím mužům. Chytila lem šatů a zvedla je až k pasu. Michael Gerrety se na ni zadíval a pak řekl: „Dobře. Takhle se to klientům líbí. Tak já ti zavolám, jakmile bude všechno zařízené."

Odmlčel se a pak řekl: „Skvělé. Už si to můžeš stáhnout dolů. Nechceme, aby moje paní viděla, jak tady ukazuješ svoje zboží, že ne?"

„Uvidíme se tedy později."

„Se mnou ne. Já každodenní provoz neřídím osobně. Ale někdo ode mě se ti ozve a všechno vysvětlí."

Položil jí ruku na rameno a odváděl ji ke dveřím. „Chci ti poděkovat, že jsi za mnou přišla. Kdyby tak všechny dívky, které pracují přes mé webové stránky, měly takový přístup. A navíc jsi moc hezká. Tebe bych z postele nevyhnal."

Ještě ani nedošli ke dveřím, když zvonek zahrál „Kdybych tak byl Rothschild".

Michael Gerrety zavolal na svou ženu: „Čekáš někoho? Carole! Carole! Přestaň už sakra s tím telefonováním! Čekáš někoho?"

Carole ho neslyšela a zvonek se ozval znovu. „Ježíši," řekl. „To bude asi ta čína, cos objednala."

Otevřel dveře. Bez jakéhokoli zaváhání vešla dovnitř Obioma a zavřela za sebou. Byla celá v černém jako vždycky, kromě bílé šály uvázané kolem hlavy. Mířila svou kapesní brokovnicí Michaelu Gerretymu přímo do obličeje.

„Jak ses sem kurva dostala?" vyštěkl. „Carole! Zavolej policii! Carole!"

Carole pořád telefonovala a neslyšela ho.

„Jdi zpátky a sedni si tamhle na pohovku," přikázala mu Obioma.

Ale Michael popadl Brannu a přitáhl ji k sobě. Svíral ji za obě ruce tak pevně, že se mu nemohla vykroutit.

„Co chceš dělat?" zeptal se a hlavu schoval za Brannu. „Ustřelit téhle chuděře hlavu? Carole! Můžeš kurva přestat volat? Copak nevíš, co se tady děje, ty krávo blbá? Carole!"

Michael Gerrety couval zpátky k otevřeným dveřím na balkon a Brannu táhl s sebou.

„Pusťte mě!" zapištěla. „Pusťte mě! Nechte mě být!"

Ale Michael ji vytáhl s sebou na balkon. Carole se rozhlédla a uviděla, co se děje.

„Zavolej policajty!" zasípal Michael. Branna sebou mrskala ze strany na stranu a kopala ho do nohou. Musel vynaložit všechnu svou sílu na to, aby jí zabránil utéct.

„Ježíšikriste, co se děje? Kdo to je?" vytřeštila oči Carole.

„Řek' jsem, abys zavolala policajty! Má pistoli, prokrista!"

Obioma za nimi vyšla na balkon. Zamířila kapesní brokovnici na Carole a přikázala: „Pusť ten telefon!"

„Co?"

„Řekla jsem, abys zahodila ten telefon, nebo tě zabiju!"

Carole rozevřela prsty a telefon spadl na podlahu.

„Teď jdi na druhý konec balkonu, klekni si zády k nám a buď zticha."

Carole udělala, co jí Obioma přikázala. Michael stále zápasil s Brannou, ale podařilo se mu zavolat: „Tohle ti neprojde, ty děvko!"

„Myslíš, že ne?" zeptala se Obioma klidně. „Mawakiya udělal, co jsem mu řekla, a uřízl si vlastní ruku. Mânios Dumitrescu také. I Bula a Mistr Dessie. Poslala jsem ti důkaz, že to tak

384

bylo. Vyděsilo tě to, Gerrety? Měl jsi strach, že přijdu a udělám ti to taky?"

„Pusťte mě!" sykla Branna a potom zaječela: „Pomoc! Pomoc! Pomozte mi někdo!"

„Tady nahoře tě nikdo neuslyší," řekla Obioma klidně. „Ale já ti nic neudělám. Nic jsi neprovedla. Potrestat chci tohohle muže, Michaela Gerretyho. Tenhle muž udělal z mé sestry Nwahy otrokyni a prostitutku."

„Co chceš?" vyjekl. „Jenom mi řekni, co chceš, a můžeš to mít."

„To říkali všichni. Všichni ti čtyři slimáci, kteří pro tebe pracovali. Neubližuj mi, neubližuj mi, dám ti cokoli! Dám ti všechny peníze, ke kterým se dostanu! Jenom mi neubližuj!"

„Poslouchej, dám ti stokrát víc, než mohli oni," řekl Michael. Branna škubala hlavou ve snaze trefit ho do obličeje, takže jí musel uhýbat. „Stůj klidně, ty štětko!" zakřičel na ni. „Chceš, aby mě zabila?"

„Jo!" zaječela na něj. „Jo, chci! Nejsem žádná prostitutka! Jsem reportérka z *Echa* a za to, co děláte, se budete smažit v pekle!"

„Takže kromě toho, že jsi kurva, jsi i lhářka?"

Obioma řekla: „Pusť ji, Gerrety. Nemůžeš se jí držet navěky. Moje sestra se zabila kvůli tomu, co jste jí udělali, a teď je čas, abych ji pomstila."

„Myslíš, že mě přinutíš, abych si uřízl vlastní ruku? To se teda šeredně pleteš. Nikdy v životě mě nikdo nedonutil udělat něco, co nechci, a ty teda rozhodně nebudeš první."

Obioma se na něj zadívala. „V Nigérii máme takové rčení, Gerrety. Ten, kdo cestou na pole kálí na silnici, potká cestou zpátky mouchy. Nikdy neutečeš důsledkům toho, co jsi udělal."

Carole najednou začala vzlykat. Znělo to jako pláč malého vyděšeného dítěte spíš než ženy ve středních letech.

Obioma si jí nevšímala a čekala, až jí Michael Gerrety odpoví.

43

Katie dorazila se strážmistryní ó Nuallánovou a detektivem O'Donovanem před Elysian Tower.

Přistoupila ke dvěma strážníkům, kteří stáli před dveřmi, a zeptala se: „Tak co? Doufám, že dnes žádné podezřelé balíčky."

„Jenom obyvatelé domu," řekl jeden z nich. „Kromě toho jedna donáška pizzy, jedno cédéčko z Amazonu a realitní makléřka."

„Realitní makléřka?"

„Šla si vyfotit jeden z bytů. Byla to černoška, a to vám povím, moc krásná baba. Ale neodpovídala popisu podezřelé a zkontroloval jsem si její občanku. Byla venku za pět minut, jestli vůbec."

„Z jaké realitky byla?"

„Carbery's na Grand Parade."

„Kdy to bylo?"

„To nevím. Řekl bych, že odešla asi před dvaceti minutami."

„Popište ji. Jaké měla vlasy?"

Policista vypadal nesvůj. „No, byly tak jako červený, jako máte vy. To nepřehlédnete, černošku s červenými vlasy. Musela je mít obarvené, víte?"

„Z logiky máte plný počet bodů," kývla Katie a otočila se na detektiva O'Donovana. „To mi připomíná tu vaši africkou krasavici, která říkala, že Obiomě nedala klíče k O'Farrellově nábytkářské dílně. Jak jinak se jde do budovy dostat, strážníku, kromě tohohle vchodu?"

„Je tu vstup pro lidi od údržby, ale klíče má jenom personál. A pak jsou tu taky dveře ke garážím v suterénu, ale tam je zámek na kód a kombinaci znají jenom obyvatelé domu."

„Ale šlo by je otevřít zevnitř, i kdybyste kombinaci neznal?"

„To ano, jo. Dneska ráno jsem se tam byl kouknout sám — zkontrolovat, jestli ty dveře někdo nenechal schválně otevřené nebo si nepohrál se zámkem, aby se nedovíraly."

„Dobře," kývla Katie. „My jsme přijeli odvézt Michaela Gerretyho na stanici na výslech. Zůstaňte tady. Pokud vás budeme potřebovat nahoře, zavoláme."

Když čekali na výtah, otočil se detektiv O'Donovan na Katie a řekl: „Tak co, komisařko? Myslíte na to, na co já?"

„Že nám ta africká krasavice mohla lhát o klíčích k O'Farrellově dílně a že sem přišla Obiomě otevřít dveře? No, to brzo zjistíme. Jestli najdeme Michaela Gerretyho bez rukou a s polovinou hlavy na kaši, bude jasné, že nás přechytračila."

Vyšli z výtahu a tiše se přiblížili ke dveřím Gerretyho bytu. Katie pozvedla ruku, aby naznačila, že mají být potichu, a přitiskla ucho na dveře.

„Slyším ženský pláč."

„U poloviny dveří v Irsku uslyšíte plakat nějakou ženu," poznamenala strážmistryně ó Nuallánová.

„Možná se Gerretyovi jenom pohádali."

Znovu přitiskla ucho ke dveřím, ale pláč ustal. Zaslechla naštvaný mužský hlas a pak bylo ticho.

„No dobře," řekla. „Ať už se tam děje cokoli, odtud se nic nedozvíme."

Stiskla tlačítko zvonku a ozvala se melodie „Kdybych tak byl Rothschild".

Čekali a čekali, ale nikdo jim neotvíral. V Gerretyho bytě bylo ticho.

„Zkusíme zazvonit znovu?" navrhl detektiv O'Donovan.

„Museli by být mrtví nebo hluší, aby to neslyšeli," řekla Katie. „Něco se tam děje a oni nám nejdou otevřít záměrně. Kyno, dole v hale je kancelář správce, mohla byste odtamtud přinést univerzální klíč? A přiveďte s sebou jednoho z těch policistů. Druhému řekněte, ať zůstane u dveří pro případ, že se pletu a Obioma se dovnitř ještě nedostala."

Katie a detektiv O'Donovan se drželi dál od dveří Gerretyho bytu, zatímco strážmistryně ó Nuallánová běžela chodbou zpátky k výtahu.

„Jaký je plán, pokud tam Obioma je?" zeptal se detektiv O'Donovan.

„Nemám tušení, Patricku. Není snadné zastavit někoho, komu je jedno, jestli zůstane naživu."

Čekali a poslouchali. Pak Katie zaslechla pronikavý dívčí hlas, který volal něco jako „Ne — nedělejte to!", ale potom bylo zase ticho.

O'Donovan zašeptal: „Zní to, jako by tam byl kromě Gerretyových ještě někdo. Doufejme, že se to celé nezkomplikuje."

Slyšeli blížící se výtah a strážmistryně ó Nuallánová se vrátila s jedním z policistů od vchodu.

„Tady je klíč," vydechla a zvedla pravou ruku. „Ten správce mi ho nejdřív vůbec nechtěl svěřit, ale pohrozila jsem mu, že ho zatknu za maření vyšetřování, a pak byl ochota sama."

Katie tiše vsunula klíč do zámku a otočila jím. Vytáhla revolver z pouzdra, postavila se na stranu a pak strážmistryně ó Nuallánová opatrně strčila do dveří, aby se otevřely. Ke Katiině úlevě nebyly zevnitř zajištěné, takže nebylo třeba je vykopnout.

Dala si prst před ústa a beze slova vešli do bytu. Za jiných okolností by sem vpadli jako při zásahu na Lower Glanmire

Street a volali „Policie!", ale v tomto případě neměli tušení, co uvnitř najdou. Obioma se tolik lišila od obvyklých podezřelých, že bylo třeba postupovat s nejvyšší opatrností.

Venku za prosklenou stěnou už byla téměř tma a nebe mělo temně nachovou barvu stejně jako Katiino pohmožděné oko. Ačkoli slunce už zapadlo, venkovní balkon byl zalitý světlem a zahlédli na něm Obiomu, jak na někoho míří svou kapesní brokovnicí. Jen dva metry před ní stála mladá blondýnka v krátkých růžových šatech. Vypadalo to, že zápasí s Michaelem Gerretym, který se za ni snaží před Obiomou skrýt. Za Michaelem Gerretym na vzdáleném konci balkonu klečela Carole Gerretyová s hlavou skloněnou.

„Půjdeme na to velmi, velmi pomaloučku," zašeptala Katie. Revolver držela zvednutý a tiše přešla obývací pokoj až ke dveřím na balkon. Byla v půli cesty, když si jí Obioma všimla, ale dál mířila pistolí na dívku v růžových šatech a Michaela Gerretyho.

„Obiomo," řekla Katie a vstoupila na balkon. „Musíte tu zbraň zahodit, Obiomo."

„Jsem tady, abych dokonala trest," odvětila Obioma vyzývavě. „Ten muž si zaslouží zemřít víc než všichni ostatní."

„Komisařko Maguirová!" zasípala dívka. Katie na ni rychle pohlédla. Bez jejího obvyklého účesu ji nepoznala.

„Branno! Co tady proboha děláte?"

„Je to prolhaná vychytralá děvka, to tady dělá!" vložil se do toho Michael Gerrety. „Teď zatkněte tuhle pomatenou černošku, ano? Je to vaše práce, nebo ne? Starat se o bezpečí občanů."

„Pusťte mě!" obořila se na něho Branna. „Ať mě pustí!"

„Jo, rozhodně, a nechám se zastřelit, že? Ne, díky, holka. No tak, komisařko! Dělejte svou povinnost, než tu někdo umře!"

Branna znovu trhla hlavou a tentokrát to Michael Gerrety nečekal. Trefila se mu přímo do nosu a ozvalo se křupnutí.

„Ježíši!" vykřikl. Z nosních dírek mu vytryskly dva pramínky krve a stékaly mu na bradu. Na oplátku s Brannou silně zatřásl, ale ruce jí nepustil.

„Obiomo!" zavolala Katie. „Už je po všem. Branna je nevinná dívka, přece ji nechcete zranit."

„Nevinná?" vztekal se Michael Gerrety. „Právě mi zlomila nos, do prdele!"

„Nezahodím pistoli a neodejdu, dokud nebude tento muž mrtvý," řekla Obioma. „Střelím ho do obličeje a uříznu mu obě ruce, aby nebyl přijat do nebe, a teprve pak moje mise skončí. Moje sestra Nwaha bude moci odpočívat v pokoji."

„To vás ale nenechám udělat, Obiomo," řekla Katie pevně.

„Nezastavíte mě. Nepodařilo se vám to předtím a nepodaří se vám to ani teď."

S tím udělala krok k Branně a Michaelu Gerretymu a zbraň držela namířenou přímo na dívčin obličej. Další krok a hlaveň se téměř dotýkala Brannina čela.

„Budete se chovat jako muž, Michaeli Gerrety, a necháte tuhle ženu jít?" zeptala se. „Přijmete trest, který vám náleží?"

„No jasně, to určitě!" vyštěkl Michael Gerrety. V hlase mu zaznívala panika. „Jsi šílená, jsi úplný magor! Nemáš to v hlavě v pořádku! Komisařko, copak tuhle pomatenou ženskou nezatknete?"

„Jestli musím zabít jednoho, abych zabila i druhého, budiž," řekla Obioma klidně.

Uteklo pět vteřin, během kterých nikdo nic neřekl, ani se nepohnul. Na jih od nich zarachotily motory letadla, které právě vzlétalo z corkského letiště. Branně po tvářích tekly slzy a Michael Gerrety se za ní s ohnutými zády stále krčil.

Těsně za sebou uslyšela Katie strážmistryni ó Nuallánovou zašeptat: „Můj bože. Ona to udělá, že jo?"

Katie vystřelila. Obioma se otočila. Po zásahu z osmatřicítky ztratila rovnováhu. Pokusila se brokovnicí namířit na Katie, ale ta vystřelila znovu a Obioma tentokrát zavrávorala dozadu a se zazvoněním narazila do kovového zábradlí.

Poté se převalila přes zábradlí — ať už záměrně, nebo ne — a zmizela. Ani nevykřikla, jen zmizela. Katie skočila ke kraji balkonu právě včas, aby zahlédla, jak Obioma dopadla na chodník o sedmnáct pater níž.

„Můj bože," vydechla strážmistryně ó Nuallánová. Natáhla se a položila Katie ruku na paži, ale ona ji setřásla. V uších jí po dvou výstřelech zvonilo a zápěstí ji bolelo ze zpětného nárazu pistole.

Michael Gerrety pustil Brannu ze sevření, dívka se svezla na kolena na podlahu a začala plakat — z plic se jí draly zmučené vzlyky plné strachu. Strážmistryně ó Nuallánová a detektiv O'Donovan jí pomohli na nohy a odvedli ji do obývacího pokoje. Carole Gerretyová vstala a podívala se dolů na ulici, obě ruce v hrůze přitisknuté k obličeji.

Katie se otočila k Michaelu Gerretymu. Hřbetem ruky si zpod nosu otíral krev. „Nakonec to ani nebude zlomené," řekl. „Jenom mi teče krev. Děvka."

Katie vsunula revolver zpátky do pouzdra. Stále ještě špatně slyšela. „Tohle je vaše vina," řekla Gerretymu. „Tohle se stane, když s lidskými bytostmi zacházíte, jako by na světě byly jen proto, aby vám vydělávaly peníze."

Michael Gerrety dal své manželce ruku kolem pasu a řekl: „Budu tu poznámku ignorovat, komisařko, vzhledem k tomu, že jste mi právě zachránila život. Jsi v pořádku, Carole?"

Katie se znovu podívala z balkonu. Policista hlídkující u vchodu do budovy klečel vedle Obiomy a kolem nich se shromáždilo několik kolemjdoucích, kteří si však drželi odstup.

Detektiv O'Donovan se za nimi vrátil na balkon a řekl: „Zavolal jsem sanitku a kluky z technického." Kývl hlavou směrem k Michaelu Gerretymu. „A co s ním?"

„Co tím chce říct, co se mnou?" zeptal se Gerrety.

„Dnes večer jsme sem přišli, abychom vás odvedli na výslech," řekla Katie.

„Výslech? A proč? Ježíši, vy mi nikdy nedáte pokoj, co? Jste tím posedlá."

„Potřebuju vaše vyjádření k úplatkům, které jste dával jistým policistům za to, že budou přehlížet nějaké vaše nelegální aktivity."

„Co? Jaké nelegální aktivity? V životě jsem nic nelegálního neudělal!"

„Vzhledem k okolnostem to necháme na zítra. Ale ocenila bych, kdybyste se někdy dopoledne objevil na Anglesea Street. Můžete si s sebou vzít pana Moodyho, když budete chtít."

„To je obtěžování! Málem mě zabili a vy mě chcete vyslýchat kvůli nějakým nelegálním činnostem, které jsem nikdy nedělal. Kurva, vy jste posedlá!"

Katie ho následovala do obývacího pokoje. Branna seděla na jedné z pohovek a stále plakala, strážmistryně ó Nuallánová ji držela kolem ramen a snažila se ji uklidnit.

„Tak dobře," řekla Katie. „Necháme vás tu v klidu. Přijdou sem technici, aby sejmuli otisky na balkoně, jestli tam nějaké budou. Jinak se, pane Gerrety, budu těšit zítra."

Michael Gerrety si pořád otíral nos. Než Katie odešla, naklonila se k němu a řekla, velmi tiše, aby ji nikdo jiný neslyšel: „Vlastně máte pravdu, Michaeli. Jsem posedlá. Jsem posedlá tím, obvinit vás z každé nechutné věci, kterou jste udělal, a ukázat veřejnosti, jaká jste odporná veš."

Usmála se na Carole Gerretyovou, která jí úsměv opětovala, a otočila se zpátky na detektiva O'Donovana. „Pojďme, Patricku. Musíme se jít poklonit Obiomě."

„*Poklonit*, komisařko?" zeptal se detektiv O'Donovan, když výtahem sjížděli do přízemí.

„No ne úplně poklonit. Ale zabila jsem ji a musím ji vidět. Sice to byla vražedkyně, ale její vztek úplně chápu."

Když dorazili do přízemí, vzhlédla. „Nedostalo se jí pomsty na Michaelovi Gerretym, ale mně se to podaří, přísahám Bohu."

Venku na Eglington Street se Katie prodírala davem, který se tam srocoval. Do nikoho nestrkala, jen každému vždy jemně poklepala na rameno a řekla: „Promiňte, s dovolením." Tak se dostala až k Obiominu tělu.

Obioma ležela na boku a vypadala, jako by prostě byla unavená a rozhodla se odpočinout si. Měla otevřené oči a ve tváři zmatený výraz, ale byla stále krásná. Ruce a nohy měla rozhozené v nepřirozeném úhlu a lebka se zezadu roztříštila, takže po chodníku se rozstříkla krev a kusy mozku. Musela z balkonu spadnout po hlavě a dolů to bylo sedmdesát metrů.

Katie k ní poklekla. Policista, který se nad tělem nakláněl, nic neřekl, ale podíval se na Katie, téměř jako by očekával, že jí požehná — *In nomine patris et filii et spiritus sancti* —, Katie ale řekla jen: „Je mi to líto." A opatrně natáhla ruku, aby Obiomě zatlačila oči.

44

Zůstala ve městě celou noc — nejdřív v Elysian Tower, dokud technici neskončili s fotografováním Obiomina těla, a potom v Anglesea Street, kde psala předběžnou zprávu o střelbě a potom o situaci informovala novináře.

Domů se vrátila až v půl jedenácté dopoledne, aniž by spala byť jen hodinu. Přesto měla čas jen na to, aby se převlékla, osprchovala a připravila si sendvič, než se vrátí na stanici k výslechu Michaela Gerretyho. Předběžně se s jeho právníkem, Jamesem Moodym, domluvila na setkání v půl čtvrté odpoledne. Varovala pana Moodyho, že jestli se Michael Gerrety k výslechu nedostaví, bude zatčen.

James Moody povýšeně odvětil: „Můj klient zná své občanské povinnosti velice dobře, komisařko, nemusíte mu vyhrožovat."

Když přišla domů, John už na ni čekal. Měl na sobě lehkou gabardénovou větrovku a khaki kalhoty. Jeho modrý kufr Samsonite stál připravený v předsíni.

„No pane jo," poznamenal. „Koukni se na svoje oko."

„Jak se na něj mám kouknout?" řekla. „Sotva vidím."

Pověsila si v předsíni bundu. Revolver jí na stanici vzali kvůli služebním postupům, ale dostane ho zpátky, jakmile bude její střelba důkladně prozkoumána.

„Jsi v pořádku?" zeptal se John. „Vypadáš hrozně, jestli to tak můžu říct."

„To já vím. Aspoň máš o důvod víc odjet, že?"

„Katie..."

„Ale ne," povzdychla si. „Kdo by tě mohl vinit, že odjíždíš ze země, kde je to samý kněz, přetvářka a vepřové nožičky? Když navíc jediný člověk, který tě tu drží, je strašlivě vyhlížející zrzavá komisařka, která v noci nikdy není doma."

John se ji pokusil obejmout, ale ona ho odstrčila.

„Katie..."

„Prostě jeď," řekla tiše. „Už jsme si všechno řekli. Nemá cenu to opakovat."

Posadila se v obývacím pokoji, který měl John přestavět. Barney si sedl k ní, hlavu nakloněnou na stranu, jako by se ptal, co se děje.

John stál mlčky ve dveřích.

„Kdy ti letí letadlo?" zeptala se ho Katie.

„V půl čtvrté."

„Aha. To budu zrovna vyslýchat Michaela Gerretyho."

„Ty jsi tu ženu zastřelila?" zeptal se John. „Tu Obiomu?"

„Ano."

„Jaké to je? Jaký je to pocit, když něco takového musíš udělat?"

„Na to se mě neptej, Johne. Už mám umírání dost. A zrovna teď si připadám, jako bych umírala i já."

John ještě chvíli čekal, ruku na klice, a smutně se na Katie díval. Potom položil klíče na stolek v předsíni a zvedl kufr. Odešel a tiše za sebou zavřel dveře.

ČERVENÁ

Graham Masterton

LUCERNA

Z anglického originálu *Red Light* vydaného
nakladatelstvím Head of Zeus v Londýně roku 2014
přeložila Radka Klimičková
Redaktorka Kateřina Menclerová
Obálka (s použitím podkladů od www.blacksheep-uk.com
a Corbis) a typografická úprava Lucie Zajíčková
Sazba písmy Tabac a Futura Jaroslav Bulíček
Tisk a knihařské zpracování
CPI Moravia Books, s. r. o., Pohořelice

Vydal Host — vydavatelství, s. r. o.
Radlas 5, 602 00 Brno, tel.: 545 212 747
roku 2016 jako svou 1155. publikaci
První vydání. Počet stran 399
e-mail: redakce@hostbrno.cz
www.hostbrno.cz